François de Sales à cinquante-quatre ans (1618)

Auteur inconnu. (Visitation de Turin. L'au-
réole a été ajoutée après la canonisation.)

Ce volume présente le texte intégral de la thèse soutenue par
le R. P. William Marceau, c.s.b., pour le Doctorat en Littérature française, à l'Université Laval, Québec, P. Q. (Canada).

L'OPTIMISME DANS L'ŒUVRE
DE SAINT FRANÇOIS DE SALES

William MARCEAU, c.s.b., Ph. D.

L'OPTIMISME
DANS L'ŒUVRE
DE SAINT FRANÇOIS
DE SALES

ÉDITIONS P. LETHIELLEUX
10, rue Cassette
PARIS (6e)

1973

© Dessain et Tolra, 1973.
ISBN 2 249 60065 1.

A mes chers parents

Les « Messieurs » et les religieuses de Port-Royal prouvaient qu'ils avaient mal lu saint François de Sales lorsqu'ils l'accusaient de favoriser, par excès de confiance, la paresse spirituelle ; de même qu'ils lisaient un saint Augustin incomplet et par là falsifié.

L'« optimisme » de saint François de Sales, le « pessimisme » augustinien : les deux termes soulèvent des protestations légitimes, si on les emploie sans en définir le sens exact, sans en montrer avec précision les sources, les limites et l'esprit.

On n'accusera pas le R.P. William Marceau de légèreté à cet égard ni de complaisance pour une idée préconçue. Son étude établit, avec une belle maîtrise, sur des bases inébranlables, ce qu'on doit entendre par l'optimisme du « doux » évêque d'Annecy qui du reste s'est pénétré de la vraie doctrine de l'évêque d'Hippone.

Le monde a été créé et il est régi par un Amour ; la création ne trouve son unité et son équilibre et son élan que dans l'Amour. L'Amour de Dieu, source de Joie et de Confiance : voilà quelle est l'intuition fondamentale de François de Sales, voilà sur quelle certitude s'établit et en quels mots se résume sa doctrine. Et que serait l'Amour d'un Père et d'un Sauveur s'il n'était source de Paix et d'Allégresse ? Tout est dit par là, et l'on tient le principe de l'« anthropologie » du grand Docteur ; l'idée qu'il se fait de l'homme. Le péché lui-même, inclus dans le plan d'Amour, ne fait que procurer à l'homme l'occasion d'un essor plus généreux, d'une ascension plus haute.

Rien de surprenant, dès lors, que François de Sales assume, comme le dit excellemment notre auteur, « toutes les valeurs de la Renaissance ». « Je suis tant homme que rien plus », dit-il et ainsi, comme Erasme, il annexe au christianisme tout ce qu'il y eut de noblesse morale et d'aspirations religieuses dans l'Antiquité gréco-latine.

De même, son admirable - et si intelligente - hospitalité d'esprit lui inspire de combiner et d'élaborer en harmonieuse synthèse les vérités essentielles qu'il recueille dans les diverses spiritualités formulées au cours des siècles par les directeurs chrétiens.

A une époque troublée, où abondent les prophètes de catastrophe et les contempteurs de l'homme (les pires étant ceux qui donnent licence à tous ses instincts), c'est un réconfort puissant à procurer aux âmes que de leur faire entendre la voix douce et ferme de ce messager de l'Espérance - autre nom de l'Optimisme.

Il faut remercier le R.P. W. Marceau de publier son livre. Il vient à une heure opportune. Il a de quoi répandre lumière et courage. Plus que de pain, plus que de machines à laver, l'homme a besoin de Vérité, de Justice et d'Amour. C'était la pensée de saint Augustin que la plus grande charité que l'on puisse pratiquer envers ses frères est la charité de la doctrine, de la Parole de Dieu. Ce message essentiel prend sa plus grande efficacité d'être présenté par un saint qui vous offre, avec tant de séduction, l'image de ce que saint Paul appelle la « philanthropie » et la « bénignité » de Dieu.

Pierre SAGE

INTRODUCTION

Il serait bon que nous définissions, avant d'entrer directement dans le sujet, les termes dont nous allons nous servir.

Le mot « optimisme », d'abord, a plusieurs significations qu'il convient de bien distinguer. Si nous voulons nous en tenir à celle que lui a donnée Leibniz, l'optimisme est une doctrine qui prétend que le monde actuel est le meilleur des mondes possibles ; son point de vue est que le bien doit, pour finir, triompher du mal ; en d'autres termes, l'optimisme est l'attitude d'un esprit qui sans cesse s'efforce d'avoir une large vue de toute chose et qui ne se laisse jamais prendre par le désespoir, même quand tout semble annoncer la défaite.

Le terme « optimisme » n'est entré dans la langue française qu'au XVIIIe siècle. Mais, bien entendu, la tendance et la doctrine exprimées par ce mot sont fort anciennes. Pour Socrate, Platon, les stoïciens, les alexandrins, le monde est un tout fini et harmonieux, où tout est admirablement ordonné.

Ce mot « optimisme » a été employé en français pour la première fois par les Pères Jésuites de Trévoux, rédacteurs des *Mémoires pour l'histoire des sciences et des beaux arts*, dans le compte rendu de la *Théodicée* de Leibniz ; il s'applique spécialement à la théorie d'après laquelle, selon lui, le monde est un « optimum » ou un « maximum ». « En termes d'art, il l'appelle la raison du meilleur, ou plus savamment encore, et théologiquement autant que géométriquement, le système de l'*Optimum* ou de l'Optimisme [1] ».

---

1. *Mémoires*, février 1737, p. 207

Le terme est inclus dans le *Dictionnaire de Trévoux* (1752) et a été adopté par l'Académie française en 1762.

D'après Leibniz, Dieu, intelligence infinie, conçoit une infinité de mondes possibles ; souverainement puissant et souverainement bon, il réalise le meilleur. Pour le discerner entre tous, il ne considère pas les détails, mais l'ensemble, et son choix se fixe sur celui qui, toutes choses balancées, l'emporte en perfection. L'univers est aujourd'hui le meilleur qu'il puisse être pour le moment ; mais Leibniz admet sa perfectibilité indéfinie.

Le conte philosophique de Voltaire, *Candide ou l'Optimisme* (1758), a beaucoup contribué à vulgariser ce mot. L'optimisme que Voltaire a raillé dans son roman est celui qui consiste à fermer les yeux sur la réalité du mal pour se dispenser de le combattre. Le monde n'est pas bon, mais il peut être rendu meilleur par l'effort des hommes. Il est perfectible, et cela suffit à donner à la vie sa raison d'être : l'effort vers le mieux. La véritable origine de *Candide* est dans la querelle de Voltaire et de Rousseau ; c'est une réponse à la *Lettre sur la Providence*, adressée à Voltaire par Rousseau pour réfuter le *Poème sur le désastre de Lisbonne* (1756).

Nous allons considérer l'optimisme de saint François de Sales, docteur de l'Eglise. Il nous faut donc nous rapporter aux dogmes chrétiens qui permettent seuls de placer dans son vrai jour la pensée exacte de saint François. Si grand que soit saint François, il ne saurait remplacer, à lui seul, la longue tradition des Pères de l'Eglise et des philosophes du Moyen Age. Les témoins par excellence de cette doctrine chrétienne restent saint Augustin, saint Bernard, saint Thomas d'Aquin et saint Bonaventure, sans oublier la bible elle-même, dont ils se sont tous également inspirés.

Il suffit, en effet, de lire le premier chapitre de la Genèse pour découvrir le principe de ce que nous nous proposons d'appeler l'optimisme chrétien. Nous sommes immédiatement placés devant le fait capital de la création ; et c'est le créateur lui-même qui, regardant son œuvre au soir de chaque jour, affirme non seulement que c'est lui qui l'a faite, mais encore que parce que c'est lui qui l'a faite, elle est bonne : *et vidit Deus quod esset bonum* ; puis, embrassant d'un seul regard l'ensemble de cette œuvre au soir du sixième jour, Dieu peut se rendre une dernière fois ce même témoignage et proclamer que sa création est très bonne : *viditque Deus cuncta quae fecerat et erant valde bona.* Voilà quelle est, dès le temps de saint Irénée, la pierre d'angle de l'optimisme chrétien.

Chez les Pères de l'Eglise aussi bien qu'au Moyen Age et à l'époque moderne, une conception pessimiste de la religion s'oppose à une conception optimiste où triomphe l'amour joyeux. H. Bremond définit ce concept ainsi : l'optimisme chrétien « c'est une doctrine d'héroïsme... cette ardeur au bien, cette confiance filiale en l'amour divin, cette liberté, cette joie de vivre la vie chrétienne » [2]. Par contre, Tertullien, l'ancien avoué romain, apporte à la description des relations de l'homme avec Dieu son esprit, sévère et juridique. Dieu est le maître et le juge suprême ; l'homme, sa créature, doit lui obéir comme un esclave. « La crainte est le fondement du salut. C'est la crainte que l'homme a de lui, qui glorifie Dieu » [3].

Un tel esprit pessimiste est opposé à l'esprit salésien. « Il faut tout faire par amour et rien par force » [4]. C'est là une des formules essentielles de François de Sales. L'expression est relative à l'action, qui trouve son motif dans une doctrine optimiste, apportée par l'évangile.

D'où vient cet optimisme, ou, plus exactement, par quoi a-t-il été révélé, déterminé, orienté ? A partir de quand le trouve-t-on dans la vie du Saint ?

François naquit le 21 août 1567, au château de Sales, dans la paroisse de Thorens, près d'Annecy. Sa famille, vivant en milieu protestant, était solidement catholique [5]. Son père, François de Boisy depuis son mariage, avait quarante-cinq ans le jour de la naissance de son fils. « C'était un homme d'un jugement solide, ferme comme un rocher

---

2. BREMOND H., *Histoire littéraire du sentiment religieux en France - depuis la fin des guerres jusqu'à nos jours*, Paris, Bloud et Gay, 1923, I, pp. 358-377.
3. *De cultu faeminarum* 2, 2, 1318 ; *De Poenitentia*, 7, 1241 ; PL, I, 1433, 1351.
4. *Œuvres*, XII, p. 359.
5. SECRET B., dans *Catholicisme*, col. 1539-1540.

en fait de résolution ; éloigné de toute arrogance... très bon à ses sujets, ennemy déclaré de l'hérésie... » [6].

Sa jeune mère, Françoise de Sionnaz, était âgée à peine de quinze ans. « Une telle différence d'âge entre ses parents explique l'autorité du père sur toute la maisonnée, et la confiance très particulière de la maman pour son fils aîné » [7]. Après l'arrivée du premier, « elle éleva ce bel enfant avec les soins et les tendresses qu'on peut imaginer ». Auprès d'elle, il apprit ce que c'est que d'être fidèle à Dieu et bon aux hommes. Peut-être trouve-t-on là, dans ce milieu familial de bonté, les sources lointaines mais profondes de son optimisme. « Dieu et ma mère m'aiment bien » [8]. Qu'il est révélateur, ce premier mot qu'on lui attribue !

François était né dans une chambre dédiée à saint François d'Assise. Son père était un François, sa mère une Françoise, sa grand-mère une Bonaventure, son parrain un François. Du côté paternel et du côté maternel, il était le bénéficiaire de deux siècles d'influences franciscaines. L'arrivée récente des capucins en Savoie avait renforcé ces influences. François, un moment, pensa même se faire capucin. Les fortes influences franciscaines qui se sont exercées sur ses jeunes années sont très importantes. C'est alors qu'il adopte l'esprit de saint François d'Assise. Il le cite plusieurs fois au cours du *Traité* [9].

Cette inspiration de saint François d'Assise on la reconnaissait, déjà du vivant de François de Sales, dans les écrits salésiens. La doctrine franciscaine ne se résume pas à la pauvreté. Mais elle s'exprime davantage par la conformité à la volonté divine, la déification, la joie parfaite ; c'est la transformation de l'âme passive. « Le grand saint François, qui en ce sujet de l'amour céleste me revient tous-jours devant les yeux... » [10], écrit saint François de Sales dans la rédaction du Livre VII.

6. HAUTEVILLE N. de, *La Maison naturelle historique et chronologique de Saint François de Sales*, Paris, 1669, p. 191.
7. *Notes salésiennes*, Procure de la société des Prêtres de Saint François de Sales, Paris, 1937, p. 15.
8. *Œuvres*, XIV, p. 261.
9. *Ibid.*, IV, pp. 123, 124, 273, 274, 284, 287, 290, 315, 357-360 ; V, pp. 41, 43, 49, 93, 103, 322.
10. *Ibid.*, V, p. 43.

Malgré les protestations de Madame de Boisy, à sept ans, François accompagné de son précepteur, Monsieur Déage, est conduit par son père au Collège de la Roche-sur-Foron. En 1576, il est au Collège d'Annecy. Lorsqu'il a quinze ans, Monsieur de Boisy, désireux pour son fils d'une éducation plus complète et solide de gentilhomme, l'envoie à Paris, au Collège de Clermont, tenu par les jésuites, véritables humanistes. Ces professeurs du jeune François doivent beaucoup aux premières générations de la renaissance des lettres. L'influence d'Erasme sur leur enseignement est manifeste. Quintilien reste le maître commun des jésuites et des érasmiens. Les exercices de composition prescrits par le *Ratio Studiorum* de la Compagnie sont ceux que recommandaient Erasme et Vivés. Saint Ignace de Loyola se défiait de l'esprit d'Erasme, mais il n'a pas lu son *Enchiridion militis christiani* sans en retenir de précieuses leçons pratiques.

Saint Ignace et la Compagnie de Jésus ont suivi et ont continué l'œuvre d'Erasme. La grande, l'importante innovation de l'humanisme, c'est sa méthode rationnelle d'étude et d'enseignement fondée sur la réalité des documents authentiques, sur la certitude scientifique, tandis que le moyen âge préférait répéter la parole du maître et se contentait de la tradition sans la contrôler [11]. Une seconde innovation, d'une importance plus grande encore pour saint François de Sales, indiquée par Erasme, est celle qui assigne un but à cette étude et à tout enseignement. Au XIVe et au XVe siècle, l'étudiant travaillait dans les universités pour devenir un habile dialecticien, pour se rendre invincible dans tout débat et pour accéder aux places les plus lucratives. La religion et la morale étaient laissées à la merci de la sensiblerie, de la peur ou du sentiment. La renaissance italienne, tout en restituant aux études leur rôle éducatif, ne leur assignait d'autre but, que la réalisation aussi parfaite que possible de l'idéal de l'homme cultivé, tel que se le proposait l'antiquité païenne. Ce furent les humanistes chrétiens, Erasme et les jésuites, qui tendirent vers la perfection chrétienne, en même temps que

---

11. De Vocht H., *Erasme, sa vie et son œuvre*, Louvain, 1935.

vers la perfection humaine. Toute étude, toute connaissance de l'esprit doit nécessairement avoir pour but le développement de l'homme, tant dans l'âme que dans les facultés sensitives, une « humanisation » toujours plus grande, l'idéal que Dieu a proposé à l'homme : voilà le principe fondamental et optimiste de tout le travail spirituel et intellectuel d'après Erasme, qu'Ignace de Loyola a retenu. Quelle importance pour le jeune étudiant François de Sales qui allait devenir auteur spirituel !

Ces principes se retrouvent dans l'enseignement que ces religieux donnaient : « au lieu de rester purement littéraire, phraséologique... comme celui qui se distribuait encore dans la vieille université, il tendait à devenir scientifique... substantiel ». Aussi, disait Bacon (qui n'aimait guère les jésuites) : « Il ne se pouvait rien faire de mieux en ces choses »[12].

Les jésuites ne voyaient pas en l'homme une corruption totale, un péché vivant et qui ne serait que péché, mais au contraire un être foncièrement bon, fait pour la vérité et la vertu. Ils mettaient l'accent sur la notion de providence et sur l'ampleur de la grâce que reçoit chaque homme et qui est largement suffisante pour le sauver.

Admis au titre de bachelier ès arts en 1584, François peut alors entreprendre des études de philosophie. Mais s'il étudiait la philosophie pour plaire à son père, en même temps il s'adonnait à la théologie « pour se plaire à luy-mesme ». Un témoignage de ses contemporains est assez clair sur ce point : « Soudain qu'il avait du loisir, bien souvent s'échappant au sortir des classes de philosophie, il perdait ses repas ordinaires afin de s'en aller à la Sorbonne ouïr les disputes de théologie, auxquelles il se rendait fort attentif »[13]. Ce qu'en Sorbonne on traitait à ce moment-là, c'était la question passionnante entre toutes : « la grande querelle »[14] comme on l'a appelée, celle de la prédestination. A dix-sept ans, alors que François fait sa philosophie,

---

12. DUFOURNET A., *La jeunesse de saint François de Sales*, Paris, Grasset, 1942, p. 53.
13. TROCHU F., *Saint François de Sales*, *évêque et prince de Genève*, Vitte, 1941, I, p. 123.
14. *Œuvres*, XXII, p. 14.

il risque d'être touché par un certain pessimisme luthérien et pré-janséniste qui s'est infiltré dans la maison. Le jeune homme est incapable de donner à ce pessimisme une note théologique : il le croit orthodoxe. C'est la fameuse tentation du désespoir de 1586. « Mon Dieu, si par un décret, incompréhensible pour ma raison, je dois être un jour parmi les damnés, je serai donc empêché de vous aimer éternellement » [15]. Cette pensée est tellement insupportable à l'âme aimante, à l'âme ardente de François, qu'il en tombe malade physiquement. Il redouble de prières. Il recourt à la Sainte Vierge. Comment sortira-t-il de cette crise ? Par le raisonnement ? Non, mais par l'amour. Alors intervient ce que l'on a appelé le vœu héroïque.

> Mon Dieu, si, d'une manière qui m'est absolument incompréhensible, je suis condamné à ne pouvoir vous aimer dans l'autre monde, ce que je sais bien, c'est que, pendant cette vie, je puis vous aimer. Je le ferai donc.
>
> Seigneur, quoi que vous ayez arrêté à mon égard au sujet de cet éternel secret de prédestination et de réprobation... je vous aimerai au moins en cette vie s'il ne m'est pas donné de vous aimer dans la vie éternelle [16].

On a dit, à ce moment, que ce fait avait déterminé la position théologique de François : il aurait adopté dès lors, sur la question de l'accord de la grâce et de la liberté, le molinisme de préférence au thomisme.

François aurait pu, vaincu par un désespoir apparemment sans issue, jeter, comme on dit, le manche après la cognée et conclure pratiquement dans le sens de l'égoïsme : « Si je dois être malheureux dans l'éternité, à quoi bon, dans cette vie, lutter contre mes passions ? *Carpe diem.* Prends ton plaisir où tu voudras. Après on verra bien ».

Mais non, François conclut, et conclut pour toute sa vie, généreusement, héroïquement mais de façon réaliste :

> Si j'ignore ce que sera le lendemain éternel, je sais bien qu'aujourd'hui je puis aimer Dieu. Je l'aimerai.

---

15. *Ibid.*, pp. 19-20.
16. *Ibid.*

D'abord François fera sa théologie. Ensuite François connaîtra les diverses positions orthodoxes sur la prédestination et il choisira. Il prendra position théologiquement. Son choix optimiste est le fondement de tout l'esprit salésien et de toute la direction spirituelle salésienne.

Pour lui, désormais, comme pour toutes les âmes qu'il aura à diriger, il ira toujours par le même biais, ou plutôt, par le même droit fil : « Il est de votre pouvoir d'aimer et de mieux aimer. Faites-le ».

François de Sales fut humaniste dans toute la force du terme. Il étudiait, outre les lettres et la philosophie, l'hébreu et le grec, l'écriture sainte et la théologie. Ensuite, il apprend la jurisprudence à « Padoue, fleur de la civilisation italienne, synthèse de Venise et de Florence, toute pleine de souvenir de Pétrarque » [17]. Il n'en revient pas seulement docteur en droit, après un séjour de quatre ans (1583-1592) : à la robuste clarté française va se mêler chez lui désormais le charme un peu précieux de la finesse italienne. A Padoue, il aura quelque temps pour directeur le jésuite Antonio Possevino et il découvrira le livre de Laurent Scupoli, le *Combattimento spirituale.* A propos de ce livre, il écrira à la baronne de Chantal : « Ma chère Fille, lisez le 28ᵉ chapitre du *Combat Spirituel,* qui est mon cher livre, et que je porte en ma poche il y a bien dix-huit ans, et que je ne relis jamais sans proffit » [18]. Il ne l'estimait pas moins que le livre de l'*Imitation de Jésus-Christ.* Un ouvrage mystique du pur amour de l'école italienne est le *Breve Compendium,* la doctrine d'amour de sainte Catherine de Gênes. Saint François en donna un exemplaire à sainte Chantal [19]. L'Italie du xviᵉ siècle a une spiritualité aimable et qui donne l'impression de la mesure, de l'équilibre. Saint François a bien remarqué ce caractère de l'Italie mystique et sa piété en a reçu l'empreinte.

On sait que les théories platoniciennes furent tout à fait en honneur dans l'Italie de la Renaissance. Plusieurs les considèrent comme une introduction à la mystique. « L'idée

17. VINCENT F., *Saint François de Sales,* Paris, Beauchesne, 1926, pp. 4-5.
18. *Œuvres,* XIII, p. 304.
19. *Ibid.,* IV, p. xc.

que le monde visible a été créé par le Dieu d'amour, qu'il
est une reproduction du modèle préexistant en lui et qu'il
recevra toujours de son créateur le mouvement et la vie » [20],
que l'âme humaine peut s'épanouir, s'étendre indéfiniment
grâce à l'amour divin, cette idée était déduite autant des
écrits de Platon que de l'enseignement des auteurs ecclésiastiques. Aussi, Marsile Ficin et d'autres humanistes
aimaient-ils disserter sur l'amour. Bembo, sainte Catherine
de Gênes et surtout le bienheureux Bellarmin rendirent
familière la doctrine de l'amour divin. A cause de ces
influences humanistes, saint François de Sales va écrire :
« Finalement je m'endormirai en l'amour de la seule et
unique bonté de mon Dieu ; je goûterai, si je puis, cette
immense bonté de mon Dieu ; je boirai cette eau vive non
dans les vases ou fioles des créatures, mais en sa propre
fontaine » [21]. Ici culmine son optimisme : « ceste adorable
Majeste est bonne en elle-mesme, bonne a elle-mesme,
bonne pour elle-mesme » ; elle est « la bonté mesme »,
« la toute bonté » ; toutes les créatures ne sont bonnes que
« par participation » de cette « aymable bonté » [22]. Tout
amour doit donc remonter de la bonté des choses à la bonté
de Dieu : là s'apaise le désir et l'amour trouve son bien.
Telle est déjà sa dialectique de l'amour divin ; on la retrou-
vera développée dans ses méditations décisives de l'*Introduction à la Vie dévote*.

L'optimisme salésien découle de l'humanisme chrétien.
Des vérités de la foi, l'humanisme chrétien met en lumière,
avec une prédilection marquée, celles qui lui paraissent les
plus épanouissantes, les plus joyeuses, les plus humaines.
L'humanisme chrétien croit ce que croit l'église ; il admet
le péché originel, la faiblesse de l'homme déchu, la nécessité de la grâce et de l'ascèse, mais il insiste sur la rédemption et la nature restaurée, il exalte la grâce offerte à tous
et le joug léger du Christ.

> Dieu est autheur en nous de la rayson naturelle, et ne
> hait rien de ce quil a faict, si que, ayant marqué nostre

20. Burckhardt J., *La civilisation en Italie au temps de la Renaissance*,
Paris, Plon, 1958, II, pp. 346-347.
21. *Œuvres*, XXII, p. 36.
22. *Ibid.*, pp. 35-37.

> entendement de ceste sienne lumiere, il ne faut pas penser que l'autre lumiere surnaturelle quil depart aux fidelles, combatte et soit contraire à la naturelle ; elles sont filles d'un mesme Pere, l'une par l'entremise de nature, l'autre par l'entremise de moyens plus hautz et eslevés, elles donques peuvent et doivent demeurer ensemble comme seurs tres affectionnées [23].

Et comme il écrit en pleine hérésie protestante, il lui arrive souvent de réhabiliter le pouvoir de la volonté humaine et d'affirmer la puissance de la liberté.

> Les enfans ne sont ni bons ni mauvais, car ils ne sont non plus capables de choisir le bien que mal. Ils marchent pendant leur enfance comme ceux qui sortans d'une ville vont tout droit quelque temps ; mais au bout de ce peu de temps ils trouvent que le chemin se fourche et partage en deux ; il est à leur pouvoir de prendre à droite ou à gauche, selon que bon leur semble, pour aller où ils desirent [24].

Le péché originel n'a donc point vicié la nature au point de la corrompre totalement : il l'a seulement affaiblie, dangereusement, mais elle peut se relever avec l'aide de Dieu secondant ses propres efforts.

> Il n'y a point de si bon naturel qui ne puisse estre rendu mauvais par les habitudes vicieuses ; il n'y a point aussi de naturel si revesche qui, par la grace de Dieu premierement, puis par l'industrie et diligence, ne puisse estre dompté et surmonté [25].

L'humanisme chrétien est un esprit, une méthode surtout. Un esprit d'optimisme, de mesure et d'adaptation. Une volonté « d'être homme en perfection ». Une méthode de philosophie religieuse totale, faisant appel à tous les dons de l'humanité, à toute son expérience, à toutes ses virtualités.

L'humanisme chrétien met de préférence en lumière des doctrines essentielles du christianisme. Il ne croit pas que

---

23. *Ibid.*, I, p. 330.
24. *Ibid.*, IX, p. 132.
25. *Ibid.*, III, p. 68.

le dogme central soit le péché originel, mais la rédemption. Il ne met pas en question la nécessité de la grâce ; mais, loin de la mesurer parcimonieusement à quelques prédestinés, il la veut libéralement offerte à tous. Cet optimisme religieux, cet humanisme chrétien, sans doute, se garde d'exalter l'homme à l'état de nature, parce qu'il sait sa chute et sa faiblesse. Mais s'il le sait blessé depuis cette chute, il ne le croit pas irrémédiablement corrompu ; il ne refuse pas de lui reconnaître quelque grandeur. Ainsi se prépare et s'achève la réconciliation de la culture humaniste et de la plus haute spiritualité chrétienne.

En tant qu'humaniste chrétien, François de Sales a rompu avec les docteurs de la corruption totale de la nature humaine par le péché originel, François de Sales affirme la convenance naturelle entre l'homme et le bien moral, entre l'homme et Dieu. La simple pensée de Dieu apporte à l'intelligence une satisfaction naturelle. Cela provient de la convenance qu'il y a entre Dieu et notre âme créée à son image et du sentiment naturel que nous avons que par Dieu seul nous avons une inclination naturelle à aimer Dieu en toutes choses, parce qu'il est l'objet souverain et celui qui nous convient le mieux ; mais si nous sentons naturellement que nous devons aimer Dieu par-dessus tout, nous n'en avons pas le pouvoir, car le péché originel, en introduisant la concupiscence dans le monde, a troublé la volonté plus que l'entendement. Sur ce sujet qui enchantait son cœur, François de Sales a écrit une page admirable soulevée par l'allégresse de son optimisme.

... n'est pas possible qu'un homme pensant attentivement en Dieu, voire mesme par le seul discours naturel, ne ressente un certain eslan d'amour que la secrette inclination de nostre nature suscite au fond du cœur... Entre les perdrix il arrive souvent que les unes desrobbent les œufs des autres affin de les couver... Et voyci chose estrange, mais neansmoins bien tesmoignee, car le perdreau qui aura esté esclos et nourri sous les aylles d'une perdrix estrangere, au premier reclam qu'il oyt de sa vraye mere... il quitte la perdrix larronnesse, se rend a sa premiere mere et se met a sa suite, par la correspondance qu'il a avec sa premiere origine ; correspondance toutefois qui ne paroissoit point, ains fut demeuree

> secrette, cachee et comme dormante au fond de la nature,
> jusques a la rencontre de son object... [26].

On voit l'application de cette similitude à l'âme humaine.

Le premier livre du *Traité* suffit pour nous donner une idée de la richesse et de la générosité de sa pensée, et aussi de l'unité de son esprit. Plus il paraît s'éloigner de la vie commune et monter vers des mystères inaccessibles, plus il s'attache à l'homme naturel, qu'il juge digne de s'élever et qu'il veut élever tout entier. Aucun humaniste n'a révéré l'homme naturel autant que ce mystique.

Le mouvement de réforme s'accentuera partout à la fin du XVIe siècle et prendra avec certains auteurs une allure pieuse très accusée, d'où le nom d'*humanisme dévot* que lui donne M. Bremond. Saint François de Sales en est le représentant le plus gracieux et le plus sûr.

Le point de départ de sa pensée, ce n'est rien de moins que l'homme : « Je suis tant homme que rien plus » [27]. Comme Térence, comme Shakespeare, il pense que l'humanité est belle, parce qu'elle a été consacrée à Dieu. Cet être de sang et de boue qu'est l'homme, il veut qu'il relève la tête vers la lumière. L'union de l'âme avec Dieu, on l'obtiendra par un effort quotidien, en « filant le fil des petites vertus ». C'est l'homme entier qu'assume cette doctrine, qu'elle voue à Dieu, qu'elle « dévoue » : dévouer, dévot, dévotion, les mots ont encore au XVIIe siècle leur plein sens, que nous avons affadi. Etre voué à Dieu, c'est le terme de l'homme, voulu par la providence, et auquel mène un système de grâces prévenantes. Doctrine d'espérance et de consolation.

En somme, les déterminations familiales, intellectuelles et spirituelles ont créé chez François de Sales une conception optimiste de la vie et des relations des hommes avec Dieu. Cet optimisme salésien se trouve dans tous les ouvrages du saint et, en particulier dans l'*Introduction à la vie dévote*, le *Traité de l'Amour de Dieu* et la correspondance. Il est le principe fondamental de sa vie, de son apostolat et de son influence à travers les siècles.

---

26. *Ibid.*, IV, pp. 78-79.
27. *Ibid.*, XIII, p. 330.

CHAPITRE I

APERÇU HISTORIQUE

Les premières années du XVIIe siècle constituent, au triple point de vue littéraire, religieux et politique une période assez confuse de l'histoire française. Les grands maîtres de la renaissance ont disparu, et poètes comme prosateurs semblent chercher une voie nouvelle ; le renouveau catholique s'affirme déjà, mais il est loin d'avoir encore pénétré les institutions et la licence des mœurs reste grande à la cour d'Henri IV ; les guerres de religion enfin viennent de troubler profondément les esprits et les passions politiques ne sont pas encore apaisées. Or c'est dans ce cadre que se situe l'action religieuse de François de Sales.

L'état religieux de la France à l'aube du grand siècle, bien que riche d'espérance par les signes nombreux de renouveau qu'il présente, n'en est pas moins attristant et inquiétant. L'église de France sort des guerres de religion assez gravement atteinte. Sans doute, le royaume est-il resté officiellement catholique, la monarchie française reste la fille aînée de l'église, le roi, pour conquérir définitivement son trône, a abjuré ; par contre, le calvinisme français est sauvé ; en 1598, l'Edit de Nantes accorde aux protestants français une liberté religieuse et des droits politiques et civils qu'ils ne possèdent en aucun autre état catholique. Ces divers aspects permettent d'apprécier l'état religieux de la France à l'heure où paraissent l'*Introduction à la vie dévote* et le *Traité de l'Amour de Dieu*.

Le renouveau catholique auquel saint François de Sales fut si étroitement mêlé ne peut, en effet, se comprendre qu'en fonction d'une situation antérieure qui doit nécessairement présenter un double caractère : défaillances (ou corruptions) de la pensée chrétienne ; mais, en même temps que cet appauvrissement qui justifie par contraste la notion même de renouveau, une secrète permanence du sentiment religieux sur laquelle viendra bientôt prendre appui l'élan nouveau de la piété catholique [1].

De l'année 1536, où parut l'*Institution de Calvin*, au *Colloque de Poissy* de 1561, réclamé par les protestants qui devaient pourtant en être les victimes, la réforme connut en France une période de progrès rapide [2]. A quoi l'attribuer, se demande M. Strowski. Les causes certes sont multiples, mais, pour lui, l'une des plus profondes est le besoin religieux des âmes avides de foi vive et d'union à Dieu, et qui ne trouvaient plus dans l'église catholique de quoi satisfaire leurs secrètes aspirations. « La prodigieuse révolte du Luthéranisme a été une punition visible du relâchement du clergé » écrira plus tard Bossuet [3]. Les moines et les prêtres desservants donnent au pays le plus triste exemple ; ni leur science ni leurs mœurs ne font estimer la religion qu'ils représentent. Dans un discours au roi, en 1560, l'évêque de Valence reconnaît par exemple que « les simples curés de campagne dédaignaient de prêcher et le faisaient faire par des prêtres ignorants et indignes qui... ne remontraient qu'une même chose faisant servir un sermon en toutes saisons » [4]. Or voici que passent à travers la France des hommes de condition obscure qui distribuent des livres pleins de magnifiques promesses, tel ce Philibert Hamelin qui s'en allait de village en village, un simple bâton à la main, accompagné de quelques serviteurs qui vendaient des bibles et autres livres. Ces ouvrages nouveaux condamnent la nature, déclarent l'homme corrompu dès sa naissance, parlent de conversion spirituelle et instaurent une religion tout intérieure où le croyant s'unit directement à son Dieu.

M. Strowski écrit : « un esprit mystique, plus ou moins subtil, plus ou moins délicat, selon les gens, se répand sur toute la France. Il porte avec lui ce double caractère d'être un dégoût de la nature, de la vie et de l'homme, tels qu'ils

1. STROWSKI F., *Saint François de Sales, Introduction à l'histoire du sentiment religieux en France*, Paris, Plon, 1898. (Nouvelle édition, 1928.)
2. *Ibid.*, p. 1.
3. *Méditations sur l'évangile*, Dernière semaine, LXIVe journée, Vivès, Paris, 1862.
4. STROWSKI F., *Op. cit.*, p. 5.

apparaissent quand ils n'ont pas été transformés par la
religion, et d'être en même temps un besoin de Dieu, de
Dieu supérieur à la nature, ennemi de la nature, sauveur
de l'homme et guérisseur du péché ; ce mysticisme-là s'épanouit partout, chez des bourgeois et des ouvriers, des savants et des ignorants. Reconnaissez-le, c'est le sentiment
religieux, le sentiment chrétien » [5].

Dès la seconde moitié du XVIᵉ siècle, la haute société
française, dans sa majorité, opte pour le catholicisme. Mais,
selon Strowski, il faut y voir un trait de sagesse politique
plutôt qu'un signe de ferveur religieuse. En effet, tant que
la réforme ne trouble pas l'ordre du royaume, les esprits
polis et judicieux lui seraient plutôt favorables parce
qu'elle apparaît plus religieuse, plus savante, plus libérale
que le catholicisme. Mais, quand le caractère séditieux du
calvinisme apparut plus nettement, les humanistes, tels un
Ronsard ou un Montaigne, se rangèrent au parti de l'ordre.
Eux dont l'opinion faisait loi, et dont l'adhésion à la réforme
en eût procuré le succès durable, puisqu'ils étaient les
esprits les plus éclairés de la nation, avaient plus que tous
la haine des changements, des guerres civiles. « Indiffé-
rents aux questions de dogme, écrit Strowski, et dédaigneux
de la controverse religieuse, ils ont cependant une foi, une
religion, un culte : l'Etat. Ils ont été élevés à l'école de l'antiquité... La patrie, ses traditions et ses lois, son régime
politique, c'est pour eux un tout indissoluble : l'Etat res-
pectable à l'égal d'un père ou d'une mère, l'Etat saint et
sacré. Tout doit s'effacer devant l'intérêt de l'Etat... Même
pour une juste et honnête cause, la sédition est le pire des
crimes » [6]. Or l'unité religieuse est alors le seul fondement
concevable de l'unité de l'état.

C'est ainsi que Ronsard s'est enflammé contre la réforme,
d'une haine que rien n'apaise. Il se promet de faire retentir
sa colère « de siècle en siècle » : il veut l'écrire « d'une
plume de fer, sur un papier d'acier » [7]. Sans doute son
esprit libre et hardi avait-il pu être touché par les idées
nouvelles :

5. *Ibid.*, p. 7.
6. *Ibid.*, p. 12.
7. RONSARD P., *Continuation du Discours des Misères de ce temps à la
Reine Catherine de Médicis*, Envers, Strout, 1568, p. 13.

> J'ai autrefois goûté, quand j'étais jeune d'âge,
> Du miel empoisonné de votre doux breuvage.

Mais sa position est désormais ferme et le grand argument qui revient constamment sous sa plume, dans le *Discours* à Catherine de Médicis, et la *Continuation du Discours*, c'est incontestablement le mal que cause à la France la discorde et l'anarchie :

> Les enfants sans raison disputent de la Foi,
> Et tout à l'abandon va sans ordre et sans loi,
> L'artisan par ce monstre a laissé sa boutique,
> Le pasteur ses brebis, l'avocat sa pratique,
> Sa nef le marinier, sa foire le marchand,
> Et par lui le prud'homme est devenu méchant...
> Morte est l'autorité, chacun vit à sa guise.

C'est pourquoi tous, zwingliens, quintins, puritains, calvinistes, anabaptistes, fils dénaturés qui battent jusqu'à la mort la France leur mère, sont des pillards, des brigands, des assassins. On se souvient en particulier du pathétique appel qu'il adresse à Théodore de Bèze :

> La terre qu'aujourd'hui tu remplis toute d'armes...
> Ce n'est pas une terre allemande ou gothique,
> C'est celle où tu naquis, qui douce te reçut
> Alors qu'à Vézelay ta mère te conçut.
> Celle qui t'a nourri et qui a fait apprendre
> Sa science et les arts dès ta jeunesse tendre,
> Pour lui faire service et pour en bien user.
> Et non, comme tu fais, afin d'en abuser,
> Si tu es envers elle enfant de bon courage,
> Ores que tu le peux, rends-lui son nourrissage...

Et, de son côté, que dit Montaigne aux protestants : « Que me voulez-vous ? Les vraisemblances ne manquent pas à mon catholicisme, et l'on peut en faire une excellente apologie ». Ce n'est pas d'ailleurs, qu'il n'ait lui aussi connu la séduction de la foi nouvelle : « Si rien eût dû tenter ma jeunesse, écrit-il en faisant allusion à la réforme, l'ambition du hasard et difficulté qui suivaient cette récente entreprise y eût bonne part » [8]. Mais il est demeuré fermement attaché à la religion de ses pères, et incontestablement, son scepti-

8. *Essais*, L. I, ch. LVI.

cisme et son amour de l'ordre y sont pour beaucoup. Ce n'est pas de Montaigne qu'il faut attendre une ardente défense de la foi catholique pour elle-même. Mais, étant donné que cette religion est depuis longtemps fondée sur le témoignage même de Dieu, et qu'elle fait corps avec toutes les institutions sociales, son scepticisme lui sert à prouver la vanité de toute entreprise nouvelle : « Il y a grand amour de soi et présomption de mœurs que les guerres civiles apportent, et les mutations d'état en choses de tel poids, et les introduire en son pays propre. Est-ce pas mal ménagé d'avancer tant de vices certains et connus pour combattre des erreurs contestées et débattables » [9]. Or une telle attitude n'est-elle pas le masque de l'irréligion ? C'est la question souvent posée à l'occasion des *Essais* [10].

En tout cas, M. Strowski s'appuie sur les témoignages de ces maîtres de l'humanisme dont l'autorité contribue efficacement au triomphe de la cause catholique en France. Et, trop soucieux peut-être de souligner par contraste le renouveau de la vie religieuse catholique dont l'*Introduction à la vie dévote* sera comme la charte, il se laisse entraîner à juger sévèrement ce premier triomphe politique du catholicisme : « Les besoins n'y sont pour rien. Ce ne sont pas les exigences de la piété qui ramènent les âmes de l'hérésie à l'orthodoxie. Et si l'on se rappelle ici le réveil du sentiment religieux dans le protestantisme, et l'élan mystique, père de la Réforme, on comprend mieux par le contraste l'influence superficielle d'une religion qui semble se passer du sentiment religieux » [11].

Mais, à un tel jugement, nous ne pouvons souscrire. Pourquoi douter si rapidement de la sincérité des convictions catholiques de ces humanistes et de ces ligueurs qui, dans la seconde moitié du XVIᵉ siècle, défendirent la cause de l'église de Rome ? Sans doute la prudence politique et le goût de l'ordre ne furent-ils pas sans influence sur la véhémence de leurs sentiments contre le calvinisme, mais cette vie spirituelle qui va s'épanouir si magnifiquement au sein du catholicisme, au cours des premières années du XVIIᵉ siè-

9. *Ibid.*, L. I, ch. XXII.
10. On sait que les *Essais*, pour être devenus au XVIIᵉ siècle le bréviaire des sceptiques, ont mérité d'être mis à l'Index en 1676.
11. STROWSKI F., *Op. cit.*, p. 36.

cle, ne peut être une création spontanée ou une pure impor-
tation de l'étranger. L'*Introduction à la vie dévote*, comme
le *Traité de l'Amour de Dieu*, s'inséreront bientôt dans toute
une tradition religieuse française et seront goûtés par un
public chrétien déjà formé et prêt à recevoir le message
spirituel de François de Sales : message essentiellement
optimiste.

Ronsard et Montaigne, pour ne citer que ces deux grands
témoins de la pensée française de la seconde moitié du
XVIe siècle, sont restés catholiques, et ils se sont affirmés
comme tels. Certes, on ne peut dire que ce soit eux qui
aient préparé par leurs écrits le renouveau de pensée et de
vie chrétienne qui caractérise l'époque de saint François de
Sales, mais ce serait déjà beaucoup de pouvoir établir la
sincérité de ces hommes dont l'œuvre nous apporte l'écho
de l'attitude religieuse de la majorité des intellectuels français de ce temps.

Chez Ronsard, bien des professions de foi mêlent un peu
trop à notre gré la foi patriotique et la foi religieuse mais,
s'il est vrai que, dans le cœur du poète, au plus vif de la
guerre civile, la cause de Dieu ne fait qu'un avec la cause
du roi, peut-on suspecter pour cela la sincérité de son attachement à la foi catholique ? Nul ne peut dire ce qu'il
aurait fait en cas de persécution, mais il n'en a pas moins
écrit, dans sa *Remonstrance au peuple de Paris,* ces vers :

> Mais l'Evangile saint du Sauveur Jésus-Christ
> M'a fermement gravé une foi dans l'esprit
> Que je ne veux changer pour une autre nouvelle,
> Et dussé-je endurer une mort très cruelle.

C'est pourquoi sans prétendre nous porter garant de la
pureté des sentiments religieux de Ronsard, champion de
la cause royale et catholique [12], nous croyons excessif
d'écrire, avec M. Strowski : « Il se dit chrétien et catholique,
et il exprime en beaux termes la foi qu'il croit avoir, mais
il serait protestant, si les protestants n'avaient pas heurté
son loyalisme monarchique et son respect absolu pour
l'Etat » [13].

12. CHAMPION M., *Ronsard et son temps*, Paris, Champion, 1925,
pp. 137-197.
13. STROWSKI F., *Op. cit.*, p. 14.

Injuste sévérité à l'égard du poète, et qui risque au surplus de fausser notre conception de la vitalité du catholicisme au temps des guerres de religion. C'est en ces mêmes années que Montaigne plaçait en tête de son *Essai sur les prières*, une expresse déclaration d'appartenance et de soumission à l'église catholique.

> Je propose ces fantaisies informes et irrésolues... non pour établir la vérité, mais pour la chercher. Et les soumets au jugement de ceux à qui il touche de régler, non seulement nos actions et nos écrits, mais encore nos pensées. Egalement m'en sera acceptable et utile la condamnation comme l'approbation, tenant pour exécrable s'il se trouve chose dite, par moi, ignoramment ou inadvertament contre les saines prescriptions de l'Eglise catholique, apostolique et romaine, en laquelle je meure et en laquelle je suis né [14].

En cet essai, d'ailleurs et en d'autres encore, l'auteur témoigne d'un sens religieux incontestable, et d'un attachement sincère et réfléchi à la religion traditionnelle : « La sincérité religieuse de Montaigne, écrit M. Plattard, au jugement de qui je me réfère ici, ne peut guère être contestée et c'est en toute bonne foi qu'il écrira plus tard en marge de son exemplaire des *Essais* que « sa manière est laïque, non cléricale, mais très religieuse toujours » [15].

Ainsi, en face de l'élan religieux qui anime la première extension de la réforme en France au XVIe siècle, la foi catholique se maintient avec force, et ne nous pressons pas trop d'y voir une pure défense de l'unité nationale et monarchique.

Dans la confusion de la guerre civile qui ensanglante cette seconde moitié du XVIe siècle, dans l'exaspération des esprits, ne cherchons pas chez les catholiques une expression très précise de leur foi ; elle a chez eux partie liée à un triomphe politique. Mais, encore une fois, n'en méconnaissons pas pour autant la vitalité ni la sincérité. Evoquant le triomphe du catholicisme, après l'abjuration de Henri IV, M. Strowski estime que « ce qui devint le catholicisme officiel, ce ne fut pas l'exaltation des Parisiens qui

14. *Essai sur les Prières*, L. I, ch. VI.
15. PLATTARD J., *Montaigne et son temps*, Paris, Boivin, 1933, p. 206.

avaient sacrifié leur patriotisme à leur foi, ce fut le bon sens des gens qui avaient sacrifié aux nécessités politiques leurs susceptibilités religieuses... La ferveur, la foi agissante, c'est le dernier souci de ses nouveaux fidèles » [16]. Nous reconnaîtrons bientôt la grande part de vérité incluse dans ce jugement, en constatant nous-mêmes l'appauvrissement de la sève religieuse au sein du catholicisme officiel, sous le règne de Henri IV. Mais ce qui nous paraît contestable c'est l'opposition trop absolue et factice entre la ferveur du sentiment religieux des protestants et le triomphe du calcul politique chez les catholiques. Loin de favoriser l'intelligence de l'action de saint François de Sales, une telle conception de l'histoire rend bien mystérieuses les origines profondes de cette invasion du mysticisme catholique dont l'évêque de Genève sera l'un des premiers artisans.

Le pessimisme protestant

D'ailleurs, il est à côté des motifs politiques une autre cause pour laquelle l'élite catholique, au XVIe siècle, se devait de réagir contre l'emprise de la réforme : c'est la véritable incompatibilité de tendances qui séparent l'humanisme chrétien de la réforme protestante.

Bremond a très fortement souligné ce point dans le 1er tome de son *Histoire littéraire du sentiment religieux* : « l'humaniste, en effet, écrit-il, ne croit pas l'homme méprisable. Il prend toujours, et cordialement le parti de notre nature. Même s'il la voit méprisable et impuissante, il l'excuse, il la défend, il la relève. Confiance inébranlable dans la bonté foncière de l'homme, toute sa philosophie tient dans ces deux mots et s'adapte sans peine aux autres philosophies... qui s'accommodent elles-mêmes d'un tel optimisme » [17]. L'humanisme, en son fond éternel, nous explique-t-il ensuite, est essentiellement une tendance à la glorification de la nature humaine. C'est le mot de Shakespeare : *How beauteous mankind is*. La splendide chose que l'homme. Au contraire, Calvin, helléniste distingué, grand

16. STROWSKI F., *Op. cit.*, p. 17.
17. BREMOND H., *Op. cit.*, I, p. 10.

écrivain, nous humilie et nous accable, il désespère de nous : il n'est donc pas humaniste ; et la réforme protestante tout entière, croyant par là mieux glorifier l'œuvre salvatrice de la grâce, refusera de croire en la valeur de l'homme.

Calvin conçoit tout un système du monde, toute une explication du monde, toute une explication de la destinée humaine. Le triple point de départ en est, de toute évidence, fourni par Luther. Le péché originel, voilà la première, la plus irrécusable des évidences. « Nous sommes produits de semence immonde, nous naissons souillés d'infection du péché. » « L'homme est un singe, une bête indomptée et féroce, une ordure. » « Il tend nécessairement au mal » et « ce qui est le plus noble et le plus à priser dans nos âmes... est du tout corrompu, quelque dignité qui y reluise ». Aussi « depuis l'entendement jusqu'à la volonté, depuis l'âme jusqu'à la chair » la nature humaine est corrompue.

Cette marque du péché est si lourde, si déterminante, que l'homme ne peut que la subir. Il n'a aucun moyen de tenter de s'en débarrasser. Car il n'est pas libre : le « serf arbitre » calviniste est aussi rigoureux que celui de Luther. Telle qu'elle est constituée, notre nature ne peut nous conduire qu'au mal, parce que « la racine est mauvaise et vicieuse, toute pourrie ». La lutte même nous est interdite : « nous n'avons pas la repentance de nos manches ». Esclave de cette fatalité que fait peser sur lui sa condition même, l'homme ne possède, par lui-même, aucune liberté.

Mais cet esclavage radical porte en soi sa chance. « D'autant que tu es plus débile en toi, Dieu te reçoit d'autant mieux. » Ce salut qui nous est inaccessible par nos propres forces, Dieu peut nous l'accorder, à une condition : que nous ayons foi en lui. La justification par la foi est aussi nettement professée par Calvin que par Luther. « Est justifié qui n'est point estimé pécheur, mais juste. Dieu nous répute justes en Christ, combien que nous ne le soyons pas en nous-mêmes. La justice de Jésus-Christ nous est imputée. » Croire au Christ, s'accrocher en quelque sorte à lui pour qu'il rachète tout de nos indignités, de nos souillures, qu'il nous fasse échapper à la juste nécessité du châtiment mérité par notre corruption ; tel est donc le premier devoir de l'âme fidèle, et quasi le seul ; c'est aussi son réconfort, sa certitude. « Voici donc notre fiancé. Voici notre consolation unique. Voici tout le fondement de notre espérance. »

Ces trois données fondamentales, Luther les avait découvertes dans son expérience intérieure, comme des réponses aux questions qu'il s'était posées durant son drame d'âme. Il s'était lui-même éprouvé corrompu et souillé ; il s'était senti tout entier entre les mains de Dieu, serf d'une volonté surnaturelle et implacable ; et il n'avait trouvé le repos que le jour où il s'était jeté littéralement dans les bras du Christ, en découvrant que l'autre nom de la justice est amour. Pour Calvin, l'essentiel n'est pas là. Ce n'est point pour des raisons personnelles, psychologiques, qu'il sacrifie le libre arbitre ; c'est parce qu'il a au plus haut point l'idée de la grandeur de Dieu, de « l'honneur » de Dieu. En cela, il est vraiment disciple de la bible, fils du peuple qui, en toutes circonstances, s'écriait : «Mais à toi seul, Seigneur, la gloire ».

Ils sont deux, en ce temps, à proclamer d'une voix aussi forte cette certitude exaltante que tout sur terre doit être accompli *ad majorem Dei Gloriam :* Calvin et saint Ignace ; mais, tandis que le sage jésuite fait une juste part aux puissances de l'âme humaine, créée à l'image de Dieu, en les ordonnant d'ailleurs, comme des instruments librement choisis, à proclamer cette gloire, Calvin, lui, pense et professe que ce serait « obscurcir la gloire de Dieu et se dresser contre lui » de reconnaître à l'homme le moindre mérite. Il est vraiment le contraire même de ces humanistes, chrétiens ou non, qui, à la même heure, fondaient sur l'homme toute leur conception optimiste du monde. Son insistance, en soi admirable, à magnifier la puissance et la souveraineté de Dieu, a pour corollaire une sorte de joie sadique à piétiner la nature humaine. Dieu est tout, l'homme n'est rien : ce principe ne souffre aucune atténuation. Le calvinisme s'appuiera sur ce pessimisme pour mieux exalter la foi de ses croyants [18], mais l'humanisme chrétien n'en est pas

18. M. Strowski décrivait le premier mysticisme du calvinisme en ces termes : « Il porte avec lui le double caractère d'être un dégoût de la nature, de la vie et de l'homme, tels qu'ils apparaissent quand ils n'ont pas été transformés par la religion et d'être en même temps un besoin de Dieu, de Dieu supérieur à la nature, ennemi de la nature, sauveur

moins susceptible de concilier son optimisme avec le plus
sincère des sentiments religieux. Nous n'en voulons ici,
comme preuve que l'exemple de saint François de Sales.
Elevé à Paris, par les jésuites, à la fin de ce XVIᵉ siècle
pendant lequel, au dire de Bremond, ces jésuites « ont soutenu sans relâche et continué brillamment les traditions
de l'humanisme chrétien » [19], il demeurera toute sa vie un
humaniste de par sa formation première et sa forte culture, mais il le sera surtout par son optimisme foncier et sa
confiance en l'homme qui éclatent en toute son œuvre.
« Je suis tant homme que rien plus » [20], disait-il. Jamais il
ne reniera sa nature humaine : « Eh quoi ! n'avons-nous
pas un cœur humain et un naturel sensible ? » [21].

Naissance de saint François

Mais quelle était sa formation première et où a-t-il acquis
cette forte culture qui est si manifeste à travers ses œuvres ? Il est temps de connaître la famille de François de
Sales, son pays et ses professeurs. Tous ces éléments ont
joué dans l'organisation de l'esprit optimiste de l'évêque de
Genève.

Saint François naquit de François de Sales, seigneur de
Nouvelles, et de la fille unique de Melchior de Sionnaz,
seigneur de la Thuille et de Valières. Celle-ci avait hérité la
Seigneurie de Boisy de sa mère Bonaventure de Chevron
Villette, veuve en premières noces de Philippe de Dérée.
Elle l'apporta en dot à son époux, à condition qu'il en pren-
drait le nom ; et le seigneur de Nouvelles devint ainsi
M. de Boisy.

de l'homme et guérisseur du péché » (p. 3). Or, M. Strowski conclut par
ces mots : « Cet esprit-là, le reconnaissez-vous, c'est le sentiment religieux,
le sentiment chrétien ». Conclusion inadmissible, car cette description
qui vient de nous être faite met sur le pessimisme un accent qui le rend
incompatible avec l'authentique sentiment chrétien. Ce fut peut-être le
mysticisme calviniste ; ce ne fut certes pas l'esprit de saint François de
Sales, tout conscient qu'il ait été de la réalité du péché dans la vie de
l'homme.

19. *Op. cit.*, p. 15. Il évoque à l'appui de ce jugement les grands noms
de Laynès, Salmeron, Canisius, Maldonat, Lessius et Possevin (le maître
de S. François), Petau enfin.

20. Cf., ci-dessus, p. 22, note 27.

21. *Ibid.*, XIV, p. 264.

Dignes l'un de l'autre par l'égale illustration de leur naissance, M. et Mme de Boisy ne l'étaient pas moins par le caractère. Lui, rompu aux armes et aux affaires, mêlé par conséquent à tout ce que les cours avaient d'intrigues et les camps de licence, étaient cependant un homme droit, ferme et loyal, inébranlable dans sa foi catholique, grâce à un bon sens qui ne se laissa jamais prendre aux sophismes de l'hérésie et jugea, du premier coup, la « prétendue Réforme » sur ses origines : grâce, surtout, à une régularité invariable dans les exercices de la vie chrétienne.

Influences familiales

Elle, limitant son action au gouvernement de sa maison seigneuriale, était le modèle des épouses parce qu'elle était le modèle des chrétiennes, s'appliquant, avec une autorité douce et une infatigable vigilance, à faire régner parmi ses serviteurs la paix, l'ordre, la moralité, la piété, et à remplir ce beau ministère de la charité qui fut, de tout temps, la gloire des grandes dames chrétiennes. Puis, quand après sept ans de mariage un premier berceau, celui de notre saint, fut occupé au château de Sales, elle embrassa, dans toute son étendue, la mission de former l'âme de son fils et de l'élever pour Dieu. Elle voulut être la première à donner le lait de la piété à l'enfant, tant désiré, dont elle n'avait pu être la nourrice. Avec le concours d'un pieux prêtre, M. Déage, qui depuis fut son précepteur, elle se fit sa première catéchiste, ne se bornant pas à la lettre du texte, mais y joignant tout ce que le cœur et la raison d'une mère savent trouver pour inspirer à l'enfant, dès ses premières années, le culte de toutes les saintes choses, pour creuser, au cours naissant de sa vie, comme un lit de bonnes habitudes, d'horreur pour le mensonge, de générosité, d'obéissance, de compassion et de respect pour les pauvres, de crainte familiale et de souverain amour de Dieu.

M. de Boisy laissait, avec confiance, son premier-né en si bonnes mains, sans se désintéresser toutefois de son éducation, et sans abdiquer le devoir d'intervenir dans les grandes circonstances. Persuadé qu'un bon chrétien doit être, superlativement, un honnête homme, il ne badinait point sur les questions de probité ; en conséquence, il fit un jour fouetter l'enfant, à la vieille mode, pour avoir dérobé, à un ouvrier du château, une aiguillette de soie dont les vives couleurs l'avaient tenté. Un aveu sincère avait suivi de près la faute, mais M. de Boisy n'en jugea pas moins la correction nécessaire pour prévenir à jamais le retour de pareille tentation ; et la leçon eut un plein succès.

Les biographes ne mettent guère d'autre méfait à la charge de cette première enfance qui offre, pour trait principal, un merveilleux et charmant épanouissement de sincérité, de charité, de piété communicative et de zèle naïf pour la gloire de Dieu.

L'influence familiale, donc, fut excellente et exquise. Mais, si l'on veut comprendre et expliquer un peu un écrivain comme saint François, d'une imagination si riche et si fraîche, qui exprime si bien, avec un coloris si personnel et si nouveau, ce qu'on a appelé depuis « le sentiment de la nature », ne faut-il pas tenir grand compte du pays pittoresque où il fut élevé ? La nature alpestre, je ne dis pas avec sa beauté grandiose et sauvage à laquelle il fut peu sensible, mais avec l'immense variété de ses aspects et le charme qui s'en dégage pour celui qui les observe d'en bas, ou en s'élevant peu à peu des vallées vers les cimes les plus hautes, cette admirable nature ne servit-elle pas à le former ? Et ne fut-elle pas, si j'ose dire ainsi, l'une des « nourrices » de son esprit ?

Laissons son neveu Charles-Auguste de Sales décrire le village de Brens où s'écoula la première jeunesse de notre saint, et où il revint passer les rares et courtes vacances que lui laissèrent ses études.

> Du côté qu'elle regarde le septentrion, elle voit devant soi le grand Lac Léman ; presque toutes les montagnes du côté de Bourgogne et des Suisses, éloignées à une distance très proportionnée et distinguées par des ombres bleues, les villes et les terres de Genève, Gex, Versoix, Coppet, etc. et une infinité de villages, temples, châteaux, fleuves, étangs, forêts, prés, vignes, collines, chemins et autres choses semblables, avec une si grande variété que l'œil en tire une merveilleuse récréation, et ne peut-on rien voir au monde de plus beau.
>
> Du côté du midi, elle voit, par une soudaine horreur, les montagnes du Faucigny qui lui sont toutes inférieures et,

pour l'extrémité de cette vue, les cimes sourcilleuses de Champ-Muny, couvertes d'une glace et neige éternelles. Les peuples appellent cette montagne la sainte et la belle, parce qu'il n'y a rien qui offense la vue. Les vignobles couvrent ses racines ; les châtaigniers viennent au second rang ; les prés et les granges tiennent le milieu, et enfin, elle est très utilement couronnée d'un labyrinthe de fauteux et de grands et vieux sapins [22].

C'est devant cet horizon que le jeune François de Sales ouvrit les yeux et commença à regarder la nature et s'il est vrai que les « objets inanimés » aient « une âme, qui s'attache à notre âme et la force d'aimer », il n'est pas téméraire d'affirmer que l'optimisme, l'imagination et le cœur de cet aimable écrivain doivent beaucoup aux Alpes et à la Savoie.

Influences intellectuelles

M. de Boisy, qui voulait donner à son fils les meilleurs maîtres, résolut de l'envoyer à Paris. Parmi les 54 collèges de Paris, il fit choix du vieux collège de Navarre, fondé en 1304, où était élevée la meilleure noblesse. Mais ce collège célèbre avait la réputation d'être mondain, François le savait. Il supplia, avec des larmes, son père et sa mère, de l'envoyer plutôt au collège de Clermont, dirigé par les jésuites, l'un des plus récents puisqu'il ne datait que de 1550, mais auquel les études et la piété, également florissantes, avaient déjà fait un grand renom. La mère se laissa persuader facilement ; elle persuada à son tour M. de Boisy, et François fut envoyé au collège de Clermont.

Nous voudrions être très bien renseignés et informés par lui-même sur tout le détail de sa vie d'étudiant durant cette période si intéressante qui va de 1581 à 1591. Nous voudrions avoir au moins les lettres qu'il écrivit à sa famille durant ce long exil scolaire. Il nous reste peu de chose, assez pour conjecturer et deviner : trop peu pour satisfaire pleinement une curiosité bien légitime.

22. SALES C.-A., *Histoire du bienheureux François de Sales*, Paris, Vivès, 1857, I, p. 10.

Dans une lettre du 26 novembre 1585 au baron d'Hermance, il dit qu'il est « au milieu et au meilleur age de ses estudes ». Les bruits du dehors ne semblent pas troubler beaucoup le recueillement de sa vie studieuse ; car il dit aussi : « J'auroys bien bonne volonté de vous escrire des nouvelles de pardeça ; mais les nostres ne sont que de colleges » [23].

François possède une ardeur studieuse. Du Paris séditieux et turbulent de ce temps-là, il garde une image toute scolaire : « ses toits, pour ainsi dire, et ses murailles semblent philosopher, tant elle est adonnée à la philosophie et à la théologie » [24]. Ainsi, amasse-t-il en ces 15 ou 20 années une quantité immense de connaissances : le latin d'abord, les humanités, la rhétorique, les classiques anciens. Il acquiert un fort beau style. C'est ensuite la philosophie, le droit, les sciences naturelles. Il apprend tout cela avec précision et clarté, poussant l'étude à fond. Ajoutez le sport, la danse, l'éducation physique, le manège et les armes [25], le saut, la bague, la quintaine, l'art de se produire en public [26]. A ces arts d'agrément, il s'applique uniquement « pour plaire à son père » [27].

Et voici pour plaire à lui-même : le dogme, mais avec une passion toute spéciale, la grâce et la prédestination, la théologie positive, la morale, l'écriture sainte, la patrologie, la controverse, la polémique avec les hérétiques. Rien ne le surprend : il connaît tout des doctrines adverses et des réponses pertinentes. Grec encore, hébreu et droit canon... et le reste. Tout cela, en vrai fils de la renaissance et de l'humanisme, avec intérêt, dévouement, avidité et joie.

Pour montrer les bases de l'optimisme salésien, nous venons de rappeler un certain nombre de facteurs de l'éducation initiale de François. Ensuite, nous nous arrêterons un peu sur un autre facteur important : l'action des jésuites : nous les étudierons sous l'aspect de leur influence sur sa formation intellectuelle en matière théologique, philosophique et humaniste, sur sa formation religieuse en matière

23. Œuvres, XI, p. 2.
24. Ibid., XXII, p. 85 (trad'n. Mackey des textes en latin).
25. DUFOURNET A., Op. cit., p. 97.
26. Ibid., pp. 96-97.
27. Ibid., p. 96.

morale et spirituelle, et enfin sur la parenté spirituelle qui forma saint François tel qu'il fut.

Plaidant la cause des jésuites devant le parlement, l'avocat Pierre Versovis disait judicieusement : « En formant les intelligences de leurs élèves à la connaissance des arts libéraux, ils formeront aussi leurs cœurs aux principes religieux par l'enseignement du catéchisme », ... « ce qui vaut mieux qu'un *De Arte amandi* d'Ovide et autres livres qui corrompent la jeunesse » [28].

Arts libéraux, catéchisme, lettres et piété [29], enseignement religieux et scientifique le plus éclairé [30], formation des mœurs, science et sagesse, art de bien vivre [31], telles sont bien, d'après les contemporains, les caractéristiques de l'éducation donnée par les jésuites.

Quant aux professeurs, ils alliaient à la science une profonde vie spirituelle et l'exemple de la vertu. Dans son exhortation aux ecclésiastiques, François se fait l'écho de cette renommée : « Ces puissans espritz, je veux dire les Reverens Peres Jesuites... en la seule vertu de Celuy duquel ils portent le nom... (par) leur courage infatigable, leur zèle sans appréhension, leur charité, leur profonde doctrine et l'exemple de leur sainte et religieuse vie » ont triomphé de la réforme [32].

L'enseignement théologique avait un éclat inaccoutumé. Selon le Père Prat, par leur *Ratio studiorum* les jésuites assuraient : « outre une instruction soignée, une éducation raffinée. Au lieu de rester purement littéraire, phraséologique et vide, comme celui qui se distribuait encore dans la vieille université, l'enseignement des jésuites tendait à devenir scientifique, progressiste, substantiel » [33].

28. DUFOURNET A., *Op. cit.*, p. 96. Cité par H. FOUQUERAY, *Histoire de la Compagnie de Jésus en France*, I. Le discours de Pierre Versovis se retrouve dans César Egasse du Boulay, p. 403, *Historia Universitatis Parisiensis*, VI, pp. 593-630.

29. *Ibid.*, p. 600.

30. *Œuvres*, IV, p. XXXIX.

31. FOUQERAY H., *Op. cit.*, I, p. 403.

32. *Œuvres*, XXIII, p. 304.

33. *Ibid.*, p. 53.

Maldonat

Il n'est que de lire la leçon inaugurale de Maldonat, ses cris de guerre contre la vieille manière universitaire d'enseigner la théologie [34]. Maldonat ne condamne pas la théologie scolastique comme telle, il déplore son formalisme et son éloignement de la vie. Il critique encore les interprétations purement grammaticales des auteurs sacrés [35]. Après cet acte de critique, il fait appel à la théologie :

Exeat, exeat ista vestra theologia ex abditis et obscuris cavernis quibus hactenus delituit, acuat se magis paulo et poliat et cito callum illum quem in otio contraxerat excutiat ; prodeat jam tandem aliquando ex delicatis philosophorum umbraculis, et non tantum in solem et pulverem, sed in ipsum certamen, aciemque producatur [36]. *Qu'elle sorte, qu'elle sorte, votre théologie de second ordre, des cavernes cachées et obscures où jusqu'ici elle s'est abritée, qu'elle devienne un peu plus pénétrante et un peu plus raffinée et qu'elle se débarrasse vite de cette croûte qu'elle avait acquise dans l'inertie ; que désormais elle finisse un jour par s'évader des mignons réduits des philosophes et qu'elle se produise non seulement au soleil et à la poussière mais à la lutte même et au champ de bataille. Prat, Op. cit.*

Et, tout de suite, il définit la théologie nouvelle :

Veram docendi rationem esse arbitror ut theologiam hanc quam vocant scholasticam, ita cum litteris sacris temperemus, ut quando de re aliqua disputamus non illam ad Platonem et Aristotelem (ne alios priores authores nominem), sed ad Prophetas et Apostolos, ad Evangelistas, ad Christum, ad Ecclesiam, ad antiquitatem referamus, et ad nostrorum temporum iniquitatem accomodemus [37]. *La vraie manière d'enseigner, c'est, à mon avis, de combiner la théologie d'aujourd'hui qu'on appelle scolastique avec la littérature sacrée, de telle sorte que, lorsque nous discutons de quelque chose, nous nous reportions non pas à Platon et à Aristote (pour ne pas citer d'autres auteurs antérieurs), mais aux Prophètes et Apôtres, aux*

34. PRAT M.-J., *Maldonat et l'université de Paris au XVIᵉ siècle*, Paris, Julien, 1856, p. 565.
35. *Ibid.*
36. *Ibid.*
37. *Ibid.*, pp. 565-566.

> *Evangélistes, au Christ, à l'Eglise, à l'ancienne tradition*
> *et que nous les adaptions aux difficultés de notre*
> *époque.* Prat, *Op. cit.,* pp. 565-566.

Jean Maldonat veut donc débarrasser la théologie des
questions inutiles et étrangères, la rendre plus complète,
mieux adaptée aux exigences du temps, plus mûrie [38] ; la
ramener à ses vraies sources et, en un mot, la rajeunir par
la critique historique. En somme, il veut être professeur :
« Et in summa non tam volo esse Petri Lombardi interpres
quam professor theologiae » [39].

Le Collège de Clermont et les jésuites

Ce sera le moyen d'élever l'enseignement théologique
du collège de Clermont au niveau de celui qui se donnait
au collège Romain que Michel Montaigne appelait : « Un
séminaire de grands hommes en toutes sortes de gran-
deurs » [40].

Quand François arrive à Paris, Maldonat n'enseigne plus.
Il mourra quelques mois après, le 15 janvier 1583. François
n'a donc pu suivre ses cours. Mais une génération de jeunes
maîtres, ses disciples, le continuent, gardent sa mémoire,
son esprit, sa méthode. Ses cours, relevés par ses audi-
teurs, étaient dans toutes les mains. Or Maldonat, à Salamanque, par son maître, Dominique Soto, le théologien de
Charles Quint à Trente, avait hérité de l'esprit de Vitoria,
mort en 1546, et Vitoria lui-même, dans sa jeunesse avait
subi l'influence d'Erasme à Paris. Il avait assisté aux efforts
des théologiens humanistes, au début du siècle, pour élar-
gir les bases positives de leur science ; avec la *Somme*
pour base et pour guide, il remontait aux sources, à l'écriture, aux Pères, aux données les plus vastes de la culture
antique et moderne. Il enseignait dans un latin poli, du style
le plus doux et le plus pur : « Dans ses leçons il s'ingéniait
à éviter l'aridité et la monotonie du style scolastique. La
grâce et l'élégance de la forme et une manière toute per-

38. *Ibid.,* p. 557.
39. *Ibid.,* p. 566.
40. DUFOURNET A., *Op. cit.,* p. 76.

sonnelle de penser faisaient trouver brève l'heure et demie
qu'elle durait : *omnia iucunditatis plena...* » [41]. Tel était l'esprit nouveau qui animait déjà son enseignement parisien, à
Saint-Jacques. A Salamanque il lui donna tout son éclat et
sa fécondité. C'est dans une conversation que Cano conçut
l'idée des lieux théologiques, dont l'importance pour la théologie fut décisive [42]. Suite admirable des influences : de
Salamanque, Maldonat ramène cet esprit à Paris. Humaniste, latiniste, hébraïsant, exégète, il dégage plus hardiment
encore que ses maîtres la méthode théologique des liens de
la vieille scolastique. « Sans repousser l'usage discret de
la dialectique, il montrait comment la théologie positive
étudiée dans ses sources, l'écriture et les Pères, était seule
capable de répondre aux difficultés que soulevait, dans tous
les domaines des connaissances religieuses, l'incroyable
curiosité des contemporains. Bref, il orientait la théologie
dans les directions que vont suivre, bientôt après, Bellarmin
et Petau » [43]. Il s'était libéré de tout texte de base et scru-
tait les problèmes à la lumière de l'écriture, des Pères, des
docteurs et de la raison. François de Sales aura les mêmes
vues. Maldonat pour la méthode fut son maître. Il le suivra
dans son anti-augustinisme sur le point de la prédestination.
En exégèse aussi, le maître parisien influença le futur con-
troversiste du Chablais. Richard Simon louait la valeur
critique de sa méthode et ses *Commentaires* des Evangiles
« où il s'est entièrement attaché au sens littéral » [44]. On
peut juger par là de la position du grand théologien et du
courant qui portait François de Sales. S'il admettait largement les « sens spirituels » de l'écriture pour la prédication aux fidèles, il n'avait recours qu'au sens littéral - critique autant qu'il le pouvait - pour ses argumentations anti-
calvinistes ; les ministres d'ailleurs, l'amenaient sur ce terrain. Maldonat, en somme, égal aux humanistes par sa
vaste culture historique et littéraire, intégrait l'humanisme
dans une large conception théologique du monde et de

41. BELTRAN DE HEREDIA V., *Vitoria*, DTC, XV, 3126.
42. MANDONNET, *Cano*, DTC, II, 1539.
43. AMMAN E., *Maldonat*, DTC, IX, 1773.
44. SIMON R., *Bibliothèque Critique*, Amsterdam, Delorme, 1710, IV,
pp. 73-74.

l'homme. C'est dans cette voie que François de Sales le suivit [45].

Mais ce grand homme ne faisait pas, à lui tout seul, la valeur et la renommée de Clermont. Il avait des confrères dont il ne faisait que représenter éminemment l'excellence et l'esprit, et non pas seulement à Clermont, mais encore dans les autres collèges de son ordre. Sans doute, « les leçons de Maldonat avaient imprimé à l'enseignement théologique une vigoureuse impulsion que les suprêmes efforts de la routine ne parvinrent pas à enrayer » : mais ses collègues aussi lui apportaient une contribution efficace : « Les jésuites font peu à peu tomber les Sorbonistes dans le mépris... Ses professeurs (de Clermont) surpassent tous les autres en réputation », atteste le protestant Hubert Languet, agent du duc de Saxe [46]. Il suffit de mentionner les noms de Mariana, Nicolas le Clerc, Valentini, Majoris, Alexandre Georges [47]. A. Dufournet écrit : « Tous les professeurs de saint François de Sales, qu'ils fussent maîtres en rhétorique, en philosophie ou en théologie, sont des esprits supérieurs dont les érudits seuls ont retenu les noms... Mais les Dandini, les Sirmond, les Suarez, les Châtelier, par leur savoir demeureront des hommes considérables dans cette fin du XVIᵉ siècle » [48]. D'ailleurs, l'enseignement des jésuites se rattache moins à une personnalité détachée qu'à l'ensemble d'un corps professoral, à un organisme. Ainsi que le remarque J. Demogeot, la Compagnie « produisit peu d'individualités marquantes, mais exerça une immense influence collective. Pareil au démon de l'Evangile, le jésuite n'a pas de nom propre ; il s'appelle « Légion » [49].

Quand François arrive au collège, la lutte avec l'université est finie. Les Pères l'ont emporté par leur méthode, leur préparation, leur dévouement et la solidité de la doctrine, même s'ils rencontrent encore des accusations sporadiques

45. LAJEUNIE E.J., Op. cit., p. 136.
46. FOUQUERAY H., Op. cit., p. 431.
47. Ibid., p. 431.
48. DUFOURNET A., Op. cit., p. 81.
49. DEMOGEOT J., Histoire de la Littérature Française depuis ses origines jusqu'à nos jours, Paris, Hachette, 1878, p. 300.

comme celle d'aigrir « la paste de France, du levain espagnol », selon l'avocat Antoine Arnaud [50].

Ce fut une initiative remarquablement sage de saint Ignace d'imposer la culture des humanités. La réforme avait fait, des lettres, l'instrument de la culture intellectuelle et morale. Réforme et humanisme se trouvaient spirituellement unis. Saint Ignace les sépare en employant l'humanisme à l'instruction, à l'éducation, à la formation catholique. A vrai dire, les auteurs classiques n'avaient pas été négligés, même avant la renaissance : voyez les Pères de l'église et les moines du Moyen Age [51]. Quant aux jésuites, voici la préface du *Ratio* : « Quanti semper litteras humaniores fecerit Societas nostra nemini qui norit dubium esse potest » [52]. Pour Jouvancy, en effet, toute : « l'antiquité païenne elle-même devait servir à propager la foi chrétienne. Il voulait faire, des auteurs profanes, autant de hérauts du Christ : « Christi praecones quodammodo fiant » [53]. Telle était la préoccupation de la Compagnie de Jésus : mettre les classiques au service de l'éducation chrétienne. Ils choisissent donc les fleurs de l'antiquité [54], qu'ils expurgent du point de vue moral [55]. Ils commencent par en prendre eux-mêmes une profonde connaissance, et ils sont à même de donner aux autres une excellente culture générale, commentant les païens avec des lèvres chrétiennes, avec un cœur sacerdotal, mettant leurs élèves en contact immédiat avec le meilleur des classiques, inspirant une véritable vénération pour ces auteurs, évitant en même temps

50. DUFOURNET A., *Op. cit.*, p. 54.

51. NEYRON G., *Saint Ignace de Loyola en présence des idées de son temps*, art. dans *Revue Apologétique*, LIII (1931), p. 149.

52. JUVENTIUS J., *Ratio Discendi et Docendi*, Paris, Hachette, 1892, p. 45. « Quel prix notre société a toujours attaché aux humanités ne peut être l'objet d'un doute pour aucune personne qui la connaît. »

53. DUPONT-FERRIER G., *Du collège de Clermont au lycée Louis-le-Grand*, 1563-1920, Paris, 1921, I, p. 231.

54. SCHIMBERG A., *L'éducation morale dans les collèges de la Compagnie de Jésus en France sous l'Ancien Régime* (XVIe, XVIIe, XVIIIe siècles), Paris, Champion, 1913, p. 481.

55. JUVENTIUS J., *Op. cit.*, p. 108 « Habeantur isti poetae repurgati ab omni obscoenitate, caeteri procul arceantur, scholarum pestes et venena ». Ces poètes-là ont été expurgés de toute obscénité, ils ont été tenus loin des autres qui étaient la peste et le poison des écoles (pp. 149-150).

la contamination de leurs idées [56]. De cela, saint François
de Sales nous est garant.

En évitant le danger moral, ils ont utilisé cette littérature
à la formation intellectuelle. C'est qu'ils avaient, dès le
commencement, conscience des buts, des obstacles, des
écueils comme l'indique bien le Père Jean Maldonat :

> Deinde ut vos moneam, perinde ac debeo, provideatis
> diligenter, ii si qui sunt forte, qui Ciceronis regula,
> Virgili, Lucretii, Luciani, Plutarchi, Plinii deliramentis
> pietatem et religionem metiuntur, vobis imponant. Volo
> omnes esse doctos, et in omnibus litteris politioribus
> eruditos, sed volo tam pie doctos esse et eruditos reli-
> giose, ut et planius dicam, velim omnes esse Irenaeos,
> Basilios, Chrystostomos, Nazianzenos, Augustinos et Hie-
> ronymos, quorum unusquisque incredibilem profanarum
> litterarum scientia cum singulari religione et vitae sanc-
> titate conjunxit [57].
>
> *Ensuite, pour que je vous avertisse et comme je dois,*
> *pour que vous prévoyiez d'une façon diligente, ceux qui*
> *sont si forts, qui ont jugé leur dévotion et leur spiritua-*
> *lité d'après les règles de Cicéron, de Virgile, de Lucrèce,*
> *de Lucien, de Plutarque, de Pline, qu'ils se soumettent à*
> *vos conseils.*
>
> *Je veux que tous soient des gens cultivés et instruits*
> *dans toute littérature un peu raffinée, mais je veux qu'ils*
> *soient si pieusement cultivés et instruits si religieuse-*
> *ment que, et il faut que je le dise plus clairement, je*
> *voudrais que tous soient des Irénées, des Basiles, des*
> *Chrysostomes, des Naziances, des Augustins, et des*
> *Jérômes, personnages qui, tous et chacun, ont joint une*
> *incroyable connaissance des lettres profanes à un esprit*
> *religieux et à une sainteté de vie remarquables.* Prat J.-M.,
> *Op. cit.*, pp. 557-558.

Maldonat souligne la nécessité de l'esprit catholique :
« La vraie manière c'est, à mon avis, d'unir aux livres
inspirés la méthode scolastique en sorte qu'en face d'une
question à débattre, nous recourions, non à Platon ou Aristote... mais aux prophètes, aux apôtres, aux évangélistes, à
Jésus-Christ, à son Eglise, à l'antiquité sacrée, et que nous
consultons les exigences de notre temps » [58]. C'est justement ce souci de l'esprit catholique qui caractérise l'huma

---

56. SCHIMBERG A., *Op. cit.*
57. PRAT J.-M., *Op. cit.*, pp. 557-558.
58. *Ibid.*, p. 566.

nisme de la Compagnie de Jésus. Saint François ne suivra
donc pas la sagesse païenne si chère à ses contemporains,
Pierre Ronsard et surtout Pierre Charron.

Il faut mentionner les humanistes éminents que furent
les professeurs de François : Jacques Sirmond (1559-1651),
Bernardin Castori (1543-1635), Jean Machault (1561-1619).
Ils lui ont donné : « le respect de la langue, le sens de la
beauté des mots... ils ont contribué à développer et à élar-
gir les dons natifs de son esprit »[59].

L'Humanisme

François de Sales devint un humaniste excellent, un classique de goût très pur et très difficile : les nombreuses
ratures de ses manuscrits en font foi. C'est là qu'il acquit
ou perfectionna ce sens littéraire qui se révèle dans tous
ses ouvrages, et qui a fait de l'*Introduction à la Vie dévote*
et du *Traité de l'Amour de Dieu* des chefs-d'œuvre de la
langue française. Le grec, sans lequel disait Rabelais au
XVIe siècle : « c'est honte que personne se die scavant », il
le sut autant qu'il fallait pour comprendre parfaitement le
nouveau testament. Il apprit surtout le latin. Nous avons
quelques témoignages du progrès qu'il fit dans cette étude,
en particulier deux lettres latines qu'il écrivit de Padoue à
des amis, et toute une correspondance latine avec Antoine
Favre, de dix ans plus âgé que lui, et déjà sénateur au
sénat de Savoie. Ce commerce épistolaire commence après
les études de saint François de Sales et se continue longtemps. La première, du mois d'août 1593, est ainsi adressée : « Clarissimo viro, senatori integerrimo, Antonio
Fabre »[60]. C'est un novice inexpérimenté qui remercie un
grave sénateur de vouloir bien condescendre à rechercher
son amitié : « Juvenem tirunculum vir gravissimus senatorii
ordinis ad amicitiam provocas ». Peu à peu l'expression
devient affectueuse, le grave sénateur appelle saint François de Sales : « frater dulcissime, suavissime, mellitis-
sime ». En commençant ses lettres il salue ainsi son ami :

59. Dufournet A., *Op. cit.*, p. 77.
60. *Œuvres*, XI, p. 18.

« Fratri dulcissimo Francisco de Sales Antonius Faber salutem dicit ».

Saint François de Sales n'est pas en reste d'amitié vive et tendre. Il répond par ce salut : « Fratri suavissimo, Antonio Fabro, senatori amplissimo, Franciscus de Sales salutem dicit ». Cette amitié antique et latine est simplement charmante. On sent que les deux amis s'appliquent, que leur plume n'a pas « la bride sur le cou » ; mais on s'aperçoit ainsi qu'ils sont familiers avec la langue et le style de Cicéron.

C'est un fait indéniable, François est un humaniste. Il le fut par les jésuites qui « répandaient à profusion » dans leurs collèges la fleur de l'humanisme chrétien [61].

A côté des humanistes, il y avait des spécialistes de la philosophie, tels les professeurs de François : Jean-François Suarez et Jérôme Dandini, ce dernier un des hommes de son siècle les plus versés dans la doctrine d'Aristote ; d'autres encore, tels Jean Guéret, Valère Regnault. Ce dernier fut professeur de théologie de François, en même temps que son père spirituel. A la théologie spéculative [62] ils ajoutèrent, sur l'initiative de Jean Maldonat, la positive [63] qui aura ses célébrités : Jacques Sirmond, Denis Petau, Philippe Labbe, François Cossart. On ne sait pas quels professeurs eut François en théologie positive ; on connaît seulement ceux d'exégèse.

Influences spirituelles

Plus encore que d'instruction, et plus même que de formation morale, les jésuites étaient préoccupés d'éducation religieuse. Le but des collèges était de former mieux que des intellectuels, des saints ; des hommes parfaits et pénétrés de l'idéal chrétien. Dans la pratique cependant, les deux fins, formation intellectuelle et formation religieuse, se donnaient la main l'une à l'autre.

61. DUFOURNET A., *Op. cit.*, p. 10.
62. HAMON M., *Vie de saint François de Sales, évêque et prince de Genève*, docteur de l'église, Paris, Gabalda, 1922, I, p. 47.
63. *Œuvres*, XXII, p. 62.

La Compagnie veut sauver les âmes. Ce salut s'opère
par un libre choix de la volonté. Aussi ne faut-il, dans
l'éducation, ni contrainte, ni surtout violence, mais bien la
persuasion de la parole, les stimulants, les ailes du bon
exemple. L'élève doit agir spontanément et de bon cœur [64].
Les exigences se proportionnent à l'âge, aux possibilités.
Partout équilibre et harmonie.

Il n'est pas aisé de discerner les influences réciproques
des saints. Une dépendance peut apparaître comme manifeste et provenir simplement d'une source commune d'inspiration. Les saints diffèrent secondairement par les formes.
Au fond, ils se rencontrent tous dans leur amour de Dieu
et du prochain. Saint François a connu toute la tradition
ascétique, mais c'est des jésuites qu'il l'a reçue, avec son
tempérament propre et surtout avec l'influence de la grâce.

Les jésuites l'ont formé intellectuellement ; ils ont développé sa piété déjà bien amorcée au foyer natal : d'abord
plus extérieure et sensible, elle devient peu à peu virile,
intérieure ; elle arrive à maturité. Dès sa jeunesse, il vit
l'amour de Dieu. Cet amour va croissant sous la conduite
des Pères. Il le vit à leur manière, et c'est d'une grande
importance.

Tout au long de sa vie persistent les doux liens d'affection et de constante collaboration avec les jésuites. Quant
à l'étendue de ces relations, nous citerons des noms, sans
prétendre à une énumération exhaustive. Un des plus
influents fut Robert Bellarmin, source et modèle dans la
controverse. François correspondit avec lui au sujet de la
Visitation [65]. Il y eut Pierre Canisius, dont la vertu l'attire
malgré la distance ; il lui demande l'explication d'un texte
et le prie de l'admettre au nombre de ses fils en Jésus-
Christ [66]. Il se réjouit de partager l'amitié de Léonard Lessius, ainsi que son sentiment sur la prédestination [67]. Il
attend les jésuites pour la mission du Chablais [68] et se

---

64. Juventius J., *Op. cit.*, p. 70. « Nihil enim atque virtutibus inimicum
atque violentia. » « Ultro ac libenter fiat, quod fieri bene ac diu velis. »
65. *Œuvres*, XVI, pp. 65, 148 ; XVII, p. 238.
66. *Ibid.*, XI, pp. 140-148.
67. *Ibid.*, pp. 271-274.
68. *Ibid.*, XII, pp. 19-20, 25-26, 33-34.

réjouit de leur effort de conversion [69] ; il projette la fondation d'un collège des jésuites à Thonon [70].

La collaboration apparaît nettement, tant sur le plan
intellectuel et littéraire, que sur celui de la direction. Il y a
identité de vues entre les jésuites, qui l'aident à fonder la
Visitation, et lui. L'*Introduction à la Vie Dévote* est publiée
sur les instances du Père Jean Fourier, puis traduite en
italien par « quelques pères jésuites » [71] ; de nouveau, un
peu plus tard, elle est traduite en italien par le Père Antoine
Antoniotti [72]. Cette seconde traduction est bien meilleure
que la première, au jugement de François de Sales. Après
la mort du saint, ce sont encore les PP. Nicolas Caussin et
Jean Suffren qui réalisent son projet de donner à Philothée
un directoire plus complet pour la conduite de l'âme [73].

L'inclination de François pour les jésuites apparaît dans
les auteurs et les livres qu'il utilise pour ses travaux :
soient *Les Controverses*, parmi 34 auteurs utilisés [74] nous
trouvons 8 jésuites, à savoir 24 % [75]. L'influence jésuite est
encore plus grande et plus décisive dans les *Sermons* [76].
Pour quatre volumes, si nous laissons de côté les 21 auteurs
hérétiques, les jésuites se comptent 21 sur 54 auteurs
catholiques, à savoir 39 %. La proportion est encore plus
grande, si l'on considère les livres cités : 31 sur 64 appartiennent à des jésuites, soit 49 %.

L'affinité entre saint François et saint Ignace n'est pas
douteuse. Il est moins aisé de la préciser. D'une simple
confrontation de textes nous ne tirerions pas grand profit
parce que cette parenté n'est pas extérieure. Elle ne peut
être saisie plus facilement, à travers beaucoup de petits
faits, que par une comparaison d'ensemble.

Nous avons vu la formation religieuse, morale et spiri-

69. *Ibid.*, XII, p. 78.
70. *Ibid.*, XII, p. 29.
71. *Ibid.*, XIV, p. 292.
72. *Ibid.*, XIX, pp. 246, 318-326.
73. *Ibid.*, XIV, p. 126, cf. XX, p. 144.
74. *Ibid.*, I, pp. CXXXVII-CXLIII.
75. A côté de 8 jésuites nous trouvons : 2 franciscains, 2 chanoines
réguliers, 1 capucin, 1 oratorien, 1 dominicain, 1 carme. Ensuite viennent :
évêques, professeurs, docteurs, gens de lettres.
76. *Œuvres*, XIV, p. 304. Cf. CHARMOT F., *Deux Maîtres : une spiritualité,
Ignace de Loyola et François de Sales*, Paris, Centurion, 1963.

tuelle du jeune François chez les jésuites ; ensuite, nous l'avons considéré soumis à leur direction spirituelle ; enfin, nous avons constaté l'épanouissement de ses rapports, toujours plus intenses et plus intimes, dans l'amitié spirituelle avec eux. Il nous reste à examiner sa position et son attitude à l'égard de quelques aspects plus caractéristiques de la spiritualité ignatienne.

Première ressemblance qui frappe : leur commune conception de la nature humaine, des rapports de l'âme avec Dieu. Ils sont d'accord pour l'esprit de liberté des enfants de Dieu, la coopération organique de l'effort humain et de la grâce dans la voie de perfection, la croissance spirituelle, fondée sur le principe intérieur de l'amour divin et non pas un procédé extérieur.

Pour saint Ignace, le fondement de la vie spirituelle c'est : « interna caritatis et amoris illius lex quam Sanctus Spiritus scribere et in cordibus imprimere solet » [77]. Pareillement, François, nous l'avons déjà vu, fonde tout sur la grâce divine et, aussitôt, il souligne la nécessité de l'effort humain [78]. Il rappelle cette maxime ignatienne : « Haec prima sit agendorum regula : sic Deo fide, quasi rerum omnem admove... quasi tu nihil, Deus omnia sit facturus » [79]. En son *Catéchisme spirituel de la perfection chrétienne* [80], Jean-Joseph Surin affirme que saint François de Sales composa l'*Introduction* sous l'influence des *Exercices Spirituels* de saint Ignace. En un certain sens, on peut en dire autant du *Traité de l'Amour de Dieu* : il n'y a pas imitation, mais profonde parenté de vues et de sentiments. Toute une page du *Traité* rappelle les méditations : *Fondement sur la création*. Elle allègue aussi saint Jean Chrysostome, Louis de Grenade et Louis Richeome ; mais ces deux derniers ne sont-ils pas sous l'influence des *Exercices* [81] ? On rencontre parfois jusqu'à la similitude des expressions :

77. *Constitutiones Societatis Jesu*, Anvers, Meursium, 1936, Proemium n° 1.

78. *Œuvres*, IV, p. 84 ; pp. 228-231 et, en général, pp. 167-253.

79. *Thesaurus Spiritualis Societatis Jesu*, Avignon, Seguin, 1836, p. 104, n° 2.

80. SURIN J.-J., *Op. cit.*, Thibaud Landriot, Clermont Ferrand, 1838, III, pp. 29-30.

81. *Œuvres*, IV, p. 97 ; XXVI, p. 18.

saint Ignace agrée le candidat pourvu qu'il ait, au moins pour commencer : « desiderium desiderii se vestibus et insignibus Domini Nostri Jesu Christi indui » [82] ; saint François pareillement se contente d'un désir de l'amour, qui conduit à l'amour ardent [83] ; ou encore : « unde exorsa est, ibidem terminetur epistola » écrit saint Ignace [84] et, l'évêque de Genève : « Et pour finir par où j'ay commencé » [85].

Dans la *Contemplatio ad amorem*, saint Ignace fait consister l'amour bien plus en œuvres qu'en paroles [86]. Or, cet amour dans les œuvres n'est-il pas toute la vie de François ? En lui se concentrent sa mystique d'apôtre et sa vie intérieure entière. A une visitandine il propose, pour ses réflexions après la méditation, les mêmes questions qui sont proposées aux *Exercices* [87]. Voici ses conseils à un religieux pour l'examen de conscience : y penser dès le matin ; deux examens dans la journée, puis la comparaison d'un jour avec l'autre, pour se rendre compte de l'amélioration ou du laisser-aller [88]. Ce sont les conseils de saint Ignace dans les *Exercices* [89].

Ayant opté pour l'ascèse jésuite, il lui demeure fidèle toute sa vie. Avec l'idéal, il en a pris aussi les moyens. Ceux qui le connaissent mal présentent son ascèse comme douillette, doucereuse, aisée. C'est prendre l'extérieur pour l'intérieur. A. Schimberg en a bien vu les racines ignatiennes [90] ; il s'est trompé seulement sur son aisance apparente. Elle a deux faces en effet : « Tout y est consolant et aimable » écrit Fénelon « quoiqu'il ne dise aucun mot que pour faire mourir. Tout y est expérience, pratique simple, sentiment et lumière de grâce. C'est être déjà avancé que de s'être accoutumé à cette nourriture » [91]. Bossuet formule un jugement semblable : « Il a ramené la dévotion au

82. *Constitutiones Societatis Jesu, Op. cit.*, chap. v, n. 44-45.
83. *Œuvres*, V, pp. 321-322.
84. *Epistola de Virtute Obedientiae*, nº 21.
85. *Œuvres*, XIV, p. 381.
86. *Exercices Spirituels*, nº 230.
87. *Œuvres*, XXVI, p. 328.
88. *Ibid.*, XXVI, p. 370.
89. *Exercices Spirituels*, nᵒˢ 24-30, surtout 24-26 ; 29.
90. SCHIMBERG A., *Op. cit.*, p. 437.
91. GODEFROY F., *Histoire de la Littérature Française*, Paris, Gaume, 1879, II, p. 112.

monde ; mais ne croyez pas qu'il l'ait déguisée pour la rendre plus agréable aux yeux des mondains, il l'amène dans son habit habituel, avec sa croix, avec ses épines, avec son détachement, et ses souffrances. En l'état que la produit ce digne prélat, et dans lequel elle nous paraît en son *Introduction à la Vie dévote*, le religieux le plus austère la peut reconnaître ; et le courtisan le plus dégoûté, s'il ne lui donne pas son affection, ne peut lui refuser son estime » [92]. Et, selon Jacques Olier, saint François de Sales est : « le plus mortifiant de tous les Saints, parce qu'il demande, non seulement dans de justes limites la mortification de la chair elle-même, mais encore une abnégation totale et ininterrompue des désirs de la chair, une entière crucifixion du cœur » [93].

C'est bien l'ascèse jésuite, la même mesure, le même équilibre, la même élévation morale, le même optimisme que saint Ignace doit à son expérience de Manrèse, et François, à son éducation et à son bon sens.

Dom Mackey résume ainsi l'influence jésuite : « Dans ce Paris, et surtout dans ce Paris des Jésuites, l'esprit de François reçut une empreinte ineffaçable. Ce ne fut pas sans un dessein spécial de la divine Providence que, pendant les années les plus dangereuses de sa vie, à Paris comme à Padoue, le jeune étudiant dut suivre la direction de ces hommes, aussi pieux que savants. Sans doute, il y avait en lui cette force qui eût triomphé des circonstances les plus défavorables, et on ne peut oublier non plus ce qu'il dût à Pancirole, Génébrard et à d'autres professeurs, mais, aux Jésuites appartient l'honneur principal de sa formation » [94].

Le pessimisme chrétien

Nous avons résumé l'esprit pessimiste du début du XVIIe siècle. Puis l'histoire nous a montré que les influences familiales, régionales et intellectuelles ont joué dans la

---

92. BOSSUET, *Œuvres Oratoires*, IV, pp. 328-329, Paris, Lebarq, 1902.
93. *Œuvres*, I, p. LXVI.
94. *Œuvres*, I, p. XXXIX.

formation d'un esprit optimiste chez saint François. Poursuivons en essayant de comprendre et de définir la spiritualité du saint. Il faut se demander d'abord quelle idée il s'est faite de Dieu et de l'homme, car, de toute évidence, la vie religieuse s'organise de façons très différentes, selon que l'on voit en Dieu, comme M. de Saint-Cyran, un maître terrible ou, comme sainte Thérèse de l'Enfant-Jésus, un père miséricordieux ; selon aussi que, dans l'homme, on voit, pour parler comme Pascal, l'ange plutôt que la bête ; selon, en un mot, qu'on penche vers ce qu'on a appelé l'optimisme ou le pessimisme théologiques.

C'est une opinion communément répandue, que le christianisme est un pessimisme radical, en ce qu'il nous enseigne à désespérer du seul monde dont nous soyons sûrs qu'il existe, pour nous inviter à mettre notre espoir en un autre dont on ne sait s'il existera jamais.

Jésus nous dit qu'il n'est point de ce monde (Jean, VIII, 23), et qu'il ne prie pas pour lui (Jean, XVII, 9). Ailleurs encore il maudit le monde (Matt. XVIII, 7), il affirme que le monde le hait, lui et les siens (Jean XV, 18-19). Il nomme enfin Satan le Prince de ce monde (Jean XII, 31). Les écrits apostoliques sont tout aussi nets. Saint Paul parle du rapport de crucifixion réciproque qu'il y a entre le monde et le disciple du Christ (Gal. VI, 14). Saint Jacques rappelle que l'amour du monde est ennemi de Dieu (IV, I). Plus nettement encore, s'il est possible, saint Jean précise : le monde est tout entier installé dans le mal (I Jean V, 19). Tout ce qui est du monde n'est que désir de la chair, désir de l'œil et orgueil de la vie (I Jean II, 16). Le chrétien doit se garder d'aimer le monde et tout ce qui s'y trouve (I Jean II, 15). Au total, la réussite chrétienne apparaît bien moins un consentement au monde qu'une victoire sur le monde : « Ce qui est né de Dieu inflige défaite au monde » (1 Jean V, 4).

Jésus-Christ, écrit M. Etienne Gilson, ne cesse de prêcher le renoncement total aux biens de ce monde ; saint Paul condamne la chair et exalte l'état de virginité ; les Pères du désert, comme affolés par leur haine insensée de la nature, s'emploient à vivre une vie dont la simple description équivaut à la négation radicale de toutes les valeurs sociales ou simplement humaines ; le moyen âge enfin, codifiant en quelque sorte les règles du *contemptus sae-culi*, nous en donne la justification métaphysique. Le monde, infecté qu'il est par le péché, est corrompu jusque dans sa racine ; mauvais par essence, il est ce qui doit être fui, nié, détruit. Saint Pierre Damiani et saint Bernard condamnent tout ce qui prétend s'affirmer au nom de la nature ; à leur parole, des milliers de jeunes gens et jeunes filles fuient vers la solitude, à moins qu'ils ne suivent saint Bruno au désert de Chartreuse ; d'autres fois, ce sont des familles déjà constituées qui se défont et dont les membres, rendus à eux-mêmes, n'usent de leur liberté que pour mortifier leurs corps, amortir leurs sens, réfréner jusqu'à l'exercice même de cette raison par laquelle ils sont hommes. *Ubi solitudinem fecerunt, pacem appelant.* Cette aspiration insensée de générations entières vers le néant, n'est-ce pas le fruit normal de la prédication chrétienne ? Mais la négation de cette négation, le refus de ce refus, n'est-ce pas l'une des affirmations essentielles de la conscience moderne ?

L'optimisme chrétien

L'acceptation de la nature, la confiance en la valeur intrinsèque de toutes ses manifestations, l'espérance en son progrès indéfini si nous savons voir ce qu'elle a de bon pour en tirer le meilleur, d'un mot, l'affirmation de la bonté radicale du monde et de la vie, voilà l'optimisme chrétien. La Renaissance a ramené les dieux grecs, ou du moins l'esprit qui leur avait donné naissance ; contre Pascal, nous avons Voltaire, et contre saint Bernard, nous avons Condorcet.

La conclusion du *Poème sur le désastre de Lisbonne* de Voltaire est une protestation contre l'optimisme absolu de Leibniz et se rapprochera beaucoup de l'optimisme chrétien :

Le passé n'est pour nous qu'un triste souvenir ;
Le présent est affreux, s'il n'est point d'avenir,
Si la nuit du tombeau détruit l'être qui pense.
Un jour tout sera bien, voilà notre espérance :
Tout est bien aujourd'hui, voilà l'illusion,
Les sages se trompaient, et Dieu seul a raison.

Œuvre d'un Dieu bon, le monde ne saurait s'expliquer comme le résultat d'une erreur initiale, d'une chute, d'une ignorance ou d'une défection quelconque. Des Pères de l'Eglise, et surtout saint Irénée, comprennent et disent très clairement que l'optimisme chrétien est une suite nécessaire de l'idée chrétienne de création[95]. Un Dieu bon, qui fait tout de rien et confère gratuitement aux êtres qu'il crée, non seulement leur existence, mais même leur ordre, ne souffre aucune cause intermédiaire et par conséquent inférieure entre lui et son œuvre[96]. Comme il en est le seul auteur, il en assume la pleine responsabilité. Et il le peut car elle est bonne[97].

Sur des thèmes pauliniens, « ce grand Irénée »[98] avait développé ses grandes vues optimistes, enseignant que le Christ est venu en réalité pour tout homme, de tout pays et de toute époque, puisqu'il est venu faire aboutir, après l'avoir longuement préparée, l'humanité tout entière :

> Si quelqu'un vient vous dire : Est-ce que Dieu ne pouvait dès l'origine faire apparaître l'homme parfait, qu'il sache que Dieu, certes, est tout-puissant, mais qu'il ne se peut que la créature, par le fait qu'elle est créature, ne soit fort imparfaite. Dieu l'amènera par degrés à la perfection, comme une mère qui doit d'abord allaiter son nouveau-né et qui lui donne, à mesure qu'il grandit, la nourriture dont il a besoin. Ainsi fit Dieu, ainsi fit le Verbe incarné... Par cette lente éducation, l'homme créé se forme peu à peu à l'image et à la ressemblance du Dieu incréé. Le Père se complaît et ordonne, le Fils opère et crée, l'Esprit nourrit et accroit, et l'homme doucement progresse et monte vers la perfection. Seul celui qui n'est pas produit est aussitôt parfait, et celui-là c'est Dieu. Il fallait ainsi que l'homme fût créé, puisqu'il grandît, qu'il devînt adulte, se multipliât, prît des forces, puisqu'il parvînt à la gloire et vît son maître... Ils sont donc tout à fait déraisonnables, ceux qui, n'attendant pas le temps du progrès, imputent à Dieu l'infirmité de leur nature. Ils ne connaissent ni Dieu, ni eux-mêmes. Insatiables et ingrats, ils ne veulent pas être d'abord ce que les fait leur création : des hommes, capables de passions ; mais, outrepassant la loi de leur nature, ils voudraient, avant de devenir des hommes, être déjà semblables à Dieu leur créateur... Plus insensé que des animaux, les voilà qui reprochent à Dieu de ne les avoir pas faits Dieux dès le principe[99].

95. Irénée, *Adv. Haereses*, III, 25, 5.
96. *Ibid.*, II, 26, 3.
97. Gilson E., *L'esprit de la philosophie médiévale*, Paris, Vrin, 1948, pp. 110-132.
98. *Œuvres*, II, p. 70.
99. *Adversus Haereses*, 4, 38 (P.G. 7, 1105-1109) ; 4, 11, 2 (1002) ; 6, 36 (1223-1224) et passim (col. 784, 937, 990, 1011, 1037, 1047). Texte 38.

Irénée établit que c'était le même et unique Dieu qui, à l'origine, avait créé l'homme, puis l'avait lentement formé, et enfin lui était apparu dans la réalité de la chair pour le conduire jusqu'à son terme, la divine ressemblance.

Ce que saint Augustin a merveilleusement discerné et exprimé, c'est que la matière ne saurait être considérée comme mauvaise, même si l'on ne voit en elle qu'un simple principe de possibilité et d'indétermination. Supposons-là réduite au minimum, entièrement informe et sans aucune qualité, elle reste au moins une certaine capacité de la forme, une aptitude à la recevoir. C'est peu, sans doute, mais ce n'est rien. Allons plus loin : être susceptible de devenir bon, ce n'est pas être très bon, mais c'est déjà l'être et, en tout état de cause, ce n'est pas être mauvais. Mieux vaut être sage que de pouvoir l'être, mais c'est déjà une qualité que de pouvoir le devenir [100]. De telles raisons dialectiques valent assurément par elles-mêmes, mais elles ne prennent tout leur poids que reliées au principe qui les fonde et les met à leur place dans l'ensemble de la philosophie chrétienne : si la matière est bonne, on peut être sûr qu'elle est l'œuvre de Dieu, et c'est là-dessus que les manichéens se trompent ; mais, inversement, si elle est l'œuvre de Dieu, on peut être sûr qu'elle est bonne, et c'est là-dessus que s'est trompé Plotin. C'est donc d'une manière magnifique et divine que notre Dieu a dit à son serviteur : « *Ego sum, qui sum,* et ensuite : *Dices filiis Israël : Qui est misit me ad vos* » [101]. Car il est lui-même véritablement, puisqu'il est immuable. Tout changement a en effet pour résultat que ce qui était n'est plus ; celui-là donc est véritablement qui est immuable ; quant aux autres choses, qui ont été faites par lui, c'est de lui que chacune à sa manière a reçu son être. Puisqu'il est l'être par excellence, il n'a donc de contraire que ce qui n'est pas, et par conséquent, de même que tout ce qui est bon existe par lui, de même aussi est-ce par lui que tout ce qui est dans la nature existe, car tout ce qui est dans la nature est bon. En un mot, toute nature est bonne ; or, tout ce qui est bon vient de Dieu ; donc toute nature vient de Dieu. Voilà le principe sur lequel

---

100. Saint Augustin, *De natura boni*, chap. xix.
101. *Exode*, III, 14.

repose l'affirmation chrétienne de la bonté intrinsèque de tout ce qui est, et c'est encore le même principe qui va rendre raison de ce qu'il peut y avoir de mal dans la nature, car le christianisme ne nie pas le mal, mais il en montre le caractère négatif, accidentel, et justifie par là même l'espoir de l'éliminer.

Sainte-Beuve a bien aperçu ces principes chrétiens dans les œuvres de l'évêque de Genève. Il a justement noté dans son *Port-Royal* : « Saint François de Sales est décidément optimiste en théologie ; il reste surtout frappé de l'abondance des moyens de salut... Rien ne peut être plus opposé au tremblement que ressentait et inspirait M. de Saint-Cyran » [102].

Sa conception de Dieu notamment, nous la voyons se fixer dans l'optimisme, dès sa dix-huitième année, après une crise fameuse, qu'il a nommée sa « tentation » et qui, l'ayant mené jusqu'au bord du désespoir, le contraignit à choisir entre deux théodicées contraires. Il n'était encore qu'étudiant à l'université de Paris. Autour de lui, toutes les chaires thélogiques retentissaient du grand débat sur la prédestination qui arrivait alors à l'une de ses phases les plus aiguës. D'une part, on disait : « Dieu prédestine au salut ceux à qui il a décrété de donner le salut et les moyens d'y parvenir ; autrement dit, Dieu prédestine au salut ceux qu'il prédestine au salut et non pas ceux qu'il voit, dans sa prescience, devoir correspondre à la grâce. Dieu sait ceux qui seront sauvés parce qu'il a décrété le salut de ceux-là. Or, il n'a pas décrété le salut de tous. Il faut donc conclure que ceux qui sont privés de salut, le sont, non par suite de leur propre refus, mais par le refus de Dieu lui-même » [103]. Ceux qui parlent ainsi se recommandent, à tort ou à raison, des grands noms de saint Augustin et de saint Thomas. En face d'eux, le jeune étudiant trouve ses maîtres jésuites qui, appuyés sur saint Ambroise, saint Jean Chrysostome et les Pères grecs, lui disent en substance : « En Dieu, le décret de prédestination à la gloire a pour premier considérant, si l'on peut

102. SAINTE-BEUVE O.-A., *Port-Royal*, Paris, Renduel, 1840, I, pp. 224-226.
103. LABAUCHE H., *Leçons de théologie dogmatique*, Paris, Bloud, 1908, I, pp. 208-209.

parler ainsi, non le pur bon plaisir divin, mais la prévision
des mérites et de la sainteté des élus. Dieu prévoit leurs
mérites, et, en conséquence de cette prévision, il les prédestine à la gloire » [104]. Cette doctrine si humaine, à travers
laquelle il découvre un Dieu d'amour dont la volonté vraie
est de sauver tous les hommes, c'est vers elle qu'il se
porte d'un mouvement spontané de son cœur et de son
esprit. Mais la double autorité de saint Augustin et de saint
Thomas lui en impose pour un temps, et, pendant cinq à six
longues semaines d'incertitudes, où l'angoisse le mine jusqu'au dépérissement physique, il se demande douloureuse-
ment s'il est compris dans le mystérieux décret a priori qui
prédestine au salut. Enfin, après un ardent *Memorare* aux
pieds de Notre-Dame des Grés, il se sent tout à coup déli-
vré, il fait son choix : une voix lui a dit :« Je ne suis pas
celui qui damne. Mon nom est Jésus ». Par écrit, il demande
pardon à saint Augustin et à saint Thomas de se séparer
d'eux sur ce point qui l'a tourmenté et il se jette dans la
doctrine que l'histoire nommera bientôt molinisme :

> Prosterné aux pieds des bienheureux Augustin et Tho-
> mas, je suis prêt à tout ignorer pour connaître Celui qui
> est la science du Père, le Christ crucifié. Quoiqu'en effet
> je ne doute pas que mon écrit soit vrai, - je n'y vois
> rien en effet qui puisse fonder un doute solide - pourtant
> je ne vois pas tout : ce mystère si profond m'éblouit et
> aveugle mes yeux de chouette ; si dans la suite le con-
> traire apparaissait ?... Cela n'arrivera jamais je pense...[105].

Il s'y tiendra jusqu'à son dernier jour. Entendons bien
qu'il ne sera moliniste - ou, comme dit le chanoine Jacques
Leclercq, « molinisant » -, que sur le point de la prédestination. Nous accordons au P. Chenu qu'il restera thomiste
pour l'ensemble de sa doctrine, comme nous accordons à
M. Bremond qu'il sera théocentriste de principe, encore que,
voulant procurer la gloire de Dieu par le perfectionnement
de l'homme, il parle habituellement le langage d'un anthro-
pocentriste. On pourrait ajouter que ces appellations dont
on l'affuble aujourd'hui l'eussent profondément étonné et
sans doute fait sourire, car il avait l'esprit de finesse. Dieu

104. Hamon M., *Op. cit.*, I, p. 5.
105. *Œuvres*, XXII, pp. 64-65.

sera toujours pour lui celui qui veut ne pas damner, celui qui, dès lors, donne à tous la grâce très réellement suffisante, si différente de la grâce de ce nom dont les augustiniens prétendaient qu'elle ne suffit à rien et dont les amis de Pascal disaient plaisamment : *a gratia sufficienti libera nos, Domine.* Toute l'œuvre de saint François de Sales implique une conception optimiste de la grâce, du salut, et, pour tout dire de la divinité. Mais c'est dans son *Traité de l'Amour de Dieu* que cette conception trouve surtout, comme il convient, son expression technique.

Avec quelle rigoureuse précision, par exemple, il nous y décrit le mécanisme des activités humaines et divines qui, conjuguées, nous mènent infailliblement au ciel, si nous le voulons bien. Dieu, dit-il,

> voulut premierement d'une vraye volonté, qu'encor apres le peché d'Adam tous les hommes fussent sauves... c'est-à-dire il voulut le salut de tous ceux qui voudroyent contribuer leur consentement aux graces et faveurs qu'il leur prepareroit, offriroit et departiroit a cette intention. Or, entre ces faveurs, il voulut que la vocation fust la premiere... Et a ceux desquelz il previt qu'elle seroit acceptée, il voulut fournir les sacrés mouvemens de la poenitence ; et a ceux qui seconderoyent ces mouvemens, il disposa de donner la sainte charité ; et a ceux qui ayroyent la charité, il delibera de donner les secours requis pour perseverer ; et a ceux qui employeroyent ces divins secours, il resolut de leur donner la finale perseverance et glorieuse felicité de son amour eternel [106].

Ainsi Dieu ne décide à notre sujet qu'après avoir prévu comment nous déciderions nous-mêmes, car « il nous appartient d'être siens », dit-il un peu plus loin.

Ne craignons pas qu'il endorme ainsi les chrétiens sur l'oreiller d'une paresseuse confiance. Il ne retire à Dieu aucun de ses attributs. Il se garde même de les passer sous silence, sachant bien qu'à les taire on en prépare l'oubli. Il les propose tous au regard du fidèle, mais dans un « dispositif » en quelque sorte nouveau. L'âge précédent avait vu de préférence en Dieu la justice et la puissance ; saint François de Sales met l'accent sur la miséricorde, la bonté, l'amour. Ne craignons pas davantage qu'il subisse nous ne

---

106. *Œuvres*, IV, p. 185.

savons quelle contamination semi-pélagienne, dont l'ont suspecté des auteurs qui l'avaient peu ou mal lu, car, pour lui, la liberté humaine est toujours, comme on l'a vu, immergée dans la grâce. Seulement, selon sa conviction, cette grâce abonde et ne manque jamais. Ceux qui se perdent, ce n'est pas parce que la grâce leur a manqué, c'est parce qu'ils ont manqué à la grâce. Saint François de Sales va si loin dans la notation d'un Dieu munificent et bon qu'il se refuse à le voir délaissant ici-bas le pécheur, si dépravé qu'il soit. Judas lui-même, pense-t-il, ne se perd que par froide opiniâtreté. Après son crime, Dieu l'attendait encore et lui offrait sa grâce : « Hé, le malheureux ne sçavoit-il pas bien que Nostre Seigneur... estoit le Sauveur et tenoit la redemption entre ses mains ? »[107] C'est pourquoi notre saint ne dira jamais anathème au pécheur même le plus obstiné. « Lors que, disait-il vers la fin de sa vie, les pecheurs sont les plus endurcis en leurs pechés, qu'ils sont venus à un tel point qu'ils vivent comme s'il n'y avoit pas de Dieu, de Paradis, ni d'enfer, c'est alors que le Seigneur leur descouvre les entrailles de sa pitié en douce misericorde »[108]. Il avait écrit de même dans son *Traité de l'Amour* : Dieu « quand il void l'ame ainsy precipitee en l'iniquité, il accourt pour l'ordinaire a son ayde et d'une miséricorde nompareille entr'ouvre la porte du cœur[109] ». Nous sommes ici aux antipodes de Port-Royal et d'une grande partie du XVIIe siècle. Une doctrine, pessimiste à divers degrés, a dicté pendant plus d'un siècle, - elle inspire encore aujourd'hui parfois, - une manière de faire toute contraire. S'il vient un temps où, comme le croyaient Arnauld et Saint-Cyran, Dieu se retire du pécheur et lui retranche sa grâce, qu'y a-t-il à faire sinon l'abandonner à sa misère et à la perdition ? Ainsi, verrons-nous Port-Royal traiter Pascal et Racine, au temps de leurs erreurs, comme des Lucifers foudroyés. Puisqu'ils avaient quitté Dieu, Dieu, par de justes représailles, les quittait à son tour, et les colères méprisantes de la Mère Agnès de Sainte-Thècle envers l'ancien « petit Racine » ne semblaient au

107. *Œuvres*, X, p. 377.
108. *Ibid.*, IX, p. 440.
109. *Ibid.*, IV, p. 175

Cénacle janséniste qu'un faible écho de la colère d'En-Haut. Tel n'est pas le Dieu de saint François de Sales, qui, lui, « n'éteint pas la mèche qui fume encore ».

C'est bien la pensée profonde du saint qui s'exprime dans ce cri du cœur qui lui échappait un jour : « O, mes chers pêcheurs » [110].

Saint François de Sales, en accord avec l'humanisme dévot du XVIIᵉ siècle qu'il incarne, met l'accent sur la notion de providence et sur l'ampleur de la grâce que reçoit chaque homme et qui est largement suffisante pour le sauver [111]. Le Livre II du *Traité* parle à plusieurs reprises de la providence. Le Chapitre III en traite d'une façon générale, le Chapitre IV y revient. Le Chapitre V met le point sur la surabondance de grâce de la rédemption. Les Chapitres VI et VII analysent la diversité des grâces distribuées aux hommes par cette providence. Les Livres III et IV, *le Traité* en général, reviennent souvent sur cette notion de providence. François de Sales définit la « tres aymable Providence divine » [112] comme embrassant « toute la machine des créatures », présidant à « nos affaires » [113]. Bonté et amour qui, conformément à la théologie négative, sont incompréhensibles tout autant que l'intelligence et que l'intention divine [114]. Mais lors de la tentation, Dieu nous donne toujours « l'assistance requise » [115]. Cette providence s'étend à tous les hommes. Il n'est pas question d'exclure qui que ce soit, « ayans tous suffisamment, ainsi abondamment, ce qui est requis pour le salut... [116]. Et la récompense finale qui suit les mérites est « a mesure pressée » [117].

---

110. *Ibid.*, VII, p. 180.
111. COGNET L., *La spiritualité française au XVIIᵉ siècle, Culture Catholique*, Paris, La Colombe, sept. 1949, p. 29 ss.
112. *Œuvres*, IV, p. 213.
113. *Ibid.*, p. 243.
114. *Ibid.*, p. 239.
115. *Ibid.*, p. 252.
116. *Ibid.*, p. 110. Cf. textes analogues : pp. 108, 109, 185.
117. *Ibid.*, p 189. F. de Sales a un tel souci de rejeter l'injustice de prédestination et de proclamer la bonté de la providence divine que, se demandant, à propos du cas des bessons (jumeaux) dont l'un vit et l'autre meurt sans pouvoir être baptisé, la raison d'un tel événement, il recourt à une convenance secrète que l'esprit de l'homme ne peut pénétrer. Ce thème se rattache encore à l'incompréhensibilité de Dieu, à l'impossibilité de sonder « la profondité de la divine sagesse ». *Ibid.*, pp. 239-240.

La prédestination

Cette notion de providence - si largement consolante - était une réponse aux querelles de la prédestination, à l'ordre du jour bien avant Port-Royal, dans l'Europe et à Paris même où les disputes théologiques de la Sorbonne en traitaient. Les régents de la Sorbonne, « tout en lançant l'invective contre Calvin et Baius... s'appuyaient sur l'enseignement de saint Augustin [118] et de saint Thomas », selon lequel Dieu n'avait pas décrété le salut de tous et que ceux qui étaient privés de salut l'étaient par le refus de Dieu Lui-même. Les cahiers autographes de théologie de François de Sales ont disparu. Nous en avons seulement le recensement et nous savons que le second traitait de la grâce et des secours de la grâce, le 4ᵉ et le 5ᵉ, écrits à Padoue, sont des documents sur la prédestination et la réprobation [119]. Tout le monde a en mémoire la relation du désarroi intellectuel et moral subi par le jeune François de Sales alors étudiant à Padoue, torturé par cette doctrine du petit nombre de prédestinés. Il est certain que les incessants rappels de saint Augustin sur la corruption de la nature par le péché originel - bien qu'il y ait eu chez lui le correctif du relèvement par le secours divin - et sa doctrine du petit nombre des élus, reprise par saint Thomas, ont pu causer le trouble momentané de François de Sales. Chez les Pères grecs, cependant, François de Sales pouvait puiser

118. Cf. Saint AUGUSTIN, *De Dono Perseverantiae*, C. 14 : « la prescience et la préparation des bienfaits divins au moyen desquels sont certainement sauvés ceux qui se sauvent ». Cité par TROCHU F., *Op. cit.*, I, p. 126.

119. Deux pages autographes de notes théologiques nous restent qui portent encore sur la prédestination. La prédestination d'Augustin n'est pas privative de liberté en ce sens que Dieu « a expressément exclu tout ordre de choses où une grâce enlèverait à l'homme sa liberté, toute situation où l'homme n'aurait pas le moyen de résister au péché ». Cf. Portalié, art. *Augustin*, col. 2268-2472 dans *D.T.C.*, I, 2ᵉ partie, 1937. Voir col. 2400. Mais elle est mystérieuse et angoissante, en ce sens que « Dieu pouvait, s'il eût voulu, choisir un monde où toutes les âmes se sauveraient ». *Ibid.*, (par exemple) « s'il avait voulu sauver Judas... il voyait la grâce qui le sauverait, il pouvait la choisir il en a préféré une autre ». *Ibid.*, col. 2399. Il s'agit donc bien, pour l'homme, d'une question de volonté et de liberté : « Nul ne passera d'une liste dans l'autre (celle des élus et celle des réprouvés), non point parce que nul ne pourra, mais *nul ne voudra*, Dieu le sait ». *Ibid.*, col. 2401.

la conciliation du libre-arbitre et de la prédestination [120]. Le livre de Molina, *De Concordia* qui parut en 1588, alors que la crise de François de Sales avait eu lieu en 1586 ou 1587, contribua à éteindre son inquiétude. Par ailleurs, notre saint s'attache au *Traité de la Prédestination* du jésuite Lessius. Le 26 août 1618, il écrivait à Lessius que la prédestination à la gloire en suite de la prévision des mérites était une opinion considérée par lui comme la plus vraie [121].

L'optimisme salésien

Toute l'œuvre de François de Sales bénéficia ainsi d'une doctrine de suffisance des moyens de salut, « comble et plantureuse », une suffisance « riche, ample, magnifique, et telle qu'elle doit estre attendue d'une si grande bonté (divine) » [122]. Nos mérites sont seuls en cause [123]. Ce qui est pleinement réconfortant. « Dieu, ... écrit encore saint François de Sales, n'a préparé le Paradis que pour ceux desquels

---

120. VINCENT F., *Op. cit.*, p. 36 et note 2. Cf., *Ibid.*, p. 4. Renvoi pour le rôle d'Erasme dans l'avènement du molinisme à HUMBERTCLAUDE H., *Erasme et Luther. Leur polémique sur le libre-arbitre*, Paris, Bloud, 1910, pp. 292 ss.

121. *Ibid.*, p. 50 et note 1, et *Œuvres*, XVIII, pp. 271 ss. Le livre de Molina fut soumis au Saint-Siège, discuté pendant 85 séances, et sortit d'une telle épreuve, sans une correction ni un blâme. Cf. VINCENT F., *Op. cit.*, p. 47, note 3, qui renvoie au Père de Regnon, *Banès et Molina*, Paris, Oudin, 1883, pp. 4-5. La commission théologique, instituée par Clément VIII en 1597, dura dix ans. Elle fut hostile « aux thèses optimistes du grand jésuite portugais ». De ce fait « jusqu'aux environs de 1610, le molinisme fait figure d'accusé. *Ibid.*, p. 48. En 1607, F. de Sales donna au Pape Paul V le conseil « de ne pas trancher, doctrinalement dans la querelle entre molinistes et thomistes ». Ce qui traduisait sa sympathie pour le molinisme que les thomistes essayaient de faire condamner par le Pape. *Ibid.*, cf. le jugement de Sainte-Beuve sur Molina : « On a dit tant de mal de Molina sans le lire, et la raillerie de Pascal sur son compte a tellement prévalu que j'aime à rappeler, comme précaution équitable, que le Comte Joseph de Maistre dans son livre de l'*Eglise gallicane* n'a pas craint de le proclamer « un homme de génie, auteur d'un système à la fois philosophique et consolant sur le dogme redoutable qui a tant fatigué l'esprit humain ». Cf., SAINTE-BEUVE, *Port-Royal*, Paris, Renduel, 1840, I, p. 267, 1.

122. *Œuvres*, IV, pp. 113 et 114.

123. Sainte-Beuve, à propos de cet optimisme théologique de F. de Sales et de l'abondance des moyens de salut auxquels il s'arrête, écrit : « ... Rien ne peut être plus opposé aux tremblements que ressentait et inspirait M. de Saint-Cyran ». Cf., *Op. cit.*, p. 238.

il a prévu qu'ils seroyent siens... Or il est en nous d'estre siens » [124]. Tout le *Traité* respire de la sorte, confiance, abandon, élan joyeux vers Dieu, spiritualité entraînante. François de Sales ne diminue l'homme que lorsqu'il s'agit de faire ressortir la bonté, l'amour de Dieu. Il établit alors en parallèle la petitesse, l'imperfection, le péché de l'homme. Imperfection qui par la transformation de la volonté se change en grandeur et en excellence, puisque cette philosophie humaniste de François de Sales affirme que les passions sont indifférentes en elles-mêmes et peuvent être bonnes. Sans doute, lisons-nous dans le *Traité*, que l'appétit sensuel et ses douze capitaines mutinés peuvent jeter de la perturbation dans l'âme mais « la volonté est si forte au-dessus de luy que, si elle veut, elle peut le ravaler... puisque c'est asses le repousser que de ne point consentir à ses suggestions » [125]. Mais il est plus vrai de dire que les passions sont de soi indifférentes ou qu'elles deviennent bonnes ou mauvaises selon que l'amour duquel elles procèdent est bon ou mauvais. Il faut donc assujettir l'esprit à Dieu pour que par l'action de la grâce, l'esprit s'assujettisse de toutes ces passions en sorte qu'elles soient converties au service de la vertu [126]. C'est donc la foi en un libre-arbitre totalement efficient. L'évêque de Genève écrit : « ...cette volonté humaine demeure parfaitement libre, franche et exempte de toute sorte de contrainte et de nécessité » [127]. Il parle de notre « liberté » qui nous permet de

124. *Œuvres*, IV, p. 186. Le débat sur la prédestination est ancien. On se souvient qu'il intéressa Jean Scot Erigène qui « prit part à deux célèbres querelles théologiques, celle de l'Eucharistie et celle de la prédestination. Le concile de Valence en 855 et celui de Langres en 859 condamnèrent ses idées sur la prédestination ». Cf., DELACROIX H., *Essai sur le mysticisme spéculatif en Allemagne au 14e siècle*, Paris, Alcan, 1900, p. 21, note 1. Au début du XVIIe siècle baianisme, puis jansénisme qui prenait forme firent la vigueur de la thèse de la prédestination que nous retrouvons chez Bossuet. Cf. VINCENT F., *Op. cit.*, p. 82, note 3. C'est contre ces doctrines que luttait Lessius.
125. *Œuvres*, IV, p. 29.
126. *Ibid.*, p. 33.
127. *Ibid.*, pp. 126-127 ; Cf. V, pp. 363-364 : « ... il (Dieu) ne le veut (nous sauver) pas de sa volonté inévitable, ainsi de sa volonté attrayante..., Dieu ne nous veut pas porter au salut, d'une volonté absolue et inévitable... il ne nous veut pas tirer par les cordages desquels on tiroyt jadis les veaux et les moutons aux sacrifices, sans leur consentement et par force... ». Ce que F. de Sales énoncera (IV, p. 132) et qu'il poursuivra encore (p. 161)

« faire le bien et le mal » et de notre « franc arbitre »[128], de la grâce qui « ne gaste en rien notre libre-arbitre »[129]. Même le péché, remarque H. Bremond, est pris en pitié par François de Sales qui n'est sévère qu'à l'égard du péché de l'esprit, inexcusable parce que le seul vraiment libre. La concupiscence, en effet, obscurcit la raison. C'est pourquoi aussi le péché de l'esprit, à l'état pur, est très rare[130]. On le voit : jusque-là François de Sales apporte sa pitié à la pauvre nature humaine. Doctrine toujours optimiste, toujours consolante. D'autant que François de Sales rassure même le pécheur. En nous prêchant l'humilité, le péché contribue à notre grandeur[131]. Il s'agit là comme le fait observer H. Bremond, d'un véritable exorcisme de l'obsession augustinienne[132]. La délectation est involontaire. Dès lors, l'homme est libre, absolument maître de la situation.

Saint François nous montre que Judas lui-même ne se perd que par un refus opiniâtre de la grâce de Dieu, même après sa trahison. On voit à quel point par sa position François de Sales est opposé au jansénisme qui accuse la dureté

---

de la façon suivante : « nous demeurons en pleyne liberté de consentir aux attraits célestes ou de les rejetter ». Les âmes privilégiées reçoivent en outre, une « inondation ». Ce que F. de Sales appellera encore une « effusion, une prodigalité » d'amour divin. *Ibid.*, p. 125.

128. *Ibid.*, V, pp. 340-341. Il est intéressant de trouver chez J.-P. Camus, le fidèle disciple de F. de Sales, une définition du libre arbitre et de la grâce : « Comme l'oiseau se balance en l'air avec ses ailes et sa queue... toujours porté par le vent mais non sans contribuer quelque mouvement de sa part..., ainsi notre libre-arbitre voltige en l'air de la grâce qui ne manque jamais de le supporter pourvu qu'il s'aide de sa part, de son acquiescement et de son consentement ». Cf., J.-P. Camus, *Métanée ou la Pénitence. Homélies prêchées à Paris, en l'église Saint-Séverin, l'avent de l'an 1617.* Paris, 1619, Cf., 73, 77, 78. Cité par le P. Chesneau, le *Père Yves de Paris et son temps (1590-1678)*, Paris, Sté Hist. Ecclés., France, 1946, II, *l'apologétique*, p. 449, note 2, qui reconnaît dans cette citation la grâce suffisante des molinistes. J.-P. Camus, dans son *Esprit du Bx F. de Sales*, insiste par ailleurs sur la doctrine du libre-arbitre dans l'œuvre salésienne : « Je lui ai entendu dire assez souvent, écrit-il, cette belle sentence : En la Galère Royale de l'Amour Divin il n'y a point de forçat, tous les rameurs y sont volontaires ». Et Camus renvoie au *Traité de l'Amour de Dieu*, IV, chap. VI.

129. *Ibid.*, IV, p. 127.

130. Bremond H., *La Philosophie de saint François de Sales, Rev. de Paris*, 1923, p. 148.

131. *Ibid.*, p. 149.

132. *Ibid.*, pp. 148 et 150.

de Dieu vis-à-vis des pécheurs [133]. Une conséquence de cette théodicée est la doctrine « adoucie » que François de Sales professe vis-à-vis du purgatoire [134]. Jean-Pierre Camus, dans son petit livre, le *Renoncement de soi-même Eclaircissement spirituel,* résume la doctrine salésienne dans le passage suivant : « Il est vray qu'il (l'homme) a coopéré un consentement à l'inspiration, mais ignore-t-il que sa coopération est fille de l'opération divine, et que si la grâce ne prévenoit pas le cœur humain de son opération, il n'auroit jamais le pouvoir, ni le vouloir de faire aucune opération... Que si vous voulez une instruction plus spéciale de cette sacrée méthode, que tient la grâce céleste, pour nous faire opérer le bien sans violenter nostre volonté, et sans contraindre la liberté de nostre franchise, nostre Bx Père (F. de Sales) au second et quatriesme livres de son *Traité de l'Amour de Dieu* vous en fournira une si claire, et si nette, que vous n'aurez que faire d'aller puiser à une autre source »... [135]. L'accord de la grâce et du libre-arbitre est total dans la doctrine salésienne.

Saint François de Sales est optimiste même pour l'âme qui subit la tentation. Il enseigne l'excellence de la grâce malgré la tentation et jusque dans le péché. C'est toujours cette philosophie humaniste dont la libéralité se fait jour dans la psychologie de la tentation du *Traité.* Si l'homme rencontre en lui la résistance des passions, il a par ailleurs, le secours de Dieu. Il bénéficie du concours divin qui « sollicite, exhorte, inspire, ayde, et secourt... » [136]. François de Sales s'effor-

---

133. « Il (Dieu) voulut premierement, dune vraye volonté, qu'encore après le péché d'Adam *tous les hommes fussent sauvés*; mays en une façon et par des moyens convenables à la condition a leur nature, douee de franc-arbitre ; c'est-à-dire, il voulut le salut de tous ceux qui voudroyent contribuer leur consentement aux graces et faveurs qu'il leur prepareroit... » IV, p. 185. De la parole de l'Evangile : « beaucoup d'appelés, et peu d'esleus », F. de Sales donne pour explication qu'à « comparaison du reste du monde et des nations infidèles, le nombre des chrétiens estoit fort petit, mais que de ce petit nombre il s'en perdoit fort peu ». Vincent F., *Op. cit.,* p. 69, note 2. Renvoi à l'*Esprit du Bx F. de Sales, Op. cit.,* 3e partie, Section X, I, p. 162.
134. Vincent F., *Op. cit.,* p. 70, note 2. Renvoi à VIII, p. 435.
135. Camus J.-P., *Le Renoncement de soi-même, Eclaircissement spirituel,* Paris, Soubron, 1637, p. 150.
136. *Œuvres,* V, p. 66.

3

ce de rassurer l'âme tentée et de lui exposer clairement de quelle façon il y a consentement et péché : « Or, bien, écrit-il, que ces premiers eslans et tremoussemens (il s'agit de la tentation de la colère) ne soyent aucunement peche, neanmoins la pauvre ame qui en est souvent atteinte se trouble, s'afflige, s'inquiète, et pense bien faire de s'attrister... »[137]. Or, elle a tort. Car il n'est pas défendu de « sentir le péché, mais seulement d'y consentir... » [138]. « Dieu veut que nous ayons des ennemis, Dieu veut que nous les repoussions... » [139]. La partie inférieure de l'âme se plaît en la tentation, sans le consentement et même contre le gré de la supérieure. Une telle délectation n'étant pas volontaire ne peut être péché. François de Sales en prend pour exemple saint Paul :

> L'eguillon de la chair... piquoit rudement le grand saint Paul... Il l'appeloit un souffletement et baffoüement... La rebellion sensuelle est en cet admirable vaysseau d'election... Et remarques en fin que... nous ne devons pas nous inquieter... en nos infirmités, mais nous devons nous glorifier d'estre infirmes... [140].

Et saint François de Sales poursuit encore :

> Ces rébellions de l'appétit sensuel... sont laissees en nous pour nostre exercice, affin que nous prattiquions la vaillance spirituelle en leur resistant. C'est le Philistin que les vrays Israëlistes doivent tous-jours combattre, sans que jamais ilz le puissent abbatre : ilz le peuvent affoiblir, mais non pas aneantir ; il ne meurt jamais qu'avec nous, et vit tous-jours avec nous... Il (Dieu) ne nous defend pas de sentir le peché, mais seulement d'y consentir ; il n'ordonne pas que nous empeschions le peché de venir en nous et d'y estre, mais il commande qu'il n'y regne pas. Il est en nous quand nous sentons la rebellion de l'appétit sensuel, mais il ne regne pas en nous sinon quand nous y consentons [141].

137. *Ibid.*, p. 131.
138. *Ibid.*, p. 132.
139. *Ibid.*, p. 133.
140. *Ibid.*, V, p. 133
141. *Ibid.*, V, p. 132

L'optimisme salésien est-il intégral au point de ne pas accepter de nuances ? Et d'autre part, comment peut-il se concilier avec la doctrine d'anéantissement de la volonté - anéantissement qui va jusqu'au rejet même de la conformité comme nous le verrons un peu plus loin. Il semble, en réalité, comme l'écrit Mgr F. Vincent, que François de Sales ne devint « optimiste et moliniste conscient qu'à la suite d'une longue phase d'introspection critique qui lui fit découvrir en lui une capacité de bien à laquelle Dieu ne peut pas manquer de prêter assistance » [142]. Et Mgr Vincent tout en remarquant que le texte qu'il cite appartient à la fin de la vie de François de Sales, relève dans les *Sermons* les lignes suivantes : « Le péché a tellement gasté et tracassé nos puissances intérieures que la partie inférieure de nostre âme a pour l'ordinaire plus de pouvoir pour nous tirer au mal que non pas la partie supérieure pour nous faire tendre du costé du bien » [143]. Il est vrai que nous trouvons dans le *Traité de l'Amour de Dieu* un texte analogue : « Nous sommes souvent contraints de nous plaindre de quoy nous pensons, non le bien que nous aymons, mais le mal que nous haïssons » [144].

C'est qu'en fait, nous voyons François de Sales, à toutes les époques de son existence, faire ainsi grand état du péché originel. Ainsi se concilie l'optimisme salésien avec l'anéantissement de soi que demande la sainteté. « Saint François de Sales ne nous tient pas pour parfaitement bons sortant des mains du créateur, ainsi que le soutiendra Rousseau » [145].

Il s'agit donc pour l'homme de retrouver l'intégrité première de la création. Cela suppose toute une ascèse. C'est l'objet même du *Traité*. Et précisément, cette ascension, François de Sales incite l'homme à la faire. Rien ne l'en empêche, en raison de l'inclination au bien qui n'a été qu'en-

---

142. VINCENT F., *Saint François de Sales, Directeur d'âmes*, Paris, Beauchesne, 1926, p. 76.
143. *Œuvres*, IX, pp. 246-247. Cité par VINCENT, *Op. cit.*, p. 80.
144. *Ibid.*, IV, p. 28. Cité par VINCENT, *Op. cit.*, *Ibid.*
145. *Ibid.* C'est dans le même esprit que Vincent écrira ailleurs que le saint tient une position moyenne entre le stoïcisme cornélien et le jansénisme racinien.

dormie par le péché et que l'âme garde en soi, puisqu'elle
est l'image de Dieu. Il faut, en effet, considérer chez lui,
comme chez la plupart des spirituels du XVIIᵉ siècle, la
notion d'anéantissement sous sa forme positive et non
négative. C'est en ce sens que Bremond pouvait écrire :
« ... deux vérités, impuissance et excellence de l'homme...
tôt ou tard on trouvera bien le moyen de les réconcilier
dans une harmonie supérieure » [146].

C'est bien, en effet, d'une conciliation qu'il s'agit et c'est
dans la vie dévote, et mieux dans la vie mystique que se
peut résoudre le problème : l'anéantissement total est accompli pour mieux recevoir l'amplitude de Dieu. Anéantissement, c'est-à-dire, disparition des manquements de l'homme, suppression du mal, des imperfections, des fausses
ébauches de la statue parfaite, restitution de l'image de
Dieu. Place donc au chef-d'œuvre, à la sainteté de Dieu
imitée par l'homme.

Le système spirituel de François de Sales est optimiste,
faisant une large part à l'excellence humaine et à la providence divine, lorsque l'âme accepte de recevoir la grâce.
Chez lui nous trouvons de nombreux développements sur
la prévenance de la providence. Il y a rejet de la démons-
tration thomiste au profit de l'argumentation de la finalité
providentielle [147] et de la beauté du monde. La source principale en est naturellement Lessius. Cette philosophie a
pour mode l'optimisme [148].

Confiant dans la bonté de Dieu, l'évêque de Genève l'est
pareillement, - car les deux optimismes sont solidaires, -
dans une certaine bonté naturelle de l'homme. Sans doute
il reste très éloigné de Rousseau, mais il n'est pas moins
éloigné des jansénistes qui croyaient l'homme radicalement

---

146. Bʀᴇᴍᴏɴᴅ H., *La Philosophie de saint François de Sales*, p. 139.
147. Voir comment cette argumentation s'impose à l'époque. Cf. Bᴜssᴏɴ
H., *Les sources et le développement du rationalisme dans la littérature
française de la Renaissance* (1533-1601), Paris, Vrin, 1957, p. 45. La
théologie négative du Pseudo-Denys a engendré pareille tournure d'esprit
que l'on trouve partout, même chez les protestants de ce temps. *Ibid.*,
pp. 48 ss. ; « Luther avait commencé la réforme en dénonçant l'Aristo-
télisme ». *Ibid.*, p. 227.
148. *Ibid.*, pp. 83 et 84.

corrompu. Dans l'éternel combat que se livrent en nous « l'ange » et « la bête », c'est aux possibilités de l'ange qu'il est avant tout sensible, car, dit-il, « notre cœur humain produit bien naturellement certains commencemens d'amour envers Dieu » [149]. Et nous touchons là encore à l'une des racines maîtresses de la spiritualité salésienne. Sainte-Beuve, dans une petite note de son *Port-Royal*, qui est un trait de lumière, nous raconte comment, lorsqu'il exposa, devant son auditoire de Lausanne, la doctrine de l'évêque de Genève sur « les commencements d'aimer Dieu », laissés en nous par le péché d'Adam, il suscita parmi les protestants rigides qui l'écoutaient un mouvement de surprise et de scandale.

Il y a un abîme, en effet, entre la pensée salésienne et la pensée calviniste en cet endroit. Et les jansénistes ne diminueront pas l'écart. Au point de départ, on met d'un côté l'amour de Dieu et de l'autre la haine de Dieu. L'évêque de Genève, il est vrai, n'omet pas de dire que cette naturelle tendance à l'amour de Dieu qui subsiste en nous ne va pas loin d'elle-même, si la grâce ne l'aide à porter fruit. Mais tandis que pour lui, la grâce trouve en nous un allié, pour les autres, elle ne trouve qu'un ennemi.

> Or, dit-il, bien que l'estat de notre nature humaine ne soit pas maintenant doüé de la santé et droitture originelle que le premier homme avait en sa creation, et qu'au contraire nous soyons grandement depravés par le peché, si est ce toutefois que la sainte inclination d'aymer Dieu sur toutes choses nous est demeuree, comme aussi la lumiere naturelle par laquelle nous connoissons que sa souveraine bonté est aymable sur toutes choses ; et n'est pas possible qu'un homme pensant attentivement en Dieu, voire mesme par le seul discours naturel, ne ressente un certain eslan d'amour que la secrette inclination de notre nature suscite au fond du cœur, par lequel, a la premiere apprehension de ce premier et souverain objet, la volonté est prevenüe et se sent excitee a se complaire en iceluy [150].

---

149. *Œuvres*, IV, p. 78.
150. *Œuvres*, IV, p. 78.

En enseignant à l'homme la dévotion qui résume pour lui toute la sagesse, François de Sales ne cesse de se pencher sur la nature humaine. Il l'observe, l'ausculte, il la sonde, prompt à saisir, parmi les blessures du péché et en dépit d'elles, les moindres signes d'un appel ou d'une tendance vers Dieu. Certes « nous n'avons pas naturellement le pouvoir d'aimer Dieu sur toutes choses ». La preuve en est dans ces grands philosophes de l'antiquité, « qui avoyent tant de connaissance de la Divinité et tant de propension a l'aymer », mais qui pourtant retombaient tous plus ou moins dans l'idolâtrie ou accordaient mal leur conduite avec leur pensée [151]. Mais, « nous avons une inclination d'aimer Dieu sur toutes choses » avec le pouvoir naturel de nous élever à une première connaissance de lui et de ce qu'il y a d'aimable en lui. En soient témoins encore, témoins positifs cette fois, « Socrate, le plus loüé d'entr'eux, connoissoit clairement l'unité de Dieu et avoit tant d'inclination a l'aymer que, comme saint Augustin tesmoigne, plusieurs ont estimé qu'il n'enseigna jamais la philosophie morale pour autre occasion que pour espurer les espritz affin qu'ilz peussent mieux contempler le souverain bien qui est la tres unique Divinité » [152] ; Platon... Mais à quoi bon recourir à ces lointains exemples ? Si décisifs qu'ils soient, la plus banale expérience vient de les confirmer. « Il n'est pas possible qu'un homme pensant attentivement en Dieu, voire mesme par le seul discours naturel, ne ressente un certain eslan d'amour que la secrete inclination de nostre nature suscite au fond du cœur, par lequel a la premiere apprehension de ce premier et souverain object la volonté est prevenüe et se sent excitee a se complaire en iceluy » [153].

De ces textes nous pouvons donc conclure qu'au sentiment de saint François de Sales, notre nature n'est pas fondamentalement viciée et qu'elle garde des aptitudes certaines au bien. C'est pourquoi le maître de Philothée ne se croira pas obligé de fonder toute son ascèse sur la contrain-

---

151. *Ibid.*, IV, p. 80.
152. *Ibid.*
153. *Ibid.*, IV, p. 78.

te et la crainte. D'ailleurs, en se livrant avec tant de ferveur assidue à la culture des âmes, ne nous a-t-il pas donné la preuve expérimentale de sa confiance en l'homme et en la vertu de son effort ?

CHAPITRE II

DES SOURCES
DE SAINT FRANÇOIS DE SALES

Une étude exhaustive des sources livresques de François de Sales est probablement impossible : il avait beaucoup lu, et de sa correspondance, qui pourrait nous donner de précieux indices sur l'étendue de son information, seule une infime partie est venue jusqu'à nous. Cependant pour rendre moins aléatoire notre étude d'ensemble, nous allons nous livrer à une brève analyse de ceux qui nous paraissent avoir exercé une influence plus ou moins profonde sur la pensée salésienne.

Des auteurs profanes

Aux auteurs grecs et latins, François n'a fait que des emprunts de détail ; il s'est servi de leurs œuvres pour illustrer, et quelquefois confirmer *a posteriori* une doctrine puisée ailleurs, plus que pour s'en inspirer.

Un témoin au procès de béatification dépose qu'« en preschant, aussy il ne cittoit pas les auteurs prophanes, n'y en ses livres aussy que fort rarement, et luy ay ouy dire que c'estoit faire tort en quelque façon à la fécondité de l'Escriture et escrivains sacrés, et au respect qui leur est deu » [1]. Cette rareté n'est pourtant que relative. François illustre ses écrits de nombreux traits empruntés à Pline le naturaliste et il cite bien d'autres auteurs. La question d'influence ne se pose pourtant que pour quelques grands noms. Du « prince des philosophes », Aristote, François loue spécialement l'*Ethique à Nicomaque*, ce qui ne l'empêche

1. *Processus remis. Geben.*, I, déposition d'Amblard Comte, art. 38.

pas de damner l'auteur sans trop de façon [2]. De tous les sages de l'antiquité seul Epictète trouve grâce à ses yeux. « Le bon homme Epictète fait un souhait de mourir en vray Chrestien (comme il est fort probable qu'aussi fit-il) » [3]. François de Sales approuve, à l'occasion, les valeurs chrétiennes qu'il croit découvrir chez les anciens.

La littérature profane était pour François sans attrait. Il ne prisait que la « solide doctrine », comme il l'écrit en 1610 au fils de la baronne de Chantal : « Sur tout, gardés vous des mauvais livres..., comme cet infame Rabelais et certains autres de nostre aage, qui font profession de revoquer tout en doute, de mespriser tout et se mocquer de toutes les maximes de l'antiquité. Au contraire, ayés des livres de solide doctrine, et sur tout des chrestiens et spirituelz, pour vous y recreer de tems en tems » [4]. Il savait admirer la beauté littéraire, mais jugeait des âmes en pasteur [5].

Parmi les auteurs contemporains, peut-être faisait-il grâce à Honoré d'Urfé, qu'il connaissait personnellement. Mgr Pierre Veuillot, dans sa thèse inédite sur *La spiritualité salésienne de la « tressainte indifférence »*, étudiant les rapports entre l'*Astrée* et le *Traité de l'Amour de Dieu*, écrit : « François de Sales ne pensait sans doute pas à d'Urfé en écrivant son *Traité*, mais il y a chez l'un et chez l'autre, quoique sur des plans très différents, une même façon de comprendre le problème de l'amour comme central dans la vie de l'homme, et de résoudre ce problème en fonction des mêmes principes de l'humanisme chrétien de la Renaissance » [6].

François a beaucoup apprécié Montaigne, il le cite cinq fois dans les *Controverses* et l'appelle « le docte prophane ». Plus tard, dans un *Recueil de similitudes*, il le range parmi les « beaux esprits ». Il lui doit quelque chose de son style. Divers critiques ont signalé une parenté d'esprit entre les deux écrivains [7]. Une étude d'ensemble sur les rapports

2. *Œuvres*, IX, p. 319.
3. *Ibid.*, IV, p. 148 ; V, p. 113.
4. *Ibid.*, XIV, p. 377.
5. *Ibid.*, XVI, p. 287.
6. *Op. cit.*, Institut Catholique de Paris, 1947, p. 124.
7. Strowski F., *Op. cit.*, pp. 166-169 ; Villey P., *Les sources et l'évolution des Essais de Montaigne*, 2ᵉ éd., I, Paris, 1933, p. 9.

entre les deux écrivains serait précieuse ; nous doutons qu'elle puisse conclure à une réelle influence de doctrine. Il faut peut-être faire une exception pour les *Controverses*, bien qu'on ne puisse y rencontrer la moindre trace du fidéisme que l'on découvre en Montaigne [8].

Des sources scripturaires

Après avoir étudié quelques sources profanes des œuvres de saint François, il faut maintenant considérer aussi les sources chrétiennes. A. Liuima a consacré un très long chapitre de sa monumentale étude à l'examen des sources scripturaires de l'évêque de Genève [9]. Le saint avait suivi à Paris les cours du « docte Genebrard ». Plus tard, les besoins de la controverse exigèrent qu'il se tînt au courant des publications nouvelles.

Mais il n'était pas un exégète et une phrase de l'avis au lecteur de l'*Introduction* ne laisse pas d'inquiéter un peu : « Quand j'use des paroles de l'Escriture, ce n'est pas toujours pour les expliquer, mais pour m'expliquer par icelles, comme plus venerables et aggreables aux bonnes ames » [10]. C'est dans la longue lettre écrite le 5 octobre 1604 à André Frémyot, archevêque nommé de Bourges, qu'il faut aller chercher les principes salésiens sur l'utilisation de l'écriture dans la prédication [11]. Nous nous apercevons que ses préoccupations sont avant tout pastorales. Et s'il trouve dans l'écriture la source principale de sa doctrine et l'aliment essentiel de sa vie spirituelle, le souci de fidélité au sens littéral s'estompe. On ne peut guère affirmer que tel écrit salésien ait comme source, au sens moderne du terme, tel ou tel livre de l'écriture.

Cependant, le *Cantique des cantiques* a particulièrement marqué la doctrine mystique du saint. Il avait entendu Génébrard le commenter et lui-même en avait rédigé un

8. Boase A.M., *The fortunes of Montaigne*, Londres, Methuen, 1935, p. 132.

9. *Aux sources du Traité de l'Amour de Dieu de saint François de Sales*, Rome, Lib. Ed. de l'Univ. grégorienne, 1959, pp. 515-676.

10. *Œuvres*, III, p. 2.

11. *Ibid.*, XII, pp. 299-325.

petit commentaire spirituel [12]. Par ailleurs, dans l'ensemble de ses écrits, il n'est pas un seul verset du *Cantique* qui ne se trouve cité. Cette influence du *Cantique des cantiques* paraît particulièrement sensible dans les derniers chapitres du Livre VI du *Traité de l'Amour de Dieu*.

Au sujet du *Cantique des cantiques*, le Père Lajeunie, O.P. écrit [13] : « Nous avons la pensée de ce maître (Génébrard), dirigée contre Bèze, dans son *Canticum Canticorum Salomonis versibus et commentariis illustratum* [14]. François de Sales trouva dans ce texte sacré et dans son commentaire l'inspiration de sa vie, le thème de son chef-d'œuvre, la première et la meilleure source de son optimisme. Quoi de meilleur en effet que l'amour de Dieu qui se révèle ici, et nous invite à ses noces : « Sus, lève-toi ! » Et l'âme s'éveille à la beauté de son Epoux : « O que vous estes beau, mon Bienaymé, ô que vous estes beau ! ». Et ce Dieu est tout sien : « Il est à moy et je suis à luy » [15]. Voilà ce que lui révélait le *Cantique* commenté par Génébrard. Pour cet exégète, en effet, ce chant écrit en mode d'églogue pastorale est un drame d'amour dans le genre bucolique, mais le poète sacré y chante « les suaves baisers des esprits, l'harmonie des mœurs et des affections », « les chastes amours » de l'Epouse et de l'Epoux, de la Fille de Sion et du Dieu d'Israël, de l'Eglise et du Christ enfin, puisque ces noces mystiques se sont accomplies aux jours du Seigneur, en la plénitude des temps » [16]. « L'histoire du monde et du salut était donc une histoire d'amour. Le jeune étudiant en fut transporté » [17].

Des auteurs ecclésiastiques

François de Sales a bien connu les Pères de l'église. Il écrit à A. Frémyot : « Qu'est-ce autre chose la doctrine des

12. *Ibid.*, XXVI, pp. 10-39.
13. *Saint François de Sales : l'homme, la pensée, l'action*, Paris, Victor, 1966, I, p. 138.
14. Parisiis, apud Aegidium Gorbinum, 1585.
15. *Œuvres*, IV, pp. 114, 137, 139, 144.
16. GÉNÉBRARD, *Cant.*, f° 21, v°.
17. GOULU J., *La vie du bien-heureux Messire François de Sales*, Paris, Michel-Saby, 1624, p. 494.

Pères de l'Eglise que l'Evangile explique, que l'Escriture Sainte exposée ? Il y a a dire entre l'Escriture Sainte et la doctrine des Pères comme entre une amande entière et une amande cassée de laquelle le noyau peut estre mangé d'un chacun, ou comme d'un pain entier et d'un pain mis en pièces et distribué » [18]. François traite donc les Pères de l'église un peu comme il faisait de l'écriture.

Les *Controverses* et la *Defense de l'Estendart de la Croix* font exception : les textes patristiques y sont, en effet, utilisés de façon plus cohérente. Dans ce dernier ouvrage, « le but principal et immédiat... est d'affirmer l'identité de doctrine de l'Eglise du XVIe siècle avec l'Eglise des Pères. Les citations de ces « Anciens » sont au nombre de plus de quatre cents » [19].

On ne peut douter que François de Sales ait eu des grands docteurs latins et grecs une connaissance directement puisée aux meilleures sources accessibles de son temps. Certains ont exercé sur son œuvre une profonde influence, en particulier saint Augustin, cité 441 fois dans l'ensemble des *Œuvres* et 79 fois dans le *Traité* (la structure de l'âme décrite au premier livre est inspirée explicitement d'Augustin).

François avait pour l'Aréopagite une grande vénération, et sa fête était une de celles où les visitandines devaient communier. Mais il se défiait, plus ou moins consciemment, de la mystique dionysienne. Il cite, dès la période du Chablais, la *Hiérarchie ecclésiastique,* puis toute l'œuvre, lorsque son ami Jean de Saint-François en aura donné une traduction (1608) ; il a une préférence marquée pour les *Noms divins*. Il empruntera cependant assez peu au pseudo-Denys. Il s'appuiera sur son autorité pour établir dans les premiers livres du *Traité* sa philosophie de l'amour, et on peut parler de source au sens strict pour la question de l'extase de la volonté : le 5e chapitre du 7e livre « est presque tout composé des paroles du divin saint Denis Areopagite » [20].

François de Sales avait lu les grands théologiens de son temps, en particulier les Espagnols. Bien qu'il ne fasse pas

18. *Ibid.,* XII, pp. 305 s.
19. *Ibid.,* II, p. XIX.
20. *Ibid.,* IV, p. 23.

étalage d'érudition, ses plans de sermons et la première rédaction du *Traité* montrent avec quel soin François étayait ses affirmations de l'opinion des théologiens. A. Liuima a fait le recensement minutieux de ces citations. Mais c'est bien plutôt l'ensemble des théologiens anciens et contemporains, considérés comme expression collective de la doctrine catholique, qui peut être tenu comme une source de la doctrine salésienne. Dans la Préface du *Traité*, après avoir confessé qu'il ne dit rien qu'il n'ait appris des autres, il ajoute aussitôt qu'il lui serait impossible de se ressouvenir de qui il a reçu chaque dose en particulier. Cependant, des citations nombreuses, des références variées se trouvent insérées dans ses œuvres. Elles concernent et ses devanciers et ses contemporains. C'est dans le *Traité* qu'elles figurent en plus grand nombre.

La Préface du *Traité* nous donne une nomenclature des auteurs que François de Sales admire et qu'on peut compléter par les citations éparses dans le *Traité* et dans toute l'œuvre. Ce qui frappe dans la nomenclature de la Préface, c'est la prédominance des noms étrangers : parmi les contemporains, François de Sales y fait l'éloge de cinq spirituels espagnols, sainte Thérèse de Jésus, Louis de Grenade, Christophe de Fonseca [21], Jean de Jésus Maria [22], Diego de Estella [23] et d'un Cardinal italien, Robert Bellarmin. Parmi ces devanciers, italiens toujours, les saintes Catherine de Gênes et Catherine de Sienne et la Bse Angèle de Foligno. On y trouve encore un mystique néerlandais, Denys le Chartreux, et une sainte allemande, sainte Mathilde [24]. En regard de ce catalogue étranger, la Préface cite, parmi les contemporains de François de Sales, seulement trois noms français : le Père jésuite Louis Richeome [25], Jean-Pierre Ca-

---

21. *Del Amor de Dios*, Barcinone, Cormellas, 1591.

22. Carme déchaussé (1564-1615).

23. Frère mineur espagnol (1524-1598). *De amore Meditationes*, Salmanticae, 1578. *Œuvres*, IV, p. 6.

24. Sainte Mathilde, connue aussi sous le nom de Mahaud, née en Westphalie vers la fin du IXᵉ siècle. *Œuvres, ibid.*, p. 5.

25. Il s'agit, écrit F. de Sales, de l'*Art d'aimer Dieu* par les créatures. En réalité, le titre de l'ouvrage est le suivant : *La peinture spirituelle ou l'art d'admirer, aimer et louer Dieu en toutes ses œuvres*, Lyon, P. Rigaud, 1611

mus, évêque de Belley [26] et le capucin Laurent de Paris [27] ;
dans la spiritualité traditionnelle, saint Bernard et le chan-
celier Gerson. Si nous relevons les noms cités dans l'ensemble de l'œuvre salésienne, nous remarquons encore pour les
Espagnols, Jean d'Avila [28] et Ignace de Loyola [29], cités dans
le *Traité*, de la Puente (Louis Dupont) [30], Capilia [31] mentionnés dans l'*Introduction* ; Alonso de Madrid et sa *Méthode de
servir* citée dans les *Lettres*. Pour les Italiens, saint François d'Assise, Bellintani de Salo [32] rappelé dans l'*Introduction*, le théatin Scupoli et son *Combat spirituel*, la *Vie* du
Bx Charles Borromée [33], sainte Françoise Romaine [34] et
Bruno [35]. Pour les Néerlandais, sont encore désignés dans
les *Lettres*, Ludolphe le Chartreux, les *Exercices spirituels*
(sur la Passion) de Tauler, en 1604. En 1606, la *Méthode
de servir Dieu* d'Alphonse de Madrid. En 1607, la *Perle*, en
même temps que la traduction française du *Breve Compendium* ou *Abrégé de la Perfection* d'Isabelle-Christine Bellin-
gaza [36]. Pour les Français, la *Règle de Perfection* de Benoît
de Canfeld (d'inspiration nordique). En dehors de ces écoles
étrangères et françaises, contemporaines ou antérieures à
François de Sales, les sources de l'œuvre salésienne com-
portent encore le recours aux deux testaments [37] étudiés

26. F. de Sales cite le *Parénitique de l'amour de Dieu* de Camus qui parut
à Paris en 1608.
27. *Œuvres*, IV, p. 7.
28. *Ibid.*, V, p. 127.
29. *Ibid.*, V, pp. 30, 90, 127.
30. Jésuite espagnol (1545-1624). *Les Méditations des Mystères de notre
saincte Foy, avec la pratique de l'oraison mentale* (Partie IV) furent traduites de l'espagnol par R. Gaultier, avocat du roi, Douai, B. Bellere, 1611.
31. *Ibid.*, III, p. 71. Chartreux espagnol mort en 1610.
32. *Ibid.*, III, p. 71. Le P. Mathias Bellintani de Salo, commissaire italien de l'ordre capucin, envoyé en France pour y établir la réforme capucine, écrivit plusieurs livres, notamment une *Méthode d'Oraison* qui fut
justement appréciée dans son ordre et hors de son ordre.
33. C'est en 1604 que F. de Sales cite Charles Borromée et lit sa *Vie* par
Charles a Basilica Petri. Cf., P. LIUIMA, *Saint François de Sales et les
Mystiques*, dans *Rev. Ascétique, Myst.* n° 95, juil.-sept. 1948, p. 227.
34. *Ibid.*, n° 96, oct.-déc. 1948, p. 380.
35. *Ibid.*, n° 95, pp. 226 ss.
36. Bruno, Vincent, Jésuite italien (1532-1584), *Méditations sur les Mystères de la Passion...* traduites d'italien en Francoys par Philibert du Sault,
Douay, B. Bellere, 1596.
37. *Le Cantique des cantiques* est souvent cité par François de Sales.
Œuvres, V, pp. 176-178, 183, 211, 290.

avec le concours des Pères latins de l'église, notamment saint Jérôme [38], saint Ambroise [39], saint Paul, saint Augustin [40], saint Bonaventure, saint Thomas [41] ; puis des Pères grecs avec saint Basile, saint Jean Chrysostome et saint Grégoire de Naziance.

Outre saint Bernard et Gerson, mentionnés plus haut, saint Thomas et saint Bonaventure, saint François de Sales renvoie à saint Anselme [42], aussi, à des théologiens contemporains réputés, tels Vatable, Génébrard, Ribera, Tolet, Sa, Ghisler, Del Rio. Ajoutons encore à ces noms celui du jésuite piémontais Rossignolo. Mentionnons également les emprunts salésiens aux philosophes de l'antiquité : Aristote, Platon, Epictète et Sénèque.

Des écoles

On le voit, l'éclectisme des citations salésiennes est grand. Au premier abord on serait tenté de remarquer - comme aucun des historiens de François de Sales n'a manqué de le faire - qu'on rencontre dans l'œuvre salésienne des représentants de toutes les écoles [43] : école dominicaine avec saint Thomas, Sixte le Siennois, sainte Catherine de Sienne, Louis de Grenade ; jésuite avec saint Ignace, Louis Richeome, de la Puente et les théologiens de l'époque ; carmélitaine avec sainte Thérèse, Jean de Jésus Maria ; augustinienne avec Christophe de Fonseca ; franciscaine et capucine avec saint François d'Assise, saint Bonaventure, Diego de Estella, Angèle de Foligno, Bellintani et Alexis de Salo, Benoît de Canfeld et Laurent de Paris, chartreuse avec Denys le Chartreux et Ludolphe le Chartreux ; bénédictine avec la *Perle Evangélique,* œuvre d'un disciple de Ruysbroeck. Il ne faut pas oublier non plus l'empreinte profonde du platonisme et du néo-platonisme sur l'œuvre

---

38. *Lettres.*
39. *Commentaires.*
40. *Confessions. Œuvres,* passim.
41. *Œuvres,* IV, pp. 109, 120 ; V, pp. 95, 225, 265, 301, 332.
42. De même que François de Sales parle du « grand saint Thomas », il parlera du « grand saint Anselme », du « grand saint François d'Assise », et du « grand saint Bonaventure ».
43. VINCENT F., *Op. cit.,* p. 562.

salésienne. A tous ces noms il convient donc d'ajouter encore ceux de Platon, du Pseudo-Denys et la patristique
grecque et latine qui se rattache à ce dernier. En tête de
cette patristique, la préférence de saint François de Sales
va à saint Augustin, à saint Bernard et à saint Bonaventure
qui les continue. On ne doit pas négliger, d'autre part,
l'ascèse de *l'Imitation de Jésus-Christ* de Thomas à Kempis,
celle du *Combat Spirituel* de Scupoli, les œuvres du cardinal
Bellarmin et de Grenade. Gerson a certainement servi de
guide modérateur à François de Sales mais encore cette
influence est-elle plus apparente que réelle, car François
de Sales a apprécié Denys le Chartreux et sa méthode har-
die de passivité et surtout Laurent de Paris, qui diffusa en
France, à l'époque, la mystique du pur amour passif, sans
parler d'Harphius auquel François de Sales sera redevable
d'un appoint doctrinal et de certains termes de vocabulaire.

La pensée salésienne emprunte sa substance profonde
aux doctrines de siècles différents, de pays divers, d'écoles
en apparence opposées. Ce fait a rendu jusqu'ici le problème de ses sources complexe, sinon parfois insoluble aux
yeux des historiens. Aussi a-t-on vu surgir des opinions
différentes et fragmentaires selon que la critique s'attachait
à tel ou tel auteur cité, à tel ou tel point du système salésien, selon que telle ou telle école étrangère était en jeu,
ou encore que l'on étudiait, en François de Sales, le directeur de conscience moraliste ou le mystique spéculant sur
l'union. Prolixité et confusion des sources ne sont cependant qu'apparentes. Une décantation s'opère à la faveur
de la doctrine, et les noms se hiérarchisent dans l'ordre de
leur affinité commune. Ce n'est plus une obscure impression
qui s'en détache, mais au contraire, une fusion, une union
doctrinale s'établit entre eux. En effet, si nous essayons
une synthèse, nous nous trouvons en face de quatre groupes principaux :

1) Platonisme, Pseudo-Denys (saint Paul), saint Augustin, saint Bernard, saint Bonaventure (saint Thomas dionysien).

2) Ecole nordique : Denys le Chartreux, Tauler et Harphius, bien que ce dernier ne soit pas cité explicitement.

3) Ecole espagnole : Grenade, sainte Thérèse et la spiritualité franciscaine d'un Pierre d'Alcantara et d'un Osuña.

4) Laurent de Paris qui conjugue platonisme, augustinisme, bonaventurisme et école nordique.

Il est encore possible d'opérer une réduction de ces quatre groupes qui ont une affinité commune : ils relèvent d'une part du courant philosophique et spirituel de l'intuition et de l'illumination, et des sources platoniciennes et dionysiennes : d'autre part, de la famille des spirituels et philosophes de l'amour dont parle le cardinal Bona et qui va, chez saint François de Sales, du Pseudo-Denys et de saint Augustin à saint Bernard, saint Bonaventure, Gerson, Tauler, Grenade, Harphius, Estella, Fonseca et à Laurent de Paris. Le cardinal Bona énumère les principaux représentants de cette école de l'amour [44] qui sont à quelques noms près, les sources de François de Sales.

Bona légitime l'appellation de philosophes de l'amour par un texte du *Phédon* qui définit la philosophie comme un détachement de l'âme d'avec le corps. Il explique que si les platoniciens ne semblent pas tout à fait ignorants de la théologie mystique, cette « ignorance sçavante, élevée au-dessus de toute la science humaine, et par le moyen de laquelle l'esprit connoist et touche en quelque sorte son Dieu sans aucun discours, et le gouste sans l'aide du raisonnement », c'est que, « grands et subtils esprits », ces platoniciens « pouvoient peut-estre tellement amoindrir les phantosmes de leur imagination, que les espèces intelligibles qu'ils en tiroient, représentoient les objets presque entièrement dépouillés de toute espèce sensible » [45]. C'est la voie mystique « courte et aisée », opposée à la voie sco-

44. Bona cite Jamblique, le Pseudo-Denys, saint Augustin, saint Bernard, saint Bonaventure, Gerson, Guillaume de saint Thierry, Richard de saint Victor, Ruysbroeck, Tauler, Grenade, Harphius, Denys le Chartreux, saint Jean de la Croix, Alvarez, Stella, Jacques Salien, Antoine Gaudier, Fonseca, Jean de Cagliari, saint Thomas, Abbé de Verceil, Victor Gelen, Constantin de Barbanson, B. de Canfeld, Laurent de Paris, enfin, comme nous le disons, François de Sales. Cf. BONA G., *La voye abrégée pour aller à Dieu*, trad. franç., Foppens F., Bruxelles, 1685, pp. 39 ss. et pp. 381 ss.
45. *Ibid.*, pp. 16-20. Il s'agit de Jamblique (sa *Vie* par Eunapius), de Plotin, etc. et non des « nouveaux platoniciens gâtés par les sciences magiques ». *Ibid.*, p. 21.

lastique « longue et difficile », le chemin de l'illumination
opposé à celui du raisonnement parce que, selon ces philosophes, « il est bien plus facile d'aimer Dieu, que de le connoistre » [46]. Bona suit Harphius lorsqu'il écrit, en effet, que
la « voie scolastique et commune » demande beaucoup
d'étude et de recherches » tandis que la voie mystique et
« secrète » [47] se peut acquérir partout en tout temps et
par tout le monde. Il développe encore le contraste des
deux voies : « l'une est spéculative, et l'autre pratique.
Celle-là proprement est dans l'esprit, et celle-cy dans la
volonté... Les opérations de celle-là sont naturelles, et se
font par le moyen de l'imagination et du raisonnement :
au lieu que celles de l'autre sont surnaturelles, et qu'il n'y
a que la pure intelligence qui y ait part » [48]. Et encore :
(la voie scolastique) « commençant par des choses moins
relevées, je veux dire par l'extirpation des mauvaises
habitudes, et par la modération des désirs déréglés et
tumultueux, monte à la cime de la perfection par le moyen
de la pratique des vertus et des devoirs de la vie active :
(la voie mystique)... par un cercle admirable commençant
par l'amour, s'avance vers l'amour et finit à l'amour par
des mouvements affectueux et des aspirations enflam-
mées » [49].

Le jugement de Camus qui relie le *Traité de l'Amour de
Dieu* à la littérature spirituelle de l'amour pur se trouve à
donner la même note que le jugement de Bona [50]. Cette
littérature de l'amour trouve ses racines chez les philoso-

46. *Ibid.*, p. 390.
47. *Ibid.*, p. 4.
48. *Ibid.*, pp. 4 s.
49. *Ibid.*, pp. 5 s.
50. On trouvera chez le Père Léandre de Dijon, capucin du XVIIᵉ siècle, un
héritage de cette doctrine de l'amour par le truchement de F. de Sales :
« sous-jacente aussi, mais non moins réelle (dans l'œuvre du P. Léandre de
Dijon) est l'influence de F. de Sales qui est cité, quelquefois. Il n'est pas
douteux que la doctrine de l'évêque de Genève n'ait trouvé un terrain
bien préparé dans l'âme franciscaine de ce capucin et n'ait aussi imprimé
une direction bien marquée à la synthèse de l'*Idée parfaite du véritable
amour* en la centrant sur des thèses proprement salésiennes : la princi-
pauté de l'amour et l'optimisme, p. 104. Cf. P. Luc de Lyon, O.F.M. Cap.,
*L'Amour - l'idée parfaite du véritable amour. Etude de théologie francis-
caine d'après les écrits spirituels du P. Léandre de Dijon, Frère Mineur
capucin, Messager de saint François*, 22 rue Elisée-Reclus, Saint-Etienne,
Loire, 1946.

phes anciens et surtout chez Platon. « *Le Traité de l'Amour de Dieu* dit Bremond n'en reste pas moins l'un des plus beaux livres de philosophie religieuse que le xviiᵉ siècle nous ait laissés, le plus beau peut-être » [51].

Platon

L'œuvre de François de Sales respire un pur esprit platonicien. Tous les historiens ont souligné en passant - J. Merlant en s'y attardant - cette affinité, cette prédilection, et l'on a remarqué combien le génie platonicien avait fortement marqué la « dialectique », les « subtiles analyses » et le « charme insinuant » du *Traité de l'Amour de Dieu* [52]. Est-ce aux jésuites de Clermont que François de Sales doit son amour de la philosophie platonicienne ? Certainement, il y a étudié les œuvres de Platon et, d'ailleurs, le ficinisme de l'heure mettait en vedette le néoplatonisme. A Padoue où François de Sales demeura de 1589 à 1591, pour y conquérir ses grades en droit civil et en droit canon après avoir reçu son diplôme de bachelier, il vécut encore sous l'influence de Ficin. D'ailleurs, en se mettant là-bas sous la direction du P. Possevin, il retrouvait le climat de Clermont [53].

François de Sales, s'attachant à la psychologie de la mystique, retrouve, comme la plupart des auteurs spirituels du xviiᵉ siècle, dans la tradition chrétienne, la pensée de Platon [54] dont elle s'est imbue par l'intermédiaire de Denys [55].

51. *Op. cit.*, II, p. 576.
52. STROWSKI F., *Op. cit.*, p. 50.
53. TROCHU F., *Op. cit.*, I, p. 190 ss. et DELPLANQUE A., *Op. cit.*, p. 9.
54. MERLANT J., *Op. cit.*, pp. 12 et 16. Cf. *Œuvres*, V, p. 23.
55. On ne peut à vrai dire, remarque M. E. Gilson, parler de platonisme mais de platonismes. Cf. GILSON E., *Le Thomisme*, Paris, Vrin. 1942, p. 127. « Il y a donc eu des platonismes et non pas un seul, à l'origine des philosophies médiévales. » Platonismes de saint Augustin, de Denys l'Aréopagite et de ses dérivés, platonisme d'Avicenne, de Boèce. Cf. encore : « ... Ces platonismes ont constamment tendu à se renforcer les uns les autres, à s'allier, parfois même à se confondre. Le courant platonicien ressemble à un fleuve issu de saint Augustin, qui se grossit de l'affluent Boèce au viᵉ siècle, de l'affluent Denys, par Scot Erigène, au ixᵉ siècle, de l'affluent Avicenne, par ses traducteurs latins, au xiiᵉ siècle. D'autres

Le développement donné dans le *Traité* à l'attribut de beauté est un thème repris avec plus ou moins de complaisance par tous les platonisants du XVIIe siècle. On peut relier l'inspiration du *Traité* à celle de l'*Astrée*, par exemple, qui utilise aussi l'idée d'association spirituelle par l'amour de la beauté jusqu'à la beauté parfaite [56]. On constate aussi chez François de Sales, tout autant que chez H. d'Urfé l'importance du prix accordé à l'amour spirituel, de la primauté de cet amour spirituel sur l'amour charnel. Ce sont les idées dominantes du *Traité* comme de l'*Astrée*, ainsi que de bon nombre d'autres livres de l'époque inspirés des doctrines du *Phédon* et du *Banquet*, remises à la mode au XVIe siècle par les traductions latines de Ficin, tel le

tributaires de moindre importance, comme Hermès Trismégiste, Macrobe et Apulée par exemple, pourraient être cités, et l'on ne doit pas oublier cette traduction du *Timée* par Chalcidius, avec son commentaire, seul fragment de Platon lui-même que le haut moyen âge ait, sinon connu, du moins utilisé ». Cf. également - TROUILLARD J., *La purification plotinienne*, P.U.F., 1955. Compte rendu dans *Compagnie de Saint Sulpice, Bulletin du Comité des Etudes*, 24 rue Cassette, Paris, p. 121 : « Il y a des néoplatoniciens et des néoplatismes bien différents. Qu'on songe seulement à saint Augustin, à Jamblique, au Pseudo-Denys. Il y a un néoplatonisme diffus qui a pénétré la philosophie (chrétienne ou non), la théologie (catholique ou musulmane) et la spiritualité. Mais nulle part, et pour bien des raisons, nous ne trouvons de disciple fidèle. Ceux qui pourraient, avec la meilleure vérité, mériter ce titre, comme Scot Erigène ou Nicolas de Cuse, n'ont pas même lu Plotin. Trop souvent la postérité de Plotin est celle de Proclus... » H. Bremond appuie sur le « goût très vif que F. de Sales montre pour « la spéculation platonicienne ». C'est une « affinité » naturelle, constate de son côté Dom Mackey. Cf. *Œuvres*, IV, p. XXXIII. J. Merlant rappelle que F. Strowski a « déjà attiré l'attention sur la presque identité des théories (platoniciennes) d'Honoré d'Urfé et de celles de François de Sales sur l'amour divin ». Comme Platon, F. de Sales s'attarde sur la distinction des amours et le rôle de l'amour. Cf. MERLANT J., *De Montaigne à Vauvenargues, Essai sur la vie intérieure et la culture du moi*, Paris, Sté Fce Impr. et Librairie, 1914, p. 175. La dialectique de F. de Sales était de « persuader par l'amour », suivant la méthode familière et les *Entretiens* de Fénelon, de François d'Assise et du « divin » Platon. Cf. DUFOURNET A., *Op. cit.*, p. 9.

56. « Toute beauté, dit donc Adamas à Céladon, procède de cette souveraine bonté que nous appelons Bien. Le soleil que nous voyons éclaire l'eau, l'air et la terre d'un même rayon. Le soleil éternel embellit ainsi tous les êtres. La clarté divine brille plus en l'entendement angélique que dans l'âme raisonnable, et dans l'âme raisonnable que dans la matière ». Et Céladon : « ... l'amour étant le désir de la beauté... celle qui tombe sous la vue..., celle qui consiste dans l'harmonie..., celle enfin qui est la raison et que l'esprit seul peut apercevoir... » On croirait lire le *Traité*, notamment le développement sur le Bien et la lumière divine. Cf. MERLANT J., *Op. cit.*, p. 175.

Parfait Courtisan de Balthazar Castiglione [57]. Cependant, François de Sales s'il subit l'ambiance platonisante générale de son temps [58], va à la source en lisant Platon dans les traductions latines de Ficin et le cite directement. Son platonisme nous paraît, en effet, beaucoup plus « scientifique » que J. Merlant ne semble le croire [59]. J. Merlant, en effet, n'a pas relié le primat de l'amour salésien et la psychologie du rôle de l'entendement au courant spirituel et philosophique dont dépend F. de Sales, bien qu'il mentionne les mystiques antérieurs, essentiels pour l'étude de l'œuvre salésienne, et sans lesquels aucune véritable explication de sa pensée n'est possible : la bible, l'Aréopagite, saint Grégoire de Naziance, saint Jean Chrysostome, saint Bernard, saint Augustin, saint Thomas, les mystiques espagnols, surtout Thérèse d'Avila et Louis de Grenade.

Il arrive que François de Sales cite Platon ou Mercure

57. Traduit pour la première fois vers 1530, puis en 1537, etc. *Ibid.*, p. 104. MERLANT J., recherchant les différents foyers de diffusion du platonisme, les situe presque exclusivement dans le domaine littéraire (en dehors de deux ouvrages théoriques dont le *Parfait Courtisan*, cité ici, qui s'achève par « un admirable exposé » de la doctrine platonicienne de l'Amour et la *Philosophie de l'Amour* de Léon Hébreu, traduit deux fois, en 1551, par le sieur du Parc, champenois, et par Pontus de Tyard). Comme l'avait fait avant lui G. Regnier dans son Etude sur le *Roman sentimental avant l'Astrée*, J. Merlant passe en revue les innombrables ouvrages sentimentaux à doctrine platonicienne, par exemple, la traduction des *Azolains* de Mgr Bembo, la *Parfaite Amye* d'Heroet qui a lu le *Banquet*, le *Timée*, le *Critias*, le *Lysis*, les ouvrages des poètes Maurice Scève et Gilles Corrozet ; le *Songe* d'Hélisenne de Crenne, le *Sophologue d'amours*, etc. Ces ouvrages voisinent avec la littérature gauloise et la littérature sensuelle païenne de la Pléiade. Cf. *Ibid.*, p. 104 xs.

58. De 1583 à 1587, le *Notable discours touchant la vraye et parfaite amytié*, traduit de Piccolomini, par François d'Ambroise, le *Dialogue l'Honneste amour* de B. de Verville, la *Harangue de parfaite amitié* de Martin Spifame, le *Misaule ou Hayneux de Court* de G. Chappuys, le *Discours de la beauté* de Gabriel de Minut. De 1594 à 1605 : *Les chastes et délectables jardins d'amour, les chastes amours d'Hélène, les chastes et heureux amours de Clarimond et d'Antonide, les infortunés et chastes amours de Filirès et Isolia, les pudiques amours de Calistine, les amours de Charitene et Amandos*, etc. *Ibid.*, p. 1135.

59. H. Bremond rattache l'école platonicienne et anti-calviniste de Cambridge (dont Henri More) à la pensée salésienne qui aurait « dépuritanisé » la pensée anglaise. Il s'agit surtout pour l'historien car il n'a pas eu le temps d'approfondir la remarque, de souligner le fait que « la France catholique, représentée par François de Sales a pris les devants ». Cf. BREMOND H., *La Philosophie de saint François de Sales, Rev. Paris*, 1923, p. 137. Cf. également P. RENAUDIN, *Le dénuement et l'amour dans la vie de Richard Rolle*, dans *Vie Spirit.*, t. 60-61, 1939, pp. 143-168.

Trismégiste à travers saint Augustin [60]. Mais certaines citations que comporte le *Traité* sont aussi empruntées à la traduction de Ficin. François de Sales, au Livre VI du *Traité*, renvoie au *Symposium* [61]. Ailleurs, il fera allusion au *Gorgias* [62]. C'est pour y trouver les caractères de l'amour mystique définis dans le platonisme, car ce dernier s'applique non seulement à dépeindre l'amour humain mais aussi le sentiment révérentiel de l'âme vis-à-vis de la divinité. François de Sales écrira, à la suite de Platon, que l'amour est « pauvre, chétif, nud, deschaux... » [63]. Mais c'est encore dans la doctrine salésienne en général que se trouve l'empreinte platonisante, puisque le *Traité* est dominé par une théorie néoplatonicienne de l'inspiration et de l'illumination [64]. Tous ces éléments évidemment sont de tradition dans le christianisme depuis saint Augustin. Mais saint François de Sales va cependant les rechercher à leur source antique.

Cette doctrine platonicienne, François de Sales la retrouve chez le Pseudo-Denys [65]. Ce dernier peut être

60. *Œuvres*, IV, p. 81. Renvoi à saint Augustin, 1, 8, *De Civitate*, C. 9 et C. 12. Socrate, C. 3 : Cf. *ibid.*, p. 80. Pour Mercure Trismégiste, *ibid.*, p. 81, avec renvoi à saint Augustin, *De Civitate*, C. 23 et 24.

61. *Ibid.*, p. 356.

62. *Ibid.*, V, p. 301. Cf. encore p. 273. En dehors des traductions et commentaires de Ficin, F. de Sales pouvait lire Platon dans la traduction latine parue à Paris en 1561 (éd. Morel). Celle de Cordier n'a paru à Anvers qu'en 1634.

63. *Ibid.*, IV, p. 356.

64. F. de Sales s'est-il inspiré des *Ennéades* de Plotin, traduites par Ficin ? S'est-il arrêté à la définition plotinienne de la contemplation, qui a lieu au moyen du silence des sens et de la raison ? A-t-il médité la méthode par laquelle l'âme - selon Plotin - peut atteindre l'objet suprême de son désir, rentrer en elle-même et retrouver par le recueillement, comme l'a écrit H. Bremond, « le Dieu intérieur dont elle porte la trace » ? Voir encore *Œuvres*, IV, p. 80 s. F. de Sales y parle de Socrate, de Platon, de Trismégiste.

65. En 1598, F. de Sales conseille la lecture de Denys l'Aréopagite et de Grégoire de Nysse, source du Pseudo-Denys. Avec Grégoire de Nysse, on peut citer Evagre le Pontique, les Pères, qui eux-mêmes, continuent Origène. C'est à Origène que se relie la mystique du désert de saint Jean de la Croix, la mystique nuptiale de saint Bernard, la dévotion au Verbe éternel de Tauler. Cf. DANIÉLOU J., *Les sources bibliques de la mystique d'Origène*, Rev. Ascét. Myst., n° 90, avril-juin 1947, pp. 126-141. F. de Sales s'assimilait aussi le Pseudo-Denys par l'intermédiaire des auteurs spirituels qui en sont imbus depuis la traduction latine de Scot Erigène, au moyen âge : les victorins, saint Albert le Grand, saint Thomas, les mystiques rhénans, Denys le Chartreux, Marsile Ficin, Abélard, etc. Cf. *Œuvres complètes* du Pseudo-Denys l'Aréopagite, *Op. cit.* On trouve également chez

compté parmi les héritiers du système dionysien [66]. L'école du pur amour du XVIIe siècle a constamment recours au Pseudo-Denys soit directement, soit indirectement. Joseph du Tremblay le lisait dans le texte grec et le dénommait « le Maistre des Maistres » de la vie spirituelle [67]. Benoît de Canfeld, J.P. Camus, Jean de Saint Samson subirent également son influence.

Les textes empruntés par François de Sales aux *Noms Divins* se rapportent à la philosophie de l'Amour de Dieu [68]. Nous sommes bien loin, ici - en reliant François de Sales à cette philosophie - de la classification facile de son œuvre parmi les ouvrages affectifs du XVIIe siècle. Il s'agit d'un chemin de connaissance, d'une certitude de l'amour. C'est la philosophie propre à l'école du pur amour, au XVIIe siècle.

On voit chez François de Sales l'absorption de l'amant en son objet d'amour. Notre auteur rapporte la citation suivante du Pseudo-Denys en la faisant sienne : « L'amour divin est extatique, ne permettant pas que les amans soyent a eux mesmes, ains à la chose aymee » [69]. Dans ce même Livre VII, François de Sales cite encore deux fois le Pseudo-Denys pour dire que « l'amour est une vertu unitive » et que la lumière, le soleil sont l'image du bon et du beau [70] ; Grégoire de Nysse, source du Pseudo-Denys, est également cité [71].

Tauler, disciple de Maître Eckhart, des théories néoplatoniciennes utilisées pour expliquer l'union mystique car la philosophie néoplatonicienne, propagée justement par les écrits du Pseudo-Denys, était très répandue au XIVe siècle. Cf. POURRAT, art. *Tauler*, col. 552-573 dans *Dict. Théol. Cath.*, I. XV, 1re partie, 1946. Voir col. 67 ; l'auteur de l'article insiste sur le fait que Tauler s'écarte des doctrines philosophiques de saint Thomas, pour suivre les doctrines néoplatoniciennes, par exemple dans sa conception de l'homme sensible, raisonnable, pour la partie supérieure de l'âme, etc. Le P. Jean Festugière signale, en 1463, une traduction de Ficin du *De Origine Mundi* de Mercure Trismégiste. Cf. FESTUGIÈRE J., *La philosophie de l'amour de Marsile Ficin*, Paris, Vrin, 1941, p. 21.

66. *Œuvres complètes* du Pseudo-Denys l'Aréopagite, trad., préface et notes par M. M. de Gandillac, Paris, Aubier, 1943, voir Introd., p. 19.

67. TREMBLAY J. du, *Introduction à la vie spirituelle par une facile Méthode d'oraison*, Paris, Denys de la Noue, 1621. Cf. Advis particuliers, p. 41.

68. GOUHIER H., *La philosophie et son histoire*, Paris, Vrin, 1944, p. 12 s. « Une philosophie est une vision du monde et il y a des philosophies différentes parce que les philosophes ne voient pas le même monde. »

69. *Œuvres*, V, p. 24.

70. *Ibid.*, pp. 8 et 23. Cf. également IV, p. 230.

71. *Ibid.*, p. 359.

Outre le Pseudo-Denys, saint François de Sales retrouvait dans le saint Thomas dionysien, dans la Patristique [72], chez Tauler, les Victorins, l'école franciscaine avec Harphius, dans la mystique espagnole d'Osuña, de Pierre d'Alcantara et de Louis de Grenade, la pensée platonicienne. Il y puisait le délaissement des preuves rationnelles de Dieu pour chercher dans les arguments de finalité des raisons de croire. C'est le retour au sentiment naturel, à l'innéisme [73]. C'est l'adoption de la philosophie de l'illumination et des philosophies platonicienne, néoplatonicienne, augustinienne, bonaventurienne. C'est la pratique de l'amour. Tandis que pour saint Thomas, « la raison mise en présence des effets, souhaite d'en découvrir la cause », pour saint Bonaventure et les philosophes de l'intuition, « la volonté dépassant les biens imparfaits s'élance irrésistiblement vers le but suprême » [74].

TROIS AUTEURS PLUS IMPORTANTS

Après avoir indiqué brièvement quelques sources générales de la doctrine de saint François de Sales, nous nous arrêterons sur les auteurs qui nous paraissent les plus importants.

I. Saint Thomas d'Aquin

Le P. B. Lavaud a tenté un parallèle entre la doctrine salésienne et la doctrine thomiste [75], constatant toutefois que François de Sales « s'écarte » des « opinions théolo-

---

72. Lorsque F. de Sales recourt à la Patristique, il se rencontre toujours avec le même courant d'idées, puisque Origène, source, nous l'avons rappelé, des Pères, de Grégoire de Nysse, du Pseudo-Denys, est également à l'origine de la mystique de saint Bernard, de saint Bonaventure, de Tauler. Cf. DANIÉLOU J., Op. cit., p. 68.
73. BUSSON H., Op. cit., pp. 68-72.
74. CHESNEAU C., Le P. Yves de Paris et son temps (1590-1678), Soc. Hist. Eccles. France, 1946, II, p. 210 s., note (12)... « c'est par l'analyse du cœur humain que saint François de Sales prétend gagner l'incroyant ».
75. LAVAUD B., Amour et Perfection chrétienne selon saint Thomas d'Aquin et saint François de Sales, Lyon, l'Abeille, 1941.

giques » de saint Thomas « plus souvent que ne le laisserait croire l'Introduction de Dom Mackey au *Traité* dans l'édition d'Annecy » [76]. Il est vrai que l'historien ajoute : « Mais heureusement les divergences théoriques ne semblent pas avoir de conséquences pratiques notables » [77]. C'est sur ce plan : divergences théoriques, accord pratique, que le P. Lavaud conduit son livre. Un appendice [78] clarifie ces points :

1. La grâce et la charité, habitus distincts pour saint Thomas, ne sont pour François de Sales qu'une seule et même réalité.

2. L'identification de la charité avec les vertus chez François de Sales, autrement dit, la charité, dans la doctrine salésienne, comprend toutes les vertus. Théorie différente de celle de saint Thomas [79].

3. Chez François de Sales, il y a affirmation du mérite des « œuvres moins ferventes » tandis que saint Thomas montre plus d'exigence [80].

4. Dans le domaine pratique, il y aurait par contre, pour le P. Lavaud, similitude complète quant à l'importance donnée à l'amour pour le candidat à la perfection [81].

Le P. Garrigou-Lagrange situe aussi le point de conciliation de saint Thomas et de François de Sales dans « le précepte de l'amour de Dieu » qui pour l'un et pour l'autre « n'a pas de limite » [82]. D'ailleurs, l'historien pense trouver en la doctrine de saint Thomas « le fondement de la mystique », (autrement dit les principes de la théologie mystique), écrivant que cette doctrine « ne le cède en rien aux pages les plus belles de Denys..., de Tauler..., du B. Henri Suso..., ou de S. Jean de la Croix sur la vie de foi » [83].

76. *Ibid.*, p. 7.
77. *Ibid.*
78. *Ibid.*, p. 193 s.
79. *Ibid.*, p. 194 s.
80. *Ibid.*, pp. 198-200.
81. *Ibid.*, p. 202.
82. GARRIGOU-LAGRANGE P., *Perfection chrétienne et contemplation selon saint Thomas d'Aquin et saint Jean de la Croix*, éd. de la Vie spirit., saint Maximin, Var, 1923, p. 11.
83. *Ibid.*, p. 76.

Aussi, étudiant la perfection, la contemplation et ses degrés, le P. Garrigou-Lagrange recherche-t-il chez saint Thomas les assises de la vie mystique.

Le P. Garrigou-Lagrange revient d'ailleurs sur cette question de l'accord de la théorie thomiste avec la doctrine des mystiques. Dans sa réponse à un compte rendu du P. Hugueny paru dans le *Bulletin thomiste* de mai-juillet 1930, le P. Garrigou-Lagrange cherche à confronter saint Thomas avec saint Jean de la Croix. La distinction dominante lui semble se situer dans une perspective générale : abstrait et spéculatif dominant chez saint Thomas, et s'opposent aux visées concrètes, descriptives et immédiatement pratiques des mystiques. En fait, selon l'historien, ce serait un changement de perspective et de vocabulaire qui différencierait saint Thomas et saint Jean de la Croix, plus qu'une opposition de doctrine. C'est pourquoi, adoptant une optique de conciliation, cet essai s'efforce de faire ressortir les points communs, notamment ce qui a trait à la théorie de l'amour et à la contemplation passive. Tandis qu'on a souvent opposé la conception thomiste de l'amour et celle de saint Bernard et de Richard de saint Victor, le P. Garrigou-Lagrange note, au contraire, les similitudes : selon saint Thomas, remarque-t-il, « l'amour, loin de tirer à nous l'objet aimé, nous tire vers lui », conception toute proche de la doctrine de saint Bernard [84]. Cet article, ainsi que le livre du P. Lavaud, se placent, on le constate, sur un plan conciliateur qui s'essaie à réduire les oppositions de doctrine en montrant, dans la *Somme* de saint Thomas, l'importance de la doctrine surnaturelle qu'il s'agit de ne pas minimiser au profit des éléments naturels et philosophiques.

Quant à la contemplation passive, « ... si saint Thomas n'a pas traité ex-professo des purifications passives des sens et de l'esprit, il nous a donné les principes qui les peuvent expliquer, et il y a fait allusion en nous parlant de l'action purificatrice du don de science, qui sous l'inspiration du Saint-Esprit nous montre le vide des choses créées, la gravité du péché et de ses suites et celle supé-

---

84. GARRIGOU-LAGRANGE P., *Saint Thomas et saint Jean de la Croix*, *Vie spirit.*, 1930, t. 25, Supplément, pp. 16-37.

rieure du don d'intelligence. Il assigne explicitement à ce dernier un rôle purificateur à l'égard de la partie supérieure de l'âme et la purification qui procède de lui n'est pas l'active, celle que nous nous imposons à nous-mêmes, mais la passive qui provient d'une illumination et inspiration spéciale de l'Esprit-Saint » [85]. Cet essai de rapprochement entre thomisme et doctrine salésienne était intéressant à tenter, mais il aboutit, en fait, à mettre l'accent sur les revues dionysiennes et mystiques de saint Thomas, c'est-à-dire les quelques points de contact par lesquels saint Thomas s'accorde avec l'augustinisme et le bonaventurisme. Les différences essentielles quant à la théorie de la connaissance, à l'innéisme, au primat de la volonté, ... et à bien d'autres points, n'en demeurent pas moins vraies. D'ailleurs, les emprunts faits par F. de Sales à saint Thomas sont un substratum doctrinal concernant la connaissance par les sens, les attributs de Dieu expliqués rationnellement et les dogmes théologiques que François de Sales rappelle au passage. Il est certain que l'école augustinienne du pur amour au XVIIe siècle apporte des explications syllogistiques à des vérités saisies d'abord et essentiellement par intuition. Il y a ainsi concours de la pensée platonicienne, à laquelle évidemment est donnée la préférence, et de la connaissance thomiste. Le Cardinal Bona résume leur opinion lorsqu'il écrit : « le Docteur Angélique en tombe luy-même d'accord (sur le fait que la voie mystique d'amour est la plus aisée), avouant franchement qu'on aime plus Dieu en cette vie, qu'on ne le connoist ; parce qu'il faut beaucoup plus de choses pour la perfection de la connoissance, que pour celle de l'amour » [86]. On remarquera que souvent François de Sales cite ensemble, saint Augustin et saint Thomas [87].

Pour tenir compte de l'importance primordiale des études thomistes dans la formation de saint François de Sales, nous signalerons alors un article *De optimismo universali secundum S. Thomam* par le Père Rozwadowski, S.J. [88].

85. *Ibid.*, p. 17. Cf. *Somme Théologique*, IIa IIae, q. 8, art. 7.

86. Cf. BONA G., *Voye abrégée pour aller à Dieu*, Bruxelles, Foppens, 1685, p. 391.

87. *Œuvres*, IV, pp. 109, 120, 318, etc.

88. ROZWADOWSKI A., *De optimismo universali secundum S. Thomam*, art. dans *Gregorianum*, 1936, pp. 254-264.

Ce travail montre que le docteur angélique fut optimiste au sujet de Dieu et de sa création. Mais Rozwadowski nous apprend que la doctrine fut « optimismus relativus aut moderatus ». Il écrit :

> Complendo igitur doctrinam in Commentariis per doctrinam in Summa Theol. possumus exprimere sententiam S. Thomae de perfectione universi his duabus assertionibus :
>
> 1ᵃ. Perfectio absoluta universi, suppositis his substantiis, seu manente eodem substantialiter universo, non potest esse maior secundum bonitatem essentialem, sed potest secundum bonitatem accidentalem.
>
> 2ᵃ. Perfectio relativa, seu ordo universi suppositis his substantiis, non potest esse maior non solum quantum ad ordinem qui sequitur bonitatem essentialem, sed etiam quantum ordinem qui sequitur bonitatem accidentalem.
>
> Hic ordo est duplex, scil. intrinsecus et extrinsecus, sed ordo intrinsecus subordinatur ordini extrinseco, ut clare docet S. Thomas. Cf. *I Sent.* Dist. 44 q. I, a. 2 ; *In Metaph.* XII, 1. 2.
>
> Eamdem doctrinam de optimismo relativo universi etiam alibi expresit S. Doctor :
>
> Optimi agentis est producere totum effectum suum optimum, non tamen quod quamlibet partem totius faciat optimam simpliciter, sed optimam secundum proportionem ad totum... Sic igitur et Deus totum universum constituit optimum secundum modum creaturae, non autem singulas creaturas, sed unam alia meliorem ; et ideo de singulis creaturis dicitur Gen. I : Vidit Deus lucem, quod esset bona, et similiter de singulis. Sed de omnibus simul dicitur : Vidit Deus cuncta, quae fecerat, et erant valde bona (St Th. I, q. 47, a2 ad 1).
>
> Universum, quod est a Deo productum, est optimum respectu eorum quae sunt, non tamen respectu eorum quae Deus facera potest (*De Pot.*, q. 3 a. 16 ad 17) [89].

> « *En complétant donc la doctrine exposée dans les* Commentaires *par la doctrine dans la* Somme théologique, *nous pouvons exprimer la pensée de saint Thomas au sujet de la perfection de l'univers par ces deux assertions :*
>
> 1ᵃ. *La perfection absolue de l'univers, ces substances ayant été mises à la place, ou bien l'univers restant substantiellement le même, ne peut être plus grande selon la bonté essentielle, mais peut l'être selon la bonté accidentelle.*

89. *Ibid.*, pp. 261-262.

2ª La perfection relative, ou bien l'ordre de l'univers, ces substances ayant été mises à la place, ne peut être plus grande non seulement quant à l'ordre qui suit la bonté essentielle, mais même quant à l'ordre qui suit la bonté accidentelle.

Cet ordre est double, à savoir de caractère intrinsèque et de caractère extrinsèque, mais l'ordre de caractère intrinsèque est subordonné à l'ordre de caractère extrinsèque, comme l'enseigne clairement saint Thomas.
La même doctrine au sujet de l'optimisme relatif de l'univers, le saint Docteur l'a exposée encore ailleurs : A coup sûr il appartient à un agent excellent de produire un effet excellent, si on l'entend de la totalité de cet effet ; mais il n'est pas nécessaire qu'il rende chaque partie du tout excellente absolument ; il suffit qu'elle soit excellente par rapport au tout... Ainsi Dieu a fait l'ensemble de l'univers excellent, autant que le comporte la créature ; mais non pas chaque créature particulière ; parmi celles-ci, l'une est meilleure que l'autre. Aussi des créatures prises à part est-il dit dans la Genèse : « Dieu vit que la lumière était bonne », et ainsi du reste ; mais de toutes ensemble il est dit : « Dieu vit toutes les choses qu'il avait faites, et elles étaient très bonnes. »
L'univers qui est l'œuvre de Dieu, est le meilleur eu égard à ce qui est, non pourtant eu égard à ce que Dieu peut faire. »

Voici un schéma de cette étude intéressante.

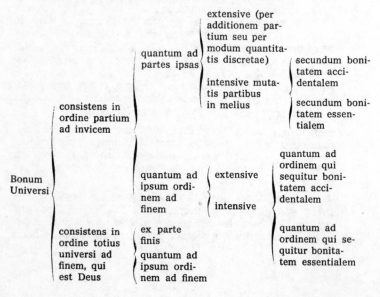

Bonum Universi

- consistens in ordine partium ad invicem
  - quantum ad partes ipsas
    - extensive (per additionem partium seu per modum quantitatis discretae)
      - secundum bonitatem accidentalem
    - intensive mutatis partibus in melius
      - secundum bonitatem essentialem
- consistens in ordine totius universi ad finem, qui est Deus
  - quantum ad ipsum ordinem ad finem
    - extensive
      - quantum ad ordinem qui sequitur bonitatem accidentalem
    - intensive
  - ex parte finis
  - quantum ad ipsum ordinem ad finem
    - quantum ad ordinem qui sequitur bonitatem essentialem

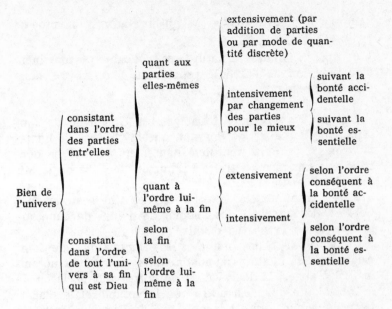

II. Saint Augustin

Le platonisme de François de Sales nous a révélé la part d'inspiration qui revenait dans la doctrine salésienne à l'augustinisme. Nous avons vu, d'autre part, Charles A. de Sales rapporter qu'entre les Pères, François de Sales aimait particulièrement saint Augustin. En effet, si la doctrine augustinienne et thomiste de la prédestination causa quelque désarroi intellectuel au jeune François de Sales, alors étudiant à Padoue, ce dernier, dans les *Confessions* et les autres ouvrages de saint Augustin, pouvait par ailleurs puiser une communauté de doctrine.

H. Bremond distingue l'augustinisme général de F. de Sales de l'augustinisme - ou prétendu tel - de la prédestination, seul point où il se sépare de saint Augustin.

Cet augustinisme traditionnel, avec lequel F. de Sales est en rupture, peut se formuler en trois propositions essentielles :

a) les vertus des païens ne sont que des vices déguisés,

b) par le mauvais usage de son libre-arbitre l'homme se perd,

c) après la chute, la nature est incapable de tout bien, d'où négation de l'activité propre, du libre-arbitre, dans l'œuvre du salut [90].

Ce sont les « dogmes terribles » de Calvin ou de Jansénius, de Pascal ou de Bossuet, que la philosophie humaniste de F. de Sales réprouve hautement : « Aucune doctrine qui soit plus contraire à l'humanisme. Pic de la Mirandole, Marsile Ficin, Colet, Thomas Morus, Lefèvre, Erasme... continuaient la tradition des Chrysostome, des Cassien, des Anselme, des Thomas d'Aquin », doctrine que le concile de Trente va définir [91].

François de Sales nomme les *Confessions* de saint Augustin. Ses citations augustiniennes concernent notamment les anges, la dépravation de notre volonté, la fin de notre volonté qui n'est autre que la volupté et le plaisir, le recueillement qui est la présence de Dieu au centre de l'âme, la dépendance des vertus et l'amour de Dieu qui les comprend toutes. Par ailleurs, toute la psychologie du libre-arbitre du *Traité* est empruntée à saint Augustin, mais elle est purifiée de ses germes jansénistes.

Dans la perspective de notre étude sur l'optimisme salésien, le Père Cayré a fait des remarques intéressantes à propos de saint Augustin, Dom Mackey a signalé le recours fréquent de François de Sales à saint Augustin : soixante-dix citations extraites de vingt-quatre ouvrages [92]. Il est bon de se rappeler toujours que François de Sales s'est servi de l'ensemble de la doctrine de l'évêque d'Hippone. A ce sujet, le Père Cayré écrit :

« Saint Augustin n'a rien du pessimiste découragé et indolent. Il fut au plus haut degré un actif. Il se dépensa dans toutes les formes de l'activité apostolique : administration, prédication, controverse, spéculation théologique,

---

90. BREMOND H., *La philosophie de saint François de Sales*, Rev. de Paris, 1923, p. 138 s.

91. *Ibid.*

92. *Œuvres*, IV, p. XXXI. Voir notamment parmi ces nombreuses citations IV, pp. 109, 119, 123, 277, 281, 318, 327 et V, pp. 90, 184, 198, 235, 261, 265, 270, 272, 274, 276, 290, 322.

etc. Il poussa lui-même à l'action, à la pratique de la vertu plus que personne. Il fut, à ce point de vue moral, un optimiste, semeur d'enthousiasme. Il le fut même dans l'ordre théorique, l'ordre des principes, non pas qu'il trouvât que tout allait pour le mieux dans le meilleur des mondes, mais il se plaisait à mettre en évidence la sagesse de Dieu qui sait tirer le bien du mal[93]. Quant à l'homme, si Augustin décrit avec force son état de déchéance actuel, il ne le relève que mieux en le jetant tout entier dans les bras d'un Père infiniment miséricordieux, à côté du mal il signale des remèdes qui lui sont largement proportionnés, une grâce d'une richesse illimitée, qui permet au chrétien de recouvrer même l'essentiel des privilèges perdus, notamment une image de Dieu parfaite, restaurée par la sagesse contemplative. Tout cela fonde et justifie chez Augustin le plus franc optimisme. Celui-ci, pour n'avoir rien que de « naturel », pour s'appuyer uniquement sur la grâce, ainsi que sur la sagesse et la bonté de Dieu, n'en est que plus véritable et plus divinement fécond »[94].

Certains auteurs contemporains parlent du pessimisme de saint Augustin ; mais ils ne peuvent le faire qu'en donnant à certaines opinions particulières de l'évêque d'Hippone, isolées de l'ensemble de sa doctrine, la valeur de thèses de premier plan qu'elles n'ont pas dans sa pensée. D'ailleurs, cette note est inséparable d'un sentiment de dépression morale qui non seulement ne se dégage pas de sa doctrine mais se trouve en opposition radicale avec elle. Reconnaissons que certaines présentations fragmentaires ou tendancieuses qui en ont été faites, parfois, dans le passé, ont trop souvent justifié ces appréciations défavorables. Sa doctrine si réconfortante de la contemplation et de la sagesse nous paraît particulièrement apte à dissiper ces préjugés.

Quelle que soit l'importance de la spéculation dans l'œuvre de saint Augustin, malgré tout ce qu'il accorde à la grâce et à la prédestination, en dépit de son mysticisme exubérant, ou plutôt à cause de la manière dont il conçoit tout cela, l'évêque d'Hippone représente émi-

93. *De Ordine* et toute l'œuvre anti-manichéenne.
94. CAYRÉ F., *Précis de Patrologie*, Desclée, Paris, 1930, I, p. 648.

4

nemment un franc moralisme. Toute la tradition, qui l'a
salué du titre de « Docteur de la charité » et lui a surtout
demandé les directions pour la vie spirituelle, l'a bien
reconnu. Les rapports entre saint Augustin et saint François
de Sales sont très clairs.

Non seulement saint Augustin maintient la liberté sous
la grâce, mais il rappelle avec insistance combien est
nécessaire l'activité morale, volontaire. Comme saint
Jérôme réfutant Jovinien, il combattit la théorie déjà
émise, dix siècles avant Luther, de la justification par la
foi sans les œuvres. Il explique le mot de l'Epître aux
Romains (III, 28) : « Arbitramur justificari hominem per
fidem sine operibus legis », par ceux de l'Epître aux Galates (V, 6) : « Fides quae per dilectionem operatur », et il
conclut : « Voilà la foi qui distingue les fidèles des démons
impurs ; car ceux-ci, dit l'apôtre Jacques, croient et ils
tremblent (II, 19), mais leur foi n'agit pas. Ils n'ont pas
la foi dont vit le juste, celle qui opère par la charité, de
telle sorte que Dieu lui accorde la vie éternelle d'après
ses œuvres ». Il ajoute, d'ailleurs, tant cette doctrine lui
est chère et s'accorde avec ce qui vient d'être dit : « Mais
comme nos œuvres bonnes elles-mêmes sont de Dieu, qui
nous donne et la foi et la charité, le Docteur des Gentils
appelle lui-même « grâce » cette même vie éternelle [95].
Cette doctrine de l'activité spirituelle, saint Augustin la
maintient avec force.

Nous pouvons résumer en deux points l'influence augustinienne sur la doctrine spirituelle de saint François. Il y
a chez saint Augustin une psychologie de la volonté et
de la passion de l'amour qui a directement influencé
l'évêque de Genève. Il y a de plus chez saint Augustin
une conception de l'unité de la vie spirituelle dans la charité qui fait aussi le fond du *Traité de l'Amour de Dieu*.

Quel est le rôle de la volonté dans la psychologie de saint
Augustin ? M. Gilson a traité cette question en quelques
pages dans son *Introduction à l'étude de saint Augustin* [96].
Après avoir rappelé que selon saint Augustin, le problème

---

95. *De gratia et libero arbitre*, VII, n. 18.

96. GILSON E., *Introduction à l'étude de saint Augustin*, Paris, Vrin, 1931,
pp. 162-176.

de l'homme est celui de la libre réalisation par celui-ci de l'ordre divin qui le concerne, il n'hésite pas à écrire : « Il n'est donc pas exagéré de dire que, telle est la volonté, tel est l'homme, à tel point qu'une volonté partagée contre elle-même, c'est un homme divisé contre lui-même. Il importe de mettre en évidence ce rôle dominateur, puisqu'il marque de son caractère la psychologie augustinienne tout entière » [97]. Or quel est le principe moteur de cette volonté ? On connaît la réponse de saint Augustin : de même que chaque corps tend vers son bien naturel, c'est-à-dire, le bien de son repos, par une sorte de poids naturel, ainsi l'amour est le poids de la volonté qui l'entraîne à la réalisation de son acte : *Pondus meum, amor meus*. De là découlent d'importantes conséquences pour la nature de notre activité volontaire. Si l'amour est le moteur intime de la volonté et la volonté le propre de l'homme, on peut dire que l'homme est essentiellement mû par son amour, comme par une force intérieure qui le porte vers l'objet de sa délectation. Impossible d'empêcher l'homme d'aimer : « crimes, adultères, homicides, luxures, c'est l'amour qui cause tout cela aussi bien que les actes de pure charité ou d'héroïsme » [98]. Il apparaît donc que tout le problème moral sera de savoir aimer ce qu'il faut aimer, le rôle de l'amour est central : « Telle sera la valeur de l'acte lui-même qui en découle » [99]. Ajoutons enfin que toutes les passions humaines reçoivent leur qualification de valeur morale de l'amour qui les soutient et de même qu'elles « sont une dans l'amour dont elles dérivent, toutes les vertus sont une dans l'amour qui corrige ces passions et les dirige vers leur fin légitime... L'idée centrale de la morale à laquelle nous sommes ainsi conduits est l'amour du bien suprême, c'est-à-dire la charité » [100].

Telle est, dans ses grandes lignes, la thèse augustinienne. Elle est très claire dans les quatre premiers livres du *Traité*.

---

97. *Op. cit.*, p. 163.
98. *Op. cit.*, p. 167.
99. *Op. cit.*, p. 167.
100. *Ibid.*, pp. 168 s.

III. Saint Bonaventure

L'étude des œuvres de saint François de Sales nous démontre l'étroite affinité des doctrines bonaventurienne et salésienne. François de Sales défend l'opinion optimiste de saint Bonaventure sur l'efficacité de la rédemption, sur l'adoration de la croix et sur le problème de la grâce et de la prédestination.

Au Sermon pour le 12ᵉ dimanche après la Pentecôte, François de Sales déclare : « C'est ainsy que parlent les deux luminaires de la theologie, saint Thomas, Docteur angelique, et mon fervent et seraphique Pere saint Bonaventure, desquelz le dernier dict que la redemption de Nostre Seigneur a esté surabondante » [101]. Dans un autre sermon, pour la fête de l'invention de la sainte croix, il met encore en avant saint Bonaventure : « Je vous proposerois volontier une belle doctrine de saint Bonaventure touchant ceste veneration de la Croix... » [102].

Dans le *Traité de l'Amour de Dieu* lui-même, François de Sales écrit : « Et vous, o mon tressaint et seraphique Docteur Bonaventure, qui me semblez n'avoir eu d'autre papier que la Croix, autre plume que la lance, autre encre que le sang de mon Sauveur, quand vous aves escrit vos divins *Opuscules* » [103].

Charles-Auguste de Sales, de son côté, nous dit que François de Sales « se plaisoit fort à la lecture des livres de saint Bonaventure » [104]. Le Père de la Colombière, S.J. [105], nous confie semblablement : « Voilà pourquoi le grave évêque de Genève dit un jour que, quelqu'estime, quelque vénération qu'il eût pour le Docteur angélique, il préférerait toujours l'Ecole de saint Bonaventure à l'Ecole de saint Thomas » [106].

François de Sales dans le *De Triplici Via,* la somme ascétique de saint Bonaventure, trouvait les principes de la manœuvre spirituelle, la triple voie de la méditation, de

101. *Œuvres*, VII, p. 72.
102. *Ibid.*, p. 178.
103. *Ibid.*, VII, p. 175.
104. *Op. cit.*, I, p. 18.
105. 1641-1682.
106. *Sermons*, Lyon, 1757, 3, 175.

l'oraison et de la contemplation qui conduit par l'amour à l'union à Dieu. C'est le résumé de la pensée bonaventurienne qui se trouve condensé dans l'*Itinéraire de l'âme à Dieu* [107].

L'esprit du *Traité de l'Amour de Dieu* vient en droite ligne des textes bonaventuriens. Saint Bonaventure veut pardessus tout exciter dans l'âme l'amour de Dieu : « Si vous excitez ainsi à l'amour de Dieu, d'une façon intense et continue... », lisons-nous dans le *De Triplici Via* [108]. Il s'agit pour l'âme, de témoigner à Dieu son amour [109]. Saint Bonaventure adopte, au-dessus de l'amour de concupiscence, la classique distinction des amours de bienveillance et de complaisance [110] qui revêtent diverses formes dont la plus basse est « celle qui se complaît à voir Dieu seul se plaire à Lui-même » car cette forme n'entraîne pas vraiment le don de soi [111].

Très vite saint Bonaventure s'élève à l'amour pur [112]. Nous retrouvons chez François de Sales cette démarche spirituelle. La contemplation divine consiste essentiellement pour saint Bonaventure « à savourer la suavité de Dieu » [113]. L'argument de beauté, puis celui de grandeur ou de bonté saisit l'âme qui se trouve alors « savourant avec calme et sans raisonnement » [114]. Saint Bonaventure juge que « l'acte de connaissance est préparatoire, tandis que l'acte d'amour est l'acte propre de la contemplation »[115]. Le « don de Sagesse » est un « don de nature affective ». La contemplation elle-même est « de nature essentiellement affective » et le progrès y est marqué « par le développement des affections » [116]. Saint Bona-

---

107. D'après le P. Liuima, c'est après 1602 que les doctrines mystiques sont familières à F. de Sales.

108. Bonaventure, *Les Trois voies de la vie spirituelle*, p. 18 s.

109. *Ibid.*, p. 19.

110. Fait de recherches d'amour-propre ou de sensibilité.

111. *Ibid.*, p. 19.

112. Saint Bonaventure définit ainsi l'amour pur : « Il donne par pure libéralité sans aucune exigence ou obligation de nature ou de mérite et sans récompense ». Cf. saint Bonaventure, I. *Sent.*, Dist. 6, Q. I, ad. 4, t. I, p. 126.

113. *Op. cit.*, p. 41.

114. *Ibid.*

115. *Ibid.*, p. 42.

116. *Ibid.*, pp. 42 s

venture conseille en effet, d'user, au premier degré de la contemplation, de la « réflexion » et dans les autres, de donner « la préférence aux affections » [117]. L'amour est pour lui « le principe, le moyen et la mesure de l'union » [118].

On le voit, l'expérience bonaventurienne de Dieu est avant tout « expérience d'amour ». C'est un « goût » de Dieu, une « générosité », une « paix ». L'« affection » de l'homme y est principalement intéressée [119]. Et l'acte de la contemplation peut se dire davantage acte d'amour qu'acte de connaissance [120]. Il n'est pas jusqu'à la passivité de la contemplation qui n'ait été soulignée par saint Bonaventure et exprimée d'une façon que reprendra saint François de Sales.

Le regard de l'esprit « fixé » sur Dieu peut devenir passif [121]. Les activités d'imagination et de raisonnement sont alors supprimées [122]. C'est l'action de Dieu qui entraîne ce regard contemplatif [123], le plus haut stade de la contemplation, car la contemplation acquise ou par industrie est dépassée. Nous sommes en présence de la contemplation infuse. C'est le baiser et les embrassements de l'union, le degré le plus élevé de la contemplation [124]. Dieu opère alors en l'âme « le vouloir et le faire » [125]. Nous avons signalé qu'il y avait également accord de la philosophie bonaventurienne et de la philosophie salésienne. Comme celle de saint Bonaventure, la philosophie salésienne est intuitionniste, tributaire du Pseudo-Denys. L'argument de beauté, de bonté et d'unité joue un rôle primordial dans la théodicée de cette philosophie. Ajoutons deux détails précis qui montrent de façon directe la dépendance de François de Sales à l'égard de saint Bonaventure.

117. *Ibid.*, p. 52 note 1.
118. *Ibid.*, p. 45.
119. *Ibid.*, p. 45.
120. LONGPRÉ E., art. *Bonaventure* (saint), dans *Dict. Spirit. Ascét. Mysti.*, col. 1768-1843. Cf. col. 1823.
121. *Ibid.*, pp. 47 et 52.
122. *Ibid.*, p. 47.
123. *Ibid.*
124. *Ibid.*, p. 50.
125. *Ibid.*, p. 52.

1. La description de l'âme [126], de ses quatre parties et plus précisément du sanctuaire, c'est le thème de l'*Itinéraire de l'âme à Dieu* de saint Bonaventure qui distingue pour sa part, trois parties et décrit aussi, quoique d'autre façon, le sanctuaire [127].

2. La distinction des degrés du discours que nous trouvons chez François de Sales a été établie déjà par saint Bonaventure qui n'admet, à dire vrai, que deux degrés mais cite « la suprême pointe de la raison et faculté mentale conduits par simple veue » et qui divise encore ces deux raisons, l'inférieure et la supérieure, en parties. Ceci dit, il est évident que François de Sales traite les textes de façon plus oratoire et plus lâche que les scolastiques, ses devanciers, et qu'en fait, il a tout assimilé à sa façon.

Il va sans dire que les noms de saint Thomas d'Aquin, de saint Augustin et de saint Bonaventure que nous trouvons à la source de l'inspiration salésienne ne sont pas exclusifs d'autres noms. Mais c'est toujours à la même école que se rattache François de Sales, même si nous évoquons à son propos la philosophie des victorins, d'un Denys le Chartreux, d'un Harphius, d'un Tauler, d'une Catherine de Gênes, d'un Louis de Grenade, d'une Thérèse d'Avila ou d'autres.

LES JESUITES

Une école contemporaine de saint François de Sales est celle des jésuites. Dans notre premier chapitre, nous avons montré que les jésuites sont les responsables de l'humanisme de saint François. Nous voudrions ici montrer que ce même humanisme a joué dans la formation de la spi-

126. *Œuvres*, IV, pp. 62-67 ; V, p. 356.
127. *Opera*, saint Bonaventure, V, pp. 295-316. Voir C. 3, p. 303 a, 1 et C. 5, p. 308 a, 1. Ceux qui s'exercent à contempler Dieu (hors d'eux-mêmes), écrit saint Bonaventure, sont entrés dans l'atrium devant le Tabernacle. Ceux qui s'exercent (à le contempler en eux-mêmes) sont entrés dans le Saint. Ceux qui exercent (à le contempler au-dessus d'eux-mêmes) sont entrés dans le saint des saints avec le Pontife suprême là où sont sur l'arche les chérubins.

ritualité de François de Sales. De cette spiritualité découlent les doctrines optimistes que nous trouvons actuellement à travers l'œuvre salésienne. Bien entendu, ces idées concernent toujours la façon de voir la nature de Dieu et de l'homme et de ce qui s'ensuit. Nous étudierons les jésuites en général. Puis un bref aperçu des Pères Possevin, Richeome, Binet et Coton, nous aidera à apprécier leur part dans la pensée salésienne. Enfin, le cardinal Bellarmin, « Jésuite exemplaire », nous montrera les bases humanistes de saint François de Sales, lui-même « un bon Jésuite ».

Dans son livre sur *La pédagogie des Jésuites* [128], le Père Charmot consacre un chapitre à définir l'esprit de la Compagnie, tel qu'il devrait être d'après les principes de leur pédagogie. De cette analyse nous relèverons en particulier deux traits essentiels : l'*optimisme surnaturel* et la *virilité du caractère*. On a souvent noté les tendances optimistes de la philosophie et de la théologie des jésuites. Or, ces tendances n'existaient pas seulement dans les systèmes ; elles se manifestaient plus encore dans les méthodes de direction et de formation. Déjà au Chapitre I [129] nous avons rappelé l'action des PP. Jésuites pour la défense de l'humanisme chrétien battu en brèche par le pessimisme protestant. « Sans négliger aucune des vérités essentielles du Christianisme », comme le péché originel et l'œuvre de Satan dans le monde, l'humanisme chrétien, écrit Bremond, « met de préférence en lumière celles qui paraissent les plus consolantes, les plus épanouissantes, en un mot les plus humaines qu'il tient du reste pour les plus divines, si l'on peut dire, pour les plus conformes à la bonté divine » [130]. Mais ces vues générales demandent à être précisées. Sous quelle forme ces principes s'exprimaient-ils dans l'éducation des Pères, au temps de saint François de Sales ? Le *De cultura ingeniorum* du Père Possevin, ce religieux que notre saint avait en si haute estime, et qui fut de plus son confesseur et l'un de ses professeurs à Padoue,

---

128. CHARMOT F., *La pédagogie des Jésuites - Ses principes, son actualité*, Paris, Spes, 1943. Nous nous sommes ici inspirés de cette étude très documentée. Cf. en particulier pp. 442, 456.

129. Cf. ci-dessus, pp. 25-27.

130. BREMOND H., *Op. cit.*, I, p. 11.

nous fournira heureusement tous les éléments de notre réponse.

Le Père Possevin

Ce saint religieux voulant exhorter la jeunesse à la recherche de la vérité n'hésite pas à leur proposer l'exemple de ces hommes de tous les siècles antiques qui ont méprisé tous les avantages publics et privés pour chercher au prix de tant de labeurs, la vérité ; pour posséder au prix de tant de sacrifices, la vertu. Son estime pour ses premiers efforts naturels de l'humanité, l'amène à penser que si la lumière du Christ avait éclairé tous ces sages antiques, ils auraient compris qu'ils devaient placer leur fin non dans la vertu, mais dans la grâce de l'union à Dieu (gratia qua mentes cum Deo junguntur) [131]. Néanmoins, nombreux sont les païens qui ont apporté leur témoignage en faveur des hautes disciplines de la religion et de la sagesse, et qui « se sentant nés pour elles, se sont efforcés d'y progresser » comme dit le proverbe « à plein collier ou à pleines voiles » [132]. Mais en dehors de ce témoignage

---

131. CHARMOT F., *Op. cit.*, p. 445. Face aux protestants qui contestaient toute valeur naturelle à l'homme déchu, le P. Possevin se plaît à souligner les vertus naturelles de ces anges du paganisme : « Ils estimaient qu'il est beaucoup plus beau de poursuivre et de posséder la science des choses divines et humaines que d'entasser des richesses et des honneurs. C'est un fait qu'ils ont renoncé parfois à leurs biens particuliers et à toutes les voluptés de la vie pour atteindre la vertu pure et simple ; ils se sont dépouillés de tout pour la suivre. Le nom et le prestige de la vertu a tellement prévalu à leurs yeux sur tout le reste qu'ils ont jugé qu'elle était déjà par elle-même la récompense du souverain Bien » (cité : *ibid.*). Ces lignes de Possevin nous font songer au célèbre chapitre du 1er livre où saint François de Sales nous parle avec tant de sympathie de l'effort des philosophes anciens pour s'élever jusqu'à Dieu. Sans doute furent-ils impuissants « à aimer Dieu sur toutes choses », mais il ne peut s'empêcher d'admirer leur effort : « Hélas, Théotime, quelz beaux temoignages non seulement d'une grande connoissance de Dieu, mais aussi d'une forte inclination envers iceluy, ont esté laissés par le pauvre bonhomme Epictète duquel les propos et sentences sont si douces à lire en notre langue » *Œuvres*, IV, p. 80 ss.

132. *De cultura ingeniorum*, L. I, cha. I. - Il faut citer ici le chant à la gloire de l'Homme qui suit immédiatement ce texte : « Ciceron, considérant la dignité de l'homme, lui a donné les plus beaux noms : c'est, dit-il, un animal prévoyant, sagace, capable de beaucoup de choses, pénétrant, doué de mémoire, plein de raison et de sagesse, un fils de Dieu de noble

des anciens, les hommes de ce siècle ne sont-ils pas sti-
mulés à l'étude par le spectacle merveilleux de la nature et
les découvertes « enthousiasmantes » au XVIe siècle : « Nous
sommes en toute justesse tenus à nous livrer avec un courage allègre et généreux à l'étude de la sagesse et de la
religion. Car si le laboureur hait la terre cultivée qui ne
produit rien, combien Dieu sera mécontent des esprits
qu'Il a cultivés avec tant de soin et qui, cependant, lui
feraient, pour ainsi dire, la honte d'être stériles » [133].

Tel était le langage que l'on devait parler au collège de
Clermont, ou à Padoue. Sans doute, les jésuites n'avaient-
ils pas tous une doctrine aussi souriante et exaltante que
celle de Possevin. « Cependant, note le P. Charmot, ils
ont un air de famille ; ils se ressemblent assez pour qu'on
puisse affirmer qu'ils donnaient à leurs élèves un esprit de
confiance dans la nature restaurée par le Christ. François
de Sales, l'un de ceux qu'ils ont formés et qui ne leur
cachait pas sa sympathie reconnaissante, montrera le parti
qu'un saint docteur de l'Eglise pouvait tirer de cette éducation » [134]. Il est vrai que si nous relisons dans cet
esprit le 1er Livre du *Traité* nous y retrouverons relative-
ment à la nature de l'homme cet optimisme réel, encore
que nuancé qui permet à saint François de Sales de montrer
avec quelle harmonie l'amour surnaturel vient se greffer
sur l'élan naturel qui porte nos cœurs vers Dieu :

> Si tost que l'homme pense un peu attentivement a la
> Divinité, il sent une certaine douce émotion de cœur qui
> tesmoigne que Dieu est Dieu du cœur humain... Ce play-
> sir, cette confiance que le cœur humain prend naturelle-
> ment en Dieu ne peut certes provenir que de la conve-

condition. Mais voici d'autres auteurs qui ont appelé l'homme le centre
de toutes les créatures, le familier des êtres supérieurs, le roi des êtres
inférieurs, la lumière de l'intelligence, l'interprète de la nature, l'animal
saint, libre et immortel, l'intermédiaire entre le temps et l'éternité, le
point d'intersection de tout le créé, presque aussi grand qu'un ange. Son
auteur, Dieu, l'a placé au milieu du monde afin d'en explorer le sens et
les causes. Il a orné son âme de vertus afin qu'elle tende à Dieu sans
détour et soit couronnée un jour éternellement de gloire et d'honneur ».
Ce dithyrambe fera sans doute sourire aujourd'hui nos contemporains, mais
il était dans le ton de l'époque : que l'on relise par exemple le chapitre III
du Livre II du *Traité*, et en particulier la page 97 où l'auteur célèbre la
« Providence Naturelle ».

133. *De cultura ingeniorum* - L. I, ch. VII.
134. CHARMOT F., *Op. cit.*, p. 449.

nance qu'il y a entre cette divine Bonté et nostre ame. Or, bien que l'estat de nostre nature humaine ne soit pas maintenant doüé de la santé et droitture originelle, si est ce toutefois que la sainte inclination d'aymer Dieu sur touches choses est demeuree, comme aussi la lumière naturelle par laquelle nous connoissons que sa souveraine bonté est aimable sur toutes choses ; et il n'est pas possible qu'un homme pensant attentivement en Dieu, voire mesme par le seul discours naturel, ne ressente un certain eslan d'amour que la secrette inclination de notre nature suscite au fond du cœur [135].

Sans doute cette inclination naturelle est-elle par elle-même insuffisante ; elle ne nous permet pas d'aimer Dieu comme il le faut, c'est-à-dire sur toutes choses, mais cependant « ... elle ne demeure pas pour néant dans nos cœurs ; car quant à Dieu, il s'en sert comme d'une anse pour nous pouvoir plus suavement prendre et retirer à soi... si nous sommes si heureux que de nous laisser reprendre à sa divine Bonté » [136].

Cette note d'optimisme est donc certaine, chez saint François de Sales ; elle est manifeste dans ce point de départ de l'analyse de l'amour ; elle subsiste encore en son achèvement dans la sainteté, car, si crucifiantes que soient pour la nature les exigences de l'amour divin, celles-ci nous sont toujours présentées comme la condition nécessaire de l'ordre véritable, de la seule sagesse, et, en définitive, de la vraie béatitude [137]. Elle imprègne donc, en un sens, sa spiritualité entière, et saint François de Sales le doit pour une très grande part à ses maîtres humanistes de la Compagnie de Jésus.

---

135. *Œuvres*, IV, pp. 74 et 78. Il faudrait citer de ce 1er Livre les chapitres XV : *De la convenance qui est entre Dieu et l'Homme*, XVI : *Que nous avons une inclination naturelle d'aimer Dieu sur toutes choses*, et XVII : *Que l'inclination naturelle que nous avons d'aimer Dieu n'est pas inutile*. On pourrait consulter aussi le chapitre III, 2e Livre : *De la Providence Divine en général*.

136. *Ibid.*, IV, pp. 84 s.

137. Il faut dissiper une équivoque dangereuse : cet optimisme salésien doit être concilié avec l'ascétisme rigoureux de la sainte indifférence, le plus rigoureux qu'on puisse sans doute formuler.

Le Père Richeome

Mais on ne peut quitter le Père Possevin sans évoquer
la figure si sympathique de son contemporain le jésuite
Louis Richeome. Au reste n'est-ce pas saint François lui-
même qui nous y invite : Dans la Préface du *Traité*, on
sait en quels termes il présente au lecteur son livre intitulé
L'Art d'aimer Dieu : « Cet autheur est tant aymable en
sa personne et en ses beaux ecritz qu'on ne peut douter
qu'il ne le soit encore plus, ecrivant de l'amour mesme » [138].
Il faudrait relire ici les pages savoureuses et charmantes
que Bremond a consacrées à Richeome, polémiste, moraliste et auteur spirituel. Parmi les nombreux précurseurs
de saint François de Sales, écrit-il « un seul me semble
mériter vraiment d'être remis en lumière, c'est le jésuite
Louis Richeome, jadis fameux et que ses frères appelaient
le Cicéron français. En lui, je voudrais peindre, sinon le
premier, du moins le plus remarquable représentant de
l'humaniste dévôt avant François de Sales » [139]. Il nous
parle en effet longuement de son esprit : « Au lieu de nous
déprimer par une peinture outrée de notre corruption, il
s'adresse aux plus nobles instincts de notre nature. Il nous
hausse jusqu'à l'héroïsme en nous traitant comme des
héros » [140].

Cette confiance en l'homme n'est-elle pas déjà salésienne ? Il en est de même de sa joie qui éclate dans toute
son œuvre. « Richeome, écrit Bremond, ne nous prêche pas
la vie commode, mais ce qu'il nous propose de plus
affreux, il semble toujours le faire en chantant, j'allais
dire en jouant » [141] et plus loin il parle de l'« allégresse
extraordinaire » qui éclate en son œuvre. L'auteur de
l'*Introduction* ou du *Traité* sera plus apaisé de ton, mais
c'est encore « en chantant » qu'il nous conduit à travers
tous les renoncements jusqu'aux cimes de la sainteté [142].

138. *Œuvres*, IV, p. 6.
139. BREMOND, *op. cit.*, p. 195.
140. *Ibid.*, p. 59.
141. *Ibid.*
142. Aussi, comparant l'œuvre de Richeome à celle de saint François de
Sales, Bremond porte-t-il à la fin de son étude ce jugement : « Richeome
a ébauché sans le savoir quatre ou cinq introductions à la vie dévote ».

Quant à l'ouvrage même auquel la Préface du *Traité* fait allusion, *La peinture spirituelle ou l'art d'admirer, aimer et louer Dieu en toutes ses œuvres*, le titre, nous dit Bremond, est assez alléchant, et le contenu bien davantage. Le thème en est une promenade à travers la propriété des jésuites à Saint André du Quirinal, et une description des « divers tableaux spirituels de grâce et de nature qui se voient » dans cette maison. « Un très aimable coin de la Rome de 1611 ressuscite ainsi à nos yeux, conclut Bremond, et nous apprenons, par surcroît, tout ce que l'on peut apprendre de la perfection chrétienne, en faisant le tour de ce paradis » [143].

Si l'on songe que c'est d'abord pour les novices que Richeome a composé sa *Peinture spirituelle*, et que c'est au Père Aquaviva, le général de la Compagnie qu'il a dédié ce livre « on imagine aisément, écrit le Père Charmot, avec quelle candeur, lui et ses pareils admiraient et faisaient admirer à leurs élèves tout ce qui dans la vie « est vrai, honorable, juste, pur, vertueux, et digne de louanges » (Philippiens IV, 6). Ce christianisme qu'il a appris de Maldonat, Richeome l'accueille sans réserve, et il le répand à profusion dans ses ouvrages. Son *Adieu de l'âme dévote laissant le corps* n'est qu'un long cantique d'admiration, de confiance et de joie » [144].

> Considérez, s'écrie-t-il, combien est inique la plainte, combien grande l'ignorance, combien détestable l'ingratitude des enfants d'Adam qui murmurent contre ce bon et grand Seigneur, l'accusant comme eschars et chiche envers l'homme, au lieu d'adorer d'une profonde humilité et révérence son infinie bonté, reconnaissant ses largesses, et accuser plutôt la perversité de ceux qui si iniquement emploient les dons et grâces à eux faits sur tous les animaux du monde [145].

Dans l'homme, diminué sans doute par la faute originelle, mais depuis, enrichi divinement, Richeome voit une

---

D'ailleurs, remarque-t-il « lorsque parut la véritable introduction, l'unique... dans cette expression achevée et définitive de son propre génie, sans doute, il ne s'est pas reconnu ». *Op. cit.*, p. 67.

143. BREMOND H., *Op. cit.*, p. 30.
144. CHARMOT F., *Op. cit.*, p. 449.
145. *L'adieu de l'âme*, p. 236.

merveille et de grâce, et même encore de nature. Il le contemple, il l'exalte.

« Le créateur... a marié l'âme divinement belle à un corps divinement beau » [146]. Cette vive phrase résume l'*Adieu*, indique l'unité profonde d'une œuvre, d'ailleurs capricieuse et diffuse. Membre par membre, puissance par puissance, Richeome, dans ce livre, fait cent fois le tour de l'homme, cette « cité royale », ce « grand monde » qui a toutes les perfections du reste de l'univers et qui les dépasse.

> N'y a créature vivante sous le ciel de la grosseur de l'homme dont le corps, à proportion, touche moins, en marchant, la terre que lui, et bien peu s'en faut que le corps en son mouvement ne s'élève du tout en l'air et soit céleste en certaine manière, portant en cela l'image de la beauté divine de l'âme sa consorte [147].

A propos de cette œuvre de Richeome, l'abbé Cognet écrit :

> On y a vu fort justement son chef-d'œuvre, et on y trouve assurément la quintessence de sa pensée. Celle-ci s'en tient à des thèmes bien ordinaires, au moins au premier abord. Cependant, on est frappé d'y trouver dès les premières pages une critique des formes extrêmes du stoïcisme, auquel il reproche précisément son mépris de la mort, et il raille âprement le suicide de Caton, tant admiré alors par l'humanisme paganisant et même par Montaigne. Lui, il s'efforce d'apaiser cette crainte naturelle de la mort par des considérations sur le bonheur du ciel et sur la brièveté et les misères de la vie. Puis il en vient aux causes de la mort et examine l'union de l'âme et du corps : là l'optimisme humanisant reparaît. Il s'extasie sur la beauté du corps humain, sur la convenance symbolique qui existe entre ses différentes parties et les facultés de l'âme, sur le mariage harmonieux qui unit l'âme au corps, sur la merveilleuse organisation du composé humain, sur le fait que l'homme, miracle de la nature, est ainsi l'image de Dieu [148].

---

146. *Ibid.*, p. 107.
147. *Ibid.*, p. 85.
148. COGNET, *Histoire de la spiritualité chrétienne*, Paris, Aubier, 1966, p. 417.

Le Père Binet

Un autre provincial jésuite est Etienne Binet (1569-1639) ; une génération le sépare de Richeome, mais il présente, au moins pendant la première partie de sa carrière, des caractéristiques assez analogues. Il a comme lui le goût de la nature, et il l'exprime avec bonheur : on peut sans peine cueillir de fort jolies pages dans son *Essai des merveilles de la nature*. On considère trop comme caractéristique de Binet ses deux œuvres les plus burlesques et les plus boursouflées, *La fleur des pseaumes de David* (1615) et la *Consolation et réjouissance pour les malades et personnes affligées* (1616). En dépit d'un style trop souvent insoutenable, les deux ouvrages contiennent de bonnes remarques d'ordre psychologique, mais l'optimisme qui s'y fait jour n'est pas rassurant sur tous les points. *La fleur des pseaumes* s'adresse aux chrétiens vivant dans le monde pour leur montrer qu'ils peuvent s'y sanctifier dans toutes les conditions, et l'on reconnaît là l'ami de François de Sales.

> Ils (les dévots) se rendent des droits fainéants sous couleur de solitude, des songe-creux au lieu de contemplatifs, des vrais hypocondriaques au lieu de modestes et graves. Ce ne sont pas là les effets des sacrements ni de la grâce qui est gaie, active, ardente, forte et toujours à cœur joyeux et à visage riant. Il faut qu'un homme bien dévot fasse plus d'affaires et mieux que trois autres... Judas Machabée priait en frappant, frappait en priant et assénait plus brusquement les coups qu'il dardait, après avoir poussé plus ardemment vers le ciel ses prières [149].

L'évêque de Genève n'eût peut-être pas souscrit sans réserves à tel passage qui, qualifiant les faux contemplatifs de « songe-creux » et d'« hypocondriaques », semble bien atteindre aussi par ricochet les vrais, et où Binet affirme qu'« il faut qu'un homme bien dévot fasse plus d'affaires et mieux que trois autres » [150].

149. *Op. cit.*, I, p. 178.
150. BREMOND H., *Op. cit.*, I, p. 145.

Pour rendre l'homme heureux, et durablement, la dévotion est le moyen à la fois le moins compliqué et le plus sûr que connaisse le P. Binet. Même les malades y trouveront, estime-t-il, le meilleur remède à leurs maux, surtout s'ils ont la sagesse de ne pas se forger alors une dévotion au-dessus de leurs forces.

> Pensez-vous que tout le monde doive avoir la dévotion d'un capucin ou d'un chartreux ? Et pensez-vous que Dieu attende de vous étant fort abattu du mal une pareille élévation d'esprit qu'à l'heure que nous sommes en bonne santé ? Non, non. Rien n'empêche tant la dévotion que la dévotion [151].

On juge plus équitablement Binet en s'adressant aux ouvrages assagis de la dernière période de son existence. L'un des plus intéressants est sans doute celui qui s'intitule *Des attraits tout puissants de l'amour de Jésus-Christ et du paradis de ce monde*. L'avis au lecteur ne manque pas de beauté :

> Le cœur de Jésus, c'est le paradis de nos cœurs, son amour c'est la flamme qui embrase les belles âmes fortunées. Jamais vous ne serez malheureux tant que vous aimerez Jésus-Christ ; jamais vous ne serez bienheureux, tant que votre cœur ne sera pas selon son cœur [152].

Comme on le voit, le symbolisme du cœur est familier à Binet, et il se montre là bien plus à son avantage. Il s'agit d'une piété très simple et affective, où des souvenirs salésiens s'entremêlent à la tradition ignatienne. Très lié avec saint François de Sales qui l'avait consulté à propos des constitutions de la Visitation [153], il demeura ensuite l'ami de Jeanne de Chantal qui le considérait comme « un vrai père et protecteur » et disait de lui : « Je n'ai jamais ouï un esprit plus conforme en solide dévotion à celui de Monseigneur en la conférence particulière des choses de l'âme » [154].

---

151. BADY R., *L'homme et son « Institution » de Montaigne à Bérulle*, Paris, Les Belles Lettres, 1964, p. 332.

152. *Ibid.*

153. *Œuvres*, XIX, pp. 353, 401.

154. Ste Jeanne de CHANTAL, *Œuvres*, V, pp. 14, 621 ; VII, p. 159.

Le Père Coton

Nous abordons un registre plus élevé avec un troisième provincial, qui fut une des grandes figures de la Compagnie au début du xviiie siècle, Pierre Coton (1564-1626), quelques années confesseur d'Henri IV, et dont l'indulgence à l'égard de son royal pénitent scandalisa quelque peu le milieu dévot [155]. Seul un certain optimisme permet de rattacher Coton à l'humanisme, car il est au fond un adepte du mysticisme.

Dans cette brève étude sur le P. Coton, je m'inspire de celle de Bremond lui-même qui écrit :

> Quant à la formation théologique et spirituelle, François de Sales et Pierre Coton se ressemblent comme deux frères. Même doctrine sur la matière de la grâce. Ils sont également aux antipodes d'un esprit vieux comme le monde, qui s'appellera bientôt l'esprit janséniste. Une même sagesse les met en garde contre les visionnaires et les spirituels orgueilleux ou chimériques [156].

De l'œuvre assez considérable du P. Coton, une partie importante est consacrée à la polémique contre les protestants ou contre les adversaires de la Compagnie, et sa production spirituelle est de beaucoup dominée par un petit ouvrage que Coton publia en 1608, un an avant l'*Introduction à la vie dévote*, et qui s'intitule *Intérieure occupation d'une âme dévote*. Comme le chef-d'œuvre, cette ébauche est faite de lettres écrites par le jésuite à une grande dame qu'il dirigeait. On y trouve des « oraisons et considérations passagères, selon les occurrences des choses qui peuvent survenir la journée ».

L'optimisme de Coton, qui le rapproche de l'humanisme, se manifeste par son goût de la création matérielle, par le regard à la fois chrétien et poétique qu'il jette sur elle ; tels par exemple ces actes à réciter « en contemplant un jardin ou parterre » :

> Vous avez répandu sur ce plancher du monde, qui est immobile et insensible, tant de beautés, odeurs et cou-

155. Orcibal J., *Jean Duvergier de Hauranne, abbé de Saint-Cyran, et son temps*, Paris, Vrin, 1948, p. 214.
156. *Op. cit.*, II, pp. 109 s.

leurs. Que ne faites-vous le même du terroir de mon
âme, ô architecte du monde? Si la terre des mourants
est si belle, que sera-ce de la terre des vivants. La rosée,
la pluie et les influences du ciel ne sont si nécessaires
à ces fleurs que la grâce de Dieu et les favorables regards
du Saint-Esprit le sont à mon âme [157].

Mais l'optimisme de Coton s'est manifesté ailleurs d'une
manière encore plus caractéristique. Des notes prises par
Coton après ses conversations avec les gens de la cour
servirent au P. Boutauld à publier en 1683 *Le théologien
dans les conversations avec les sages et les grands du
monde,* où en dépit des conditions incertaines de l'édition,
on peut estimer que se retrouve pour l'essentiel la pensée
du P. Coton. Or, en ce qui concerne l'optimisme de
Coton, l'ouvrage contient des formules très caractéristiques et extrêmement audacieuses. C'est surtout à propos
des vertus des païens dans lesquelles les augustiniens
stricts ne voulaient voir que des vices. Le P. Coton n'est
pas de cet avis, car il estime que la grâce n'a pas à détruire
« les belles et généreuses inclinations de l'excellent naturel » [158]. Au contraire, elle doit « le perfectionner et, d'humain qu'il était, le rendre divin et surnaturel. En cela, il
va plus loin que l'optimisme salésien et annonce apparemment le P. Antoine Sirmond, pour qui il n'y aura
aucune différence entre vertus païennes et vertus chrétiennes, sinon que les secondes sont les vertus des chrétiens.

M. René Bady tire plusieurs exemples du livre *Le Théologien* pour montrer que le P. Coton est parmi « les plus
optimistes » de ceux qui tirent même de cette intervention
de la grâce une nouvelle estime de la nature.

> Tout homme est corrompu, mais tout l'homme n'est pas
> corrompu. La partie de notre âme la plus élevée et la plus
> proche de Dieu a été préservée du malheur commun et a
> conservé son innocence et son immortalité avec les prin-
> cipaux traits de l'image que le Créateur grava sur elle
> au jour de sa naissance... bien que, le principe de ces
> actions-là soit la nature, toutefois cette nature ayant été

---

157. POTTIER A., *Le R.P. Pierre Coton, Intérieure occupation d'une
âme dévote*, Paris, Téqui, 1933, p. 128.
158. *Ibid.*, p. 25.

remise en son premier et ancien état par la vertu surnaturelle du Rédempteur, elle ne peut produire désormais aucune action de bonté qui ne plaise à Dieu le Père, à qui les moindres et les plus faibles effets de la Passion de son Fils sont un objet nécessaire de complaisance et d'inclination à sauver tous les hommes dans lesquels il voit paraître ces effets » [159].

Sans attenter aux droits de Dieu ni à la souveraineté de la grâce et sans nier non plus les ravages du péché, le P. Coton se refuse ainsi à dénier toute valeur à la nature et il réussit à accorder l'expérience avec la théologie [160].

Le cardinal Bellarmin

Le cardinal Robert Bellarmin, jésuite exemplaire, fut créé cardinal le 3 mars 1599, au moment où François de Sales se préparait à son examen d'épiscopat. Ce religieux a eu une grande influence sur son ordre, la Compagnie de Jésus. Sommervogel a donné la liste énorme des controversistes de la Compagnie, qui de 1580 à 1650, s'affrontèrent avec les docteurs protestants : tous dérivent de Bellarmin [161]. Nous savons que saint François de Sales en tira son propre livre des *Controverses*. Mais Dom Mackey tient à l'idée que l'apôtre du Chablais n'a pas simplement réitéré les arguments de « cest excellent theologien Belarmin » [162]. Le savant bénédictin écrit :

Il importe de constater que le traité des *Controverses* est loin d'être une compilation. Le saint ne se borne pas à répéter les arguments des polémistes qui l'ont précédé, son œuvre a un cachet personnel ; elle ouvre, pour ainsi dire, un nouvel horizon à l'enseignement ecclésiastique. L'humble Missionnaire semble contredire cette affirmation lorsqu'il emploie les termes suivants en parlant de son traité : « Tout est ancien, et ny a presque rien du mien que le fil et l'eguille » [163]. Personne évidemment

159. Renvoi à l'éd. de 1683, p. 370.
160. *Ibid.*, pp. 315 ss.
161. SOMMERVOGEL C., *Bibliothèque de la Compagnie de Jésus*, Paris, Picard, 1891.
162. *Œuvres*, I, 158.
163. *Ibid.*, I, 13.

n'admettra cette assertion exagérée de la modestie de notre Saint ; ... Quant à l'ouvrage du célèbre Jésuite, il lui offre un précieux recueil de textes sacrés, mais les citations que lui emprunte l'Apôtre du Chablais n'enlèvent pas à ses *Controverses* leur physionomie particulière [164].

Bellarmin, auteur ascétique, dont de nombreuses considérations ont inspiré l'*Introduction à la vie dévote* [165] et que cite la Préface du *Traité de l'Amour de Dieu*, participe à l'esprit d'amour augustinien. Les sources de Bellarmin sont en effet saint Paul, le Pseudo-Denys, saint Augustin, saint Bernard et saint Bonaventure. Le *Traité de l'Echelle* a une philosophie finaliste dans la note salésienne [166]. Les considérations dont traite le premier opuscule sont des méditations sur la nature de l'homme, sur le monde en général, la terre, le ciel, l'âme raisonnable, l'essence de Dieu, la toute-puissance de Dieu, la sagesse de Dieu considérée en elle-même et dans ses effets, la miséricorde de Dieu, et enfin, la justice de Dieu. C'est la façon bonaventurienne de trouver Dieu par sa création.

Comme sainte Madeleine de Pazzi et sainte Catherine de Ricci, saint Robert Bellarmin fait entendre des gémissements, les « gémissements de la colombe », c'est-à-dire de l'église qui pleure sur le péché et les fautes des fidèles.

Les auteurs spirituels de la renaissance se lamentent tous à la vue des désordres, dont ils étaient les témoins attristés. Le spectacle de ces désordres est une source de ces larmes pieuses que répandent les fidèles enflammés du désir de la rénovation de l'église. Ce don des larmes est

---

164. *Ibid.*, I, cxxl s.

165. F. de Sales pratiquait son *Catéchisme* et donnait aux prêtres des conseils pratiques concernant son enseignement, ainsi que le rapporte Ch. Auguste de Sales.

166. BELLARMIN, cardinal Robert, *Cinq Opuscules* : I : *Degrés pour élever son esprit à Dieu. Traité de l'Echelle,* traduit du latin par le P. J. Brignon, de la Cie de Jésus, nouvelle éd., Avignon, Seguin Aîné, 1835. II : *Du bonheur éternel des saints, sous le nom de Royaume de Dieu.* III : *Du gémissement de la colombe* (la pénitence). IV : *Des sept paroles que N.S. dit sur la croix.* V : *De la bonne mort ou règles pour se préparer en tout temps à bien mourir et manière de se disposer à la mort quand elle est proche.* Cf., GOODIER A., *Saint François de Sales and Robert Bellarmin* dans *The Month* (March 1929), t. 153, n° 777, pp. 193-203. Cette étude se place sur un plan général et tend dans cet esprit, à établir un tableau des similitudes et différences de personnes, de doctrines, d'œuvres, etc.

bien connu de l'école italienne. Saint Gaétan et saint Philippe Néri le possédaient très parfaitement :

> Les pieuses larmes coulent de deux sources principales, dit le cardinal Bellarmin, le mal et le bien, la tristesse et la joie. Elles sont amères ou douces selon qu'elles sont des larmes de douleur ou des larmes d'amour [167].

Car l'amour divin fait couler des larmes, mais des larmes de joie. Le pieux cardinal parle longuement des causes de ces douces larmes et de leurs heureux effets sur la vie spirituelle.

D'après le P. Monier-Vinard, « Saint François de Sales est encore plus optimiste que saint Robert Bellarmin. Plus le pécheur fuit loin de Dieu, plus Dieu le poursuit amoureusement. Ce que Jésus-Christ est venu faire sur la terre, c'est chercher les pécheurs. Aussi, lorsque les pécheurs sont le plus endurcis dans leurs péchés, qu'ils en sont venus à un tel point, qu'ils vivent comme s'il n'y avait pas de Dieu, de paradis ni d'enfer, c'est alors que le Seigneur leur découvre les entrailles de sa pitié et de sa douce miséricorde » [168].

C'est qu'ils voient le pécheur à travers Jésus-Christ, *Jesus amator hominum*, comme dit Bellarmin [169], à travers ce Jésus qui a aimé les pécheurs jusqu'à plaider pour eux sur la croix les moindres circonstances atténuantes.

> Caritas Christi tanta fuit ut peccatum inimicorum extenuare voluerit eo modo quo poterat. Quamvis enim ignorantia illa simpliciter non excuset, tamen rationem aliquam, quamvis tenuem, excusationis habere videtur, quia gravius peccassent si omni prorsus ignorantia caruissent. Et quamvis non ignoraret Dominus excusationem illam, non tam excusationem quam umbram excusationis esse, voluit tamen illa afferre, ut ex illa intelligeremus bonam ejus voluntatem erga peccatores et quam avide arripuisset excusationem meliorem, etiam pro Caipha et Pilato, si ulla melior et rationabilior inveniri potuisset [170].

167. *De gemitu columbae sive de bono lacrymarum*, lib. II, chap. I, t. VIII, p. 415.

168. MONIER-VINARD H., *Le bienheureux cardinal Bellarmin et saint François de Sales*, RAM, t. 4, pp. 225-242, avec renvoi à *Œuvres*, IX, p. 440.

169. *De gemitu columbae*, 1, 2, 3, p. 427.

170. *Des sept paroles de N.S. sur la croix*, I, 1, p. 491.

> *La charité du Christ a été si grande qu'il a voulu atté-*
> *nuer le péché de ses ennemis de la manière dont il pou-*
> *vait le faire. Quoique en effet l'ignorance n'excuse pas*
> *purement et simplement ces faits, cependant elle semble*
> *avoir quelque valeur d'excuse, si minime qu'elle soit, car*
> *on aurait péché plus gravement si on avait été privé*
> *absolument de toute ignorance. Et quoique le Seigneur*
> *n'ignorât pas que cette excuse n'était pas tant une*
> *excuse que l'ombre d'une excuse, il voulut cependant*
> *faire entrer ces considérations en ligne de compte, afin*
> *que grâce à cette excuse, nous comprenions sa bonne*
> *volonté à l'égard des pécheurs et avec quelle ardeur il*
> *aurait saisi une meilleure excuse, même dans l'intérêt*
> *de Caïphe et de Pilate si on en avait pu trouver même*
> *raisonnablement une meilleure.*

Ainsi donc la haine de Dieu ne s'adresse qu'au péché et jamais au pécheur à moins que sa malice ne lui fasse aimer son péché comme péché.

Et même il faut dire que chez saint François et saint Robert on trouve comme un aspect nouveau qui rend le péché abominable à Dieu. En plus de Dieu atteint dans sa majesté et dans sa bonté, il semble qu'ils ajoutent que Dieu est atteint dans son amour pour l'homme. Le péché contrarie Dieu dans ses desseins d'amour, il gêne son activité aimante à l'égard de l'âme : Dieu voudrait en faire un chef-d'œuvre et le péché l'en empêche. Il souffre du péché à cause de son amour pour le pécheur.

Cette idée qui est explicitement dans saint François de Sales ne se trouve pas aussi nettement chez Bellarmin. Mais il semble évident qu'il l'eût signée et faite sienne. N'est-elle pas, du reste, contenue en germe dans ces mots qu'il écrit au début de son *Ascensio in Deum* :

> O, si cogitares, anima, qui sit quod omnipotens et Sem-
> piternus Deus, qui bonorum tuorum non eget, et si tu
> pereas, nihil Ipse perdit ; tamen oculos suos non avertit
> a te, et sic amat, sic protegit, sic dirigit, sic fovet, ac si
> tu esses magnus thesaurus ejus.
> *O, si tu penses, ô mon âme, que celui qui est Dieu puis-*
> *sant et éternel, n'agit pas pour ton bien, et si tu disparais,*
> *qu'Il ne perd rien de lui-même ; cependant il ne détourne*
> *pas ses yeux de toi, et il t'aime ainsi, et il te protège*
> *ainsi, te dirige, te tient au chaud, comme si tu étais son*
> *grand trésor.*

Si Dieu entoure l'âme de ses divines prévenances parce qu'elle est son grand trésor, n'est-il pas évident qu'un des principaux titres du péché à la haine de Dieu sera l'œuvre de corruption et de mort qu'il accomplit dans cette même âme ?

Ce n'est pas à dire que l'un et l'autre ne parlent jamais de la justice divine et de ses inflexibles sévérités, mais dans un siècle où dominait le sombre pessimisme de Calvin et où les catholiques eux-mêmes, par besoin de réforme se sentaient inclinés à une plus grande austérité de doctrine et de vie - c'est même ce qui permettra au jansénisme de se développer si rapidement quelques années plus tard - il y avait quelque mérite à se mettre ainsi en travers du courant universel, et à accentuer la bonté de Dieu puisque tant d'autres exaltaient sa justice.

Ils ont prêché et enseigné le « Dieu de joie » et d'amour. Et c'est ce qui donne à leur spiritualité cette note sereine, dilatante, confiante. Ce sont des saints joyeux. Humains, spirituels, ils ont facilement le mot pour rire : les joyeusetés de saint Bellarmin étaient proverbiales comme celles de saint François de Sales. Par leur vertu douce et simple ils ont rendu aimable et presque facile la voie de la perfection. Ils ont appris au monde que si la mortification extérieure - toujours un peu effrayante - est souvent unie à la sainteté, elle ne lui est pas essentielle, et que c'est à mortifier son cœur et sa volonté qu'il faut surtout s'attacher.

L'unique nécessaire pour nous est de rechercher la volonté de Dieu à notre égard et de nous y adapter de tout notre pouvoir. Chercher sa voie et s'y tenir, c'est là le tout de l'homme. Deux conséquences en découlent :

1. Notre salut, notre perfection sont liés à l'accomplissement de notre devoir d'état.

2. La sainteté, dépendant uniquement de la perfection avec laquelle nous accomplissons notre devoir d'état, se trouve par le fait à la portée de tous et n'est pas réservée aux religieux.

Ces idées que saint François de Sales a si puissamment contribué à répandre, - Bellarmin les avait aussi. Nous les trouvons précisément notées dans l'article que le R.P. Le Bachelet a écrit pour la *Collection des Exercices* du P. Watrigant [171].

Après avoir dit que Bellarmin proclamait la nécessité de l'oraison mentale non seulement pour les moines et les prêtres, mais encore pour les séculiers, le P. Bachelet ajoute : « Nous touchons là un des points les plus caractéristiques à mon avis dans la doctrine ascétique de Bellarmin ; point qui ressort encore plus nettement de notes manuscrites sur un livre traitant de la perfection chrétienne et dont j'extrais le début : « Le Christ et les Apôtres n'ont rien prescrit aux religieux qui ne convienne pareillement aux séculiers aussi, pour ce qui regarde la perfection absolument prescrite dans les Saintes Ecritures, les religieux et les séculiers y sont tenus de même... ; sur ce point beaucoup de séculiers se trompent gravement en pensant qu'il leur est loisible de ne pas tendre à la perfection » [172].

Et ailleurs : « Mais ce qui préoccupait au plus haut point Bellarmin, c'était la perfection d'un chacun dans son devoir d'état » [173].

Et le fruit de cette spiritualité pour tous deux c'est l'abandon complet et confiant entre les bras de Dieu, père tout-puissant, très aimant et très aimé. Pour tout ce qui regarde notre salut, comme au milieu de toutes les vicissitudes de l'existence, faire crédit à son amour : *Scio qui credidi*.

Cet abandon nécessaire, ils l'expriment tous deux par une même comparaison :

> Sumus omnes infirmi in intellectu per ignorantiam, in affectu per cupiditatem. Et saepe, more aegrotorum appetimus noxia, recusamus utilia ; et quod miserius est, non cognoscimus morbum nostrum... Deus autem medicus est qui novit et morbum et medicinam et qui per se facit medicinas. Est simul pharmacopola scientissimus et praeterea diligit nos et cupit nos curare. Ergo stultissimus est qui non se totum relinquit in manu ejus. Si quis aegrotus haberet patrem medicum et pharmacopolam scientissimum qui eum curaret, certe nihil timeret, secu-

171. WATRIGANT H., *Collection de la Bibliothèque des Exercices de S. Ignace*, n° 37-38.

172. *Auctarium Bellarminiamum*, Paris, 1913, p. 51.

173. *Ibid.*, p. 133.

rissime ei se committaret, etiamsi praescriberet sumen-
dum veneum... [174].

Nous sommes tous faibles dans notre intellect à cause
de l'ignorance et dans notre volonté à cause de la concu-
piscence. Et souvent, par le désir de notre maladie, nous
choisissons à travers, nous repoussons ce qui est utile ;
et ce qui est pire, nous ne reconnaissons pas notre dé-
sordre... Mais Dieu est à la fois médecin et celui par qui
se fait la guérison. Il est comme le savant pharmacien
et il nous aime et il souhaite nous guérir. Il est donc
très ignorant celui qui ne s'abandonne pas tout entier
entre ses mains. Si un malade quelconque avait un père
qui serait médecin et savant pharmacien qui le guérirait,
certainement il n'aurait pas peur de rien, il se laisserait
entre ses mains en toute sécurité, et même s'il ordonnait
de prendre toute espèce de drogue...

Le passage de saint François de Sales qui fait écho à
cette comparaison de Bellarmin est :

Le fille d'un excellent medecin et chirurgien estant en
fievre continue, et sachant que son pere l'aymoit uniquement, disoit a l'une de ses amies : Je sens beaucoup de
peine, mays pourtant je ne pense point aux remedes,
car je ne sçai pas ce qui pourroit servir a ma guerison ;
je pourrois desirer une chose et il m'en faudroit une
autre : ne gaigne-je donc pas mieux de laisser tout ce
soin a mon pere, qui sçait, qui peut et qui veut pour moy
tout ce qui est requis a ma santé ? J'aurois tort de vouloir quelque chose car il voudra asses tout ce qui me sera
proffitable : seulement donq j'attendray qu'il veuille ce
qu'il jugera expedient, et m'amuseray qu'a le regarder
quand il sera pres de moy, a luy tesmoigner mon amour
filial et luy faire connoistre ma confiance parfaite. Et sur
ces paroles elle s'endormit, tandis que son pere, jugeant
a propos de la saigner, disposa ce qui estoit requis ; et
venant a elle, ainsy qu'elle se resveilla, apres l'avoir
interrogee comme elle se treuvoit de son sommeil, il luy
demanda si elle vouloit pas bien estre saignee pour guerir. Mon pere, respondit-elle, je suis vostre, je ne sçai
ce que je dois vouloir pour guerir, c'est a vous de vouloir et faire pour moy tout ce qui vous semblera bon ;
car, quant a moy, il me suffit de vous aymer et honnorer
de tout mon cœur, comme je fay. Voyla donq qu'on luy
bande le bras et que le pere mesme porte la lancette sur
la veyne, ains, tenant ses yeux arrestés sur le visage
de son pere, elle ne disoit autre chose sinon parfois tout

174. *Exhortat. de Libert. spir.*, 1595, p. 103.

doucement : Mon pere m'ayme bien et moy je suis toute sienne ; et quant tout fut fait elle ne le remercia point, mais seulement repeta encore une fois les mesmes paroles de son affection et confiance filiale [175].

C'est à ce degré d'abandon tranquille que, parvenus tous deux, ils s'efforçaient d'attirer les âmes. Car, ce qu'ils ont enseigné, ils l'ont fait ; il y a unité réelle entre leur vie intellectuelle et leur vie intérieure. Ils sont hommes de leur siècle comme ils sont des hommes de Dieu par toute leur âme.

L'humanisme, un siècle auparavant, avait accentué la distance entre l'homme et Dieu ; la doctrine de Calvin par sa sévérité outrée, creusa un abîme plus profond encore, et l'homme, pris de peur, s'était enfui loin de Dieu. Il ne s'agissait pas seulement de réconcilier Dieu avec l'homme mais aussi l'homme avec Dieu.

Voici venir saint François de Sales qui s'avoue « tant homme que rien plus » [176] et Bellarmin le plus doux des hommes. Ils n'auront pas comme Savonarole des paroles d'anathème contre les humanistes ou les pécheurs de leur temps ; au contraire : « Oh, mes chers pecheurs » disait saint François de Sales. Et Bellarmin ne l'eût pas contredit, lui qui dans son sermon *De Moribus Haereticorum* s'écriait : « Odio habeamus non quidem homines sed haeresim sed vitia eorum ». Comme Dieu même c'est au péché et non au pécheur qu'ils envoient leur malédiction. Ils ont tâché, saint François surtout, de parler la langue des mondains et de leur paraître plus imitables qu'admirables afin de mieux les gagner à Dieu.

Peut-on aller plus loin et parler non seulement de ressemblance mais de dépendance ? Puisque chez tous deux il n'y a pas de différence entre leur doctrine spirituelle et leur doctrine théologique, et que leur spiritualité n'est que leur théologie vécue et pratiquée, serait-il inexact de dire que Bellarmin a influé sur la spiritualité salésienne ?

Car, d'une part saint François de Sales reconnaît Bellarmin pour un de ses maîtres préférés en théologie, et de l'autre, la plupart des doctrines regardées comme propres

---

175. *Œuvres*, V, pp. 156 s.
176. *Œuvres*, Cf., p. 3.

à saint François de Sales, se retrouvent déjà, nous l'avons vu, chez Bellarmin. Telles sont : la perfection à la portée de tous, la sanctification par le devoir d'état, l'abandon et la confiance en Dieu.

Mais comme les opuscules ascétiques de saint Bellarmin, ou sont longtemps restés inédits, ou n'ont paru qu'à partir de 1615, il est difficile d'établir une dépendance directe de spiritualité à spiritualité. Il est bon toutefois de se souvenir que les deux saints ont été en relations personnelles dès 1599. La sympathie était profonde et réciproque, l'influence le fut probablement aussi ; mais c'est plus aisé à conjecturer qu'à prouver. En tout cas, de leurs deux spiritualités, on peut dire que si l'une n'est pas fille de l'autre... ce sont au moins deux sœurs bien authentiques.

Saint François est plus hardi que saint Robert ; dans toutes les questions controversées, il garde et il exerce sa liberté de penser. C'est ainsi qu'il enseigne, contre Bellarmin lui-même, qu'il suffit d'être en état de grâce pour que tous les actes soient méritoires pour le ciel, sans autre intention actuelle nécessaire. De même, il affirme comme plus probable le salut du grand nombre parmi les catholiques, thèse que Bellarmin n'ose admettre à cause de la grande autorité de ceux qui enseignent le contraire en s'appuyant sur l'évangile.

Et son indépendance se comprend comme aussi sa défiance à l'égard de toute systématisation intellectuelle. Bellarmin, lui, n'a jamais été meurtri ni heurté par l'enseignement reçu ; saint François de Sales a été atteint dans ses profondeurs vives par les thèses sur la prédestination ; il s'est ressaisi, mais dès ce jour, il a affirmé dans sa vie intérieure comme dans sa vie intellectuelle la primauté du cœur sur l'intelligence. Dans ses sermons, dans ses livres, c'est au cœur qu'il s'adresse, c'est lui qu'il veut toucher. Il n'aime pas les divisions méthodiques :

> Je vous dis que mon opinion seroit que vous retranchassiez tant qu'il vous seroit possible toutes les paroles methodiques, lesquelles, bien qu'il faille employer en enseignant, sont néanmoins superflus et, si je ne me trompe, importunes en escrivant.
>
> Qu'est-il besoin, par exemple : « In hac difficultate tres nobis occurunt quaestiones : prima nempe quaestio erit, quid sit praedestinatio ; secunda, quorum sit praedesti-

natio ; tertia », etc. ? Car, puisque vous estes extremement methodique, on verra bien que vous faites ces
choses l'une apres l'autre, sans que vous en advertissies
auparavant [177].

Se défiant des abstractions, il a confiance par contre
dans ces intuitions instinctives du cœur si indéterminées
qu'on ne sait où elles commencent ni où elles finissent,
qui se refusent à entrer dans les catégories de l'esprit et
sont cependant une part très importante de notre réalité.
Aussi est-il plus réaliste que Bellarmin, et aussi plus
mystique.

Contemplatifs tous deux, chez Bellarmin c'est l'intelligence qui offre au cœur son aliment ; sa contemplation
est intellectuelle ; son cœur goûte suavement les vérités
montrées par l'intelligence et dans la mesure où elle les
montre. Il semble au contraire que chez saint François de
Sales le cœur précède la raison et que la saveur dépasse
la lumière. Il a de Dieu la « saisie immédiate » plus que
la vision d'intelligence nécessairement plus lointaine. Chez
Bellarmin, l'ascète prime le mystique ; chez saint François
c'est le mystique qui a le rôle de premier plan.

Peut-être pourrions-nous mieux comprendre et leur optimisme mutuel et leurs mentalités différentes par leurs
façons respectives d'agir devant la fameuse « querelle de
la grâce » [178].

Les célèbres controverses *De auxiliis* avaient commencé
en 1588 par la publication du *De Concordia* de Molina.
Bellarmin, alors professeur au collège romain, tout en dif-
férant sur un certain nombre de points de son confrère
espagnol, s'unissait à lui pour défendre la science moyenne
et réprouver absolument le système de la prédétermination
physique. Quand commença le conflit soulevé par l'apparition du traité *De Gratia efficaci*, Lessius (le Père Léonard
Leys, S.J.) insinua que Bellarmin semblait avoir modifié ses
sentiments depuis un certain voyage à Rome. Comme à ce
moment-là le cardinal rédigeait son mémoire autobiogra-
phique, il rappela un fait remontant à plus de quarante ans,
qui contredisait cette supposition. Lorsqu'il étudiait la

177. *Ibid.*, XV, p. 118.
178. LAJEUNIE E. J., *Op. cit.*, II, pp. 138-146.

théologie à Padoue, l'un de ses professeurs, le P. Charles Pharaon, enseignait la prédestination *ex praevisis meritis* ; mais « N. mettait dans ses notes l'opinion de saint Augustin sur la prédestination gratuite » [179].

Dans cette phrase, Bellarmin ne répondait pas seulement aux reproches de versatilité, il indiquait l'un des principaux fondements de son opinion sur la prédestination, à savoir la ferme conviction où il a toujours été que saint Augustin a enseigné l'élection gratuite à la gloire.

Défenseur intelligent et zélé de Lessius dans la controverse de Louvain, il manifesta cependant à plusieurs reprises qu'il ne partageait pas les vues de son confrère sur cette matière. Ainsi, dans son appréciation des trente-quatre thèses, où Lessius avait énoncé ses vues sur la prédestination directement sur les moyens et non sur la fin ; le contraire lui semblait plus vrai, bien que la foi ne fût pas en cause : *Contrarium puto verius, sed non est questio fidei* [180].

Au contraire, François de Sales dans sa lettre du 26 août 1628 a donné le plus insigne témoignage de tous ceux qui se déclarèrent en faveur de Lessius :

> ... ac demum obiter vidi in bibliotheca collegii Lugdunensis Tractatum de Praedestinatione, et quamvis nonnisi, cognovi, tamen Paternitatem Vestram sententiam illam antiquitate, suavitate ac Scripturarum nativa authoritate nobilissimam, de praedestinatione ad gloriam post praevisa opera, amplecti ac tueri. Quod sane mihi gratissimum fuit, qui nimirum eam semper, ut Dei misericordiae ac gratiae magis consentaneam, veriorem ac amabiliorem existimavi, quod etiam tantisper in libello de *Amore Dei* indicavi [181].
>
> ... enfin, passant à Lyon, j'ai vu dans la bibliothèque du Collège, votre *Traité de la Prédestination*. Comme il arrive en ces occasions, je n'ai pu qu'y jeter rapidement les yeux ; cela m'a suffi pour me rendre compte que votre paternité y embrasse et soutient cette doctrine, qui a pour elle l'antiquité, le charme propre et le pur sens de l'Ecriture, de la prédestination à la gloire en suite de la prévision des œuvres. Cette constatation m'a été d'autant plus agréable, que moi-même j'ai toujours regardé cette opinion comme plus vraie et plus aimable, en tant

179. LE BACHELET, *Op. cit.*, p. 449.
180. *Ibid.*, p. 162.
181. *Œuvres*, XVIII, pp. 272 s.

que plus digne de la grâce et de la miséricorde divine.
Ainsi l'ai-je indiqué dans mon petit livre de l'Amour de
Dieu.

La discussion de ces problèmes aboutit en 1605. Paul V, élu le 16 mai, agit avec beaucoup de prudence et de lenteur ; il consulta tous les doctes, soit de vive voix, soit par écrit [182]. Si d'ailleurs le roi d'Espagne soutenait ses théologiens, Henri IV soutenait les jésuites et recommandait à Du Perron d'appuyer leur parti, ce qu'il fit avec vigueur. Les Espagnols à leur tour réagirent et le cardinal Avila persuada Paul V de présider en personne les congrégations, au lieu de Pinelli, pour mieux modérer les ardeurs combatives des théologiens : le « bon cardinal, du reste insigne catholique, note Peña, craignait que les cardinaux Bellarmin et Du Perron, si la congrégation se tenait devant Pinelli, ne troublassent tout et par leur bavardage - *loqua-citate* - et par leur ruse - *dolo* - ébranlassent les autres et les attirassent à leur parti [183]. Le ton et les termes de ce partisan de la grâce disent assez l'état des esprits. On comprend que Paul V ait agi avec lenteur et qu'il ait consulté les docteurs les plus éclairés de son temps, surtout François de Sales, qu'il avait connu, jugé et admiré en 1599 et dont il aimait dire : « L'évêque de Genève est un grand bon prélat » [184].

La réponse de M. de Genève est malheureusement perdue, mais elle fut certainement écrite, comme en témoigne le référendaire Anastase Germonio dans sa lettre du 8 janvier 1607 à l'évêque :

> Lessi la lettera che lei mi scrisse, alla Santità di Nostro Signore e la gusto di maniera che mi ordino doverla mostrar al Signor Cardinale Pinelli, come capo della sacre Congregatione del Santo Officio, et in conseguenza di quella d'Auxiliis ; et di più, che le ne dassi copia, volendola far leggere nella Congregatione sudetta, come pur hieri l'altro feci : cioè, glie ne diedi la copia molto bene scritta [185].

Je lus la lettre que vous m'écrivîtes, à la Sainteté de
Notre Seigneur et il la goûta de sorte qu'il m'ordonna de

---

182. PENA F., *Acta Congregationum Romae*, Archivum curiae generalis O.P. Ste Sabine, XIV, 276, chap. I.

183. *Ibid.*

184. Didier de VILLENEUVE, P.I., p. 51.

185. *Œuvres*, XIII, p. 407.

*la montrer à Monsieur le Cardinal Pinelli, en tant que
chef de la Sacrée Congrégation du Saint-Office, et en
conséquence de celle d'Auxiliis, et de plus, (de manière)
de lui en donner copie, voulant le faire lire dans la Congrégation sus-mentionnée, comme (ce que) je fis avant-
hier : ce qui veut dire que je lui en donnai la copie très
bien écrite.*

Paul V agréa si fort ce mémoire qu'il le fit lire en congrégation et s'inspira de son contenu : nous n'en savons
le sens que par Charles Auguste de Sales [186]. François faisait observer qu'il y avait en l'église beaucoup d'autres
problèmes dont elle gémissait, auxquels « il fallait plutôt
avoir du soin qu'à l'éclaircissement de cette question, qui
n'apporterait point de bien à la république chrétienne, et y
causerait beaucoup de mal » ; il ajoutait que « ces très
subtiles esprits des Dominicains et Jésuites... s'accorde-
raient toujours assez » [187]. Paul V agit dans ce sens. En
effet, le 28 août 1607, il voulut en finir et renvoya les
consulteurs à leurs affaires, les évêques à leurs diocèses
et les théologiens à leurs chaires ; il défendit surtout « très
sévèrement » aux partis de se qualifier et censurer mutuellement, chacun restant libre de soutenir par bonnes raisons la thèse qui lui semblait la plus vraie [188].

Le vicaire général des dominicains, Luigi Istella, écrivit
à François de Sales une lettre où il louait sa prudence et
sa sagesse ; il y joignit, le 17 septembre 1607, un diplôme
d'affiliation à son ordre [189], signe évident que cette bataille
théologique pesait aux supérieurs des combattants. Le
saint fut heureux de ce témoignage et conserva cette lettre
patente « parmi ses papiers les plus précieux » [190]. Dominicains et jésuites s'entendirent au moins pour voir en M. de
Genève « leur pacificateur » [191].

Après cette étude très sommaire de la « querelle de la
grâce », nous pouvons constater que Molina, Lessius et

186. *Histoire du bien-heureux Fr. de Sales...* composée premièrement en
latin par son neveu C.A. de Sales et mise en françois par le mesme
auteur, Lyon, 1634, II, pp. 10 s.
187. *Ibid.*
188. Archiv. O.P., 1, c.
189. DE SALES C.A., *Op. cit.*, II, p. 299.
190. Année sainte de la Visitation, ms
191. DE SALES C.A., *Op. cit.*, II, p. 11

Bellarmin, jésuites optimistes, tous ont influencé l'évêque de Genève. Le cardinal Bellarmin, lui, est resté jusqu'au bout semblable à lui-même, et la perfection toujours plus grande de sa vie a été un épanouissement de sainteté dans une harmonie de lumière croissante. Comme saint François de Sales, il est allé à la vérité, et il l'a conquise avec toute son âme, mais dans cette ascension, - chez Bellarmin, c'est l'intelligence qui mène la marche et chez saint François de Sales, le cœur.

Dans cette spiritualité optimiste d'amour qu'ils ont enseignée et pratiquée, ce sont deux guides répondant aux divers besoins des âmes, l'un plus lumineux peut-être, l'autre plus chaud : pour les définir d'un mot, le cardinal Bellarmin semble plutôt une intelligence qui aime, saint François de Sales, un cœur qui comprend.

CHAPITRE III

L'AMOUR PUR
ET LES ÉCOLES DE SPIRITUALITÉ

Aperçu historique

La pierre fondamentale de la spiritualité salésienne est l'amour pur. Dans ce chapitre, nous poursuivons notre étude des sources italienne et espagnole de la pensée de saint François de Sales. Mais nous essayerons surtout de mettre au clair l'importance de cet amour qui se trouve d'une façon particulière chez certains auteurs mystiques préférés de saint François : à savoir, les saintes Catherine de Sienne et de Gênes et saint Louis de Gonzague. Leurs doctrines nous aideront à comprendre celle de saint François de Sales.

De cet amour découlent tous les éléments de l'optimisme salésien qui est le sujet principal de notre étude. L'amour pur implique la sainte indifférence. Cette indifférence ou abandon dépend de la volonté puisqu'il faut choisir librement d'aligner sa volonté sur celle de Dieu. Aussitôt que nous aurons établi la place primordiale de l'amour dans la spiritualité salésienne, nous pourrons faire une étude de l'importance de la volonté. Dans le progrès spirituel de l'âme qui aspire à l'union avec Dieu, il faut approfondir ce volontarisme qui est d'une si grande valeur dans la doctrine de l'évêque de Genève.

Ce que la première moitié du XVIIᵉ siècle nous présente de vraiment nouveau, d'unique même, écrit Bremond, ce n'est pas la ferveur, ni même peut-être, après tout, le nombre de ses mystiques, mais leur activité rayonnante, leur prestige, leur influence. On les voit soudain surgir de l'obscurité qui les cache d'ordinaire, s'imposer à l'attention de la foule, envahir de tous les côtés le devant de la scène, faire figure de héros, s'unir, se grouper, tenir école publique de sainteté, créer des œuvres qui prolongeront leur propre action, peser sur la machine politique, entrer au conseil des princes. L'époque précédente n'avait rien connu de semblable [1].

Que s'est-il donc passé ? Le début du XVIIe siècle (malgré ses tares), se révélait gros de promesses et d'espérances. Assistons-nous donc simplement à l'éclosion, au printemps, des bourgeons gonflés de sève ? Est-ce la rencontre providentielle à la même heure de l'histoire d'une étonnante phalange de grands hommes qui seront aussi de grands saints ? Oui, tout cela est vrai. Mais pour comprendre ce renouveau, il faut faire état tout d'abord d'une heureuse contagion qui, dès la fin du XVIe siècle, propageait en France l'esprit de zèle et de ferveur qui fleurissait à l'étranger et spécialement en Espagne et en Italie.

L'Espagne n'avait pas connu, comme la France, la division religieuse. A l'abri de ses Pyrénées, mais plus encore protégée par une foi que huit siècles de combats avait singulièrement trempée, elle gardait la pureté de ses doctrines religieuses dans toute l'étendue de son territoire. Sans doute Luther avait-il trouvé en Espagne quelques prédicants, mais leur prosélytisme, violemment combattu par l'inquisition, fit si peu d'adeptes que l'unité de la foi dans le catholique royaume ne put en être altérée [2]. Tous les sentiments religieux qui en France avaient été détournés par la réforme et lui avaient donné son élan et sa force, ce concentrèrent sur le mysticisme et l'ascétisme catholique. De là leur splendeur au XVIe siècle. Saint Pierre d'Alcantara, sainte Thérèse, saint Jean de la Croix représentent avec gloire la forme héroïque qu'y prit le sentiment religieux. Ce qui est significatif dans l'œuvre de sainte Thérèse, c'est l'écho profond que trouve son action dans la société espagnole. Sans doute les oppositions et contradictions ne lui seront pas ménagées, mais celles-ci, au point de vue où nous sommes placés, confirment plutôt notre thèse, puisqu'elles mettent en plus grand relief la

---

1. Bremond H., *Op. cit.*, II, p. 4.
2. On connaît la redoutable rigueur de l'inquisition espagnole contre les judaïsants, les morisques, les luthériens et ces mystérieux dissidents qu'on appelait les illuminés, « les alumbrados ».

véhémence des passions religieuses au sein du catholicisme espagnol.

Ces modèles venaient de s'imposer à l'imagination des catholiques français. Si la littérature officielle leur offrait au point de vue religieux un aspect morne et froid, sans effusion de cœur, les merveilles du Carmel les transportaient dans un monde très différent et d'un attrait puissant. Dès l'aube du XVIIᵉ siècle, l'âme espagnole avait déjà, par la piété et les livres de piété, par sainte Thérèse spécialement et par le renom du Carmel, profondément agi sur l'esprit français. Son influence fut prépondérante dans cette « invasion mystique » dont Bremond nous a laissé une si vivante analyse dans le Tome II de son *Histoire littéraire du sentiment religieux en France* [3]. Le plus célèbre et le plus probant des témoignages n'en est-il pas la vie même de Madame Acarie et l'histoire de la fondation des premiers Carmels en France ? Depuis une quinzaine d'années déjà, de pieux personnages, tel un Jean de Quintanadoine de Bretigny [4] avaient été conquis par la sainteté des carmélites espagnoles et rêvait de leur faire franchir les Pyrénées. C'est Madame Acarie, à qui sainte Thérèse apparut à deux reprises, qui devait, avec M. de Bérulle, faire aboutir définitivement ce projet. On sait qu'en 1604 après deux années de patientes démarches, le premier Carmel français fut fondé au faubourg Saint-Jacques ; sa protectrice lui donne dans l'année, vingt-six novices formées par ses soins. Rapidement les maisons devaient se multiplier à travers la France et y répandre l'esprit nouveau [5].

Pour ne pas nous écarter de notre sujet, qu'il nous suffise ici de rappeler l'impression profonde que fit Madame Acarie sur saint François de Sales, lors du séjour de ce dernier à Paris en 1602, et la contribution active qu'il apporta à la fondation du premier Carmel [6]. D'ailleurs, le Carmel devait lui rendre largement ce qu'il avait pu faire pour lui :

3. Bremond H., *Op. cit.*, II, pp. 263 s.
4. *Ibid.*
5. Dès 1605, le Carmel de Paris va essaimer à Pontoise, puis à Dijon. Bientôt, c'est Amiens (1606), Tours (1608), Rouen (1609), Bordeaux et Châlons (1610), Besançon (1614), Dieppe (1615). En 1644, à la mort d'Isabelle des Anges, la dernière Espagnole restée en France, le Carmel français ne comptera pas moins de 55 monastères.
6. Hamon M., *Vie de saint François de Sales*, Paris, Lecoffre, I, p. 417.

N'est-ce pas au Carmel de Dijon, que la Baronne de Chantal, encore hésitante sur les voies intérieures où Dieu l'appelait, viendra se former à l'école de la Mère Anne de Jésus, témoignage vivant de l'esprit de sainte Thérèse ! « La grande gloire du Carmel de Dijon, écrit Bremond, c'est d'avoir révélé la Baronne de Chantal à elle-même, et par là,... d'avoir achevé l'initiation mystique de François de Sales » [7].

L'Ecole italienne et sainte Catherine de Sienne

L'influence de l'Italie s'exerce plutôt dans un autre sens. Sous l'impulsion de la papauté elle donnait l'exemple de la réforme intérieure, de la discipline et de la régularité.

Sans doute la ferveur mystique des Catherine de Sienne ou de Gênes n'y est-elle pas éteinte. Durant la première moitié du XVIᵉ siècle, saint Gaétan et ses théatins avaient diffusé dans les cœurs cet esprit de charité qui les animait eux-mêmes. Les Sociétés du Divin Amour qui avaient commencé à fleurir à Rome vers 1516, sous l'impulsion de Sadolet et de saint Gaétan, foisonnèrent aussi en Italie par une foule de fiiliales, comme une franc-maçonnerie. Dans la suite de notre étude, nous constaterons plus explicitement le lien de dépendance qui unit certainement la spiritualité du *Traité de l'Amour de Dieu* à ce grand courant d'intense charité qui traverse l'Italie du XVIᵉ siècle [8]. Evoquons seulement ici la belle figure de Sadolet dont tant de traits font déjà penser à saint François de Sales. Grand humaniste, animateur à Rome du mouvement de réforme du clergé (il veut, selon son expression, « sortir le clergé de la boue »), évêque zélé en son diocèse de Carpentras, il a aimé le christianisme de l'affection la plus ardente et la plus active. Dans un monde de jouissances et d'intrigues, il donna personnellement l'exemple d'une religion « humaine », aimable et optimiste. « Tout fait de grâce tempérée, saint, sobre, aimable, content, il répand autour de lui des sentiments tranquilles et agréables. Il a dans l'âme une harmonie qui passe dans ses écrits ou dans ses

---

7. *Op. cit.*, II, p. 313.
8. Cf. DE MAULDE DE LA CLAVIÈRE, *Saint Gaétan*, Gabalda, Paris, pp. 31 s.

conversations et qui repose. Son christianisme élargit le
cœur, parce qu'il se résume en bonté et en charité ; il n'a
rien d'âpre, de triste, il se fait tout à tous » [9]. Son effort,
en cette première moitié du xvie siècle, visera surtout à
tirer la vie chrétienne, d'une part du réalisme et du mécanisme où sont tombés son organisation et ses pratiques, et
à l'inverse, de l'abstraction où un faux mysticisme voudrait
la réduire. Entre ces deux extrêmes, il cherche l'équilibre
d'une belle vie humaine et chrétienne.

Ainsi l'amour de Dieu ne peut-il être inactif, et ce mysticisme italien est en fait étroitement lié à l'œuvre de réforme dont le Concile de Trente, au milieu de ce siècle, pro-
mulguera les conditions nécessaires. Déjà les premières
sociétés du divin Amour rassemblent « tout l'état major
des hommes qui voulurent réellement réformer l'Eglise » [10],
mais, selon la remarque d'un biographe de saint Gaétan, le
principal miracle de ce saint « consiste à avoir ouvert à
son insu un sillon lumineux d'où est sortie toute une lignée
d'hommes nouveaux, issus des mêmes principes et des
mêmes nécessités morales que lui ; il est l'aïeul de toute
une famille de saints de cœur, de saints hardiment aima-
bles, de saints de liberté, de saints réformateurs, depuis
saint Philippe Néri jusqu'à saint François de Sales... » [11].

De toute cette floraison nous ne retenons ici que quelques noms. Saint Philippe Néri tout d'abord, lui qui, par sa
brûlante charité, ressemble tant à saint Gaétan dont il
invoquait volontiers l'exemple. Par M. de Bérulle et l'Oratoire, son action sur le renouveau catholique en France
sera efficace et durable ; par saint Charles Borromée,
grand évêque réformateur du clergé séculier, qui est pour
le monde catholique un exemple ; par saint François de
Sales, qui le cite volontiers, sa spiritualité affective, en
même temps qu'héroïquement exigeante pénètre jusqu'au
cœur des chrétiens de France.

Entre ces grands saints, une Catherine de Sienne ou de
Gênes, une Thérèse d'Avila, par exemple, et le saint évêque

9. *Ibid.*, p. 69. Sadolet, né à Modène en 1477, est mort à Rome en 1547,
après avoir servi quatre pages, de Léon X à Paul III. Ce dernier l'avait
créé cardinal et chargé de préparer le prochain concile.

10. *Ibid.*, p. 32, note 1.

11. De Maulde de la Clavière, *Op. cit.*, p. 164.

de Genève, il existe une secrète affinité spirituelle qui transparaît dans toute son œuvre. La méditation de leur vie ou de leurs livres fut une lumière pour l'âme de François de Sales et a certainement contribué à l'orienter vers une spiritualité de l'amour, et de l'amour affectif le plus pur qui soit. De cette spiritualité de l'amour découle l'optimisme de saint François de Sales.

La piété de l'école italienne est « optimiste, écrit P. Pourrat, non seulement parce qu'elle insiste sur les beautés de la religion et les aspects consolants des mystères chrétiens, mais aussi parce qu'elle est bienveillante pour la nature humaine et condescendante pour elle. Autant les auteurs italiens sont sévères pour assurer le succès du combat contre soi-même, autant ils sont indulgents pour les autres exercices spirituels » [12].

Mais parmi tous les grands noms de la mystique chrétienne, lesquels nous permettront de découvrir les bases de la spiritualité salésienne ? Saint François de Sales heureusement guide notre choix puisque, nous le savons, il se plaît dans la Préface du *Traité* à énumérer plusieurs de ces noms illustres : saint Augustin, saint Thomas, saint Bonaventure et Robert Bellarmin dont il fut question dans notre chapitre précédent. Mais aussi, quand il s'agit de sa doctrine de l'amour, il insiste spécialement sur les saintes Catherine de Sienne, de Gênes et sainte Thérèse d'Avila.

Saint François de Sales, en effet, cite avec une évidente prédilection ces trois grandes saintes et sous sa plume leurs noms se trouvent bien souvent associés : « Telles, s'écrie-t-il par exemple, sainte Catherine de Gennes et la bienheureuse Mere Therese, quand, comme biches spirituelles pantelantes et mourantes de la soif du divin amour, elles lançoyent cette voix : Hé, Seigneur, donnes-moy cette eau ! » [13]. Ou encore il renvoie d'un mot à leurs écrits : « Voyes ce que j'ay dit de sainte Catherine de Sienne et de Gennes » [14] - vous pourrez lire les livres de la Mère Thérèse ou de sainte Catherine de Sienne [15]. Bien sou-

---

12. *Op. cit.*, III, p. 391.
13. *Œuvres*, V, p. 322.
14. *Ibid.*, V, p. 442.
15. *Ibid.*, V, p. 322.

vent d'ailleurs d'autres noms se joignent aux leurs, celui
en particulier de saint François d'Assise [16], mais, en tout
état de cause, la raison de ces rapprochements est constante : c'est le mystère d'amour qui s'est opéré en ces âmes
privilégiées : « A quoy tient-il donques, questionne-t-il, que
nous ne sommes pas si avancés en l'amour de Dieu comme
saint Augustin, saint François, sainte Catherine de Gennes... ? » [17] Question qui tourmente tous les cœurs épris de
perfection et donne à ces témoignages de pur amour la
force d'un exemple irrésistible : il y a des âmes, écrit-il
encore

> qui ayment seulement ce que Dieu veut et comme Dieu
> veut : ames heureuses, puisqu'elles ayment Dieu, et leurs
> amis en Dieu, et leurs ennemis pour Dieu... Telz furent
> saint Augustin, saint Bernard, les deux saintes Cathe-
> rines, de Sienne et de Gennes, et plusieurs autres, a
> l'imitation desquelz un chacun peut aspirer a ce divin
> degré d'amour. Ames rares et singulieres, qui ... n'ayment
> pas, a proprement parler, les creatures en elles mesmes,
> ains en leur Createur, et leur Createur en icelles : qui si
> elles s'attachent par la loy de la charité a quelque créa-
> ture, ce n'est que pour se reposer en Dieu, unique et
> finale pretention de leur amour [18].

Ainsi, un témoignage d'amour suprême et authentique
envers Dieu, une révélation des exigences et des délica-
tesses de Dieu pour ceux qu'il appelle à la perfection de
l'amour, voilà avant tout ce que saint François de Sales
demande à ces grands mystiques.

Quelles furent leurs réponses ? C'est-à-dire quelle fut
l'influence propre de chacune de ces maîtresses de vie spirituelle sur la pensée de notre docteur de l'amour divin ?
Jusqu'à quel point ont-elles influencé sa doctrine de l'amour
qui est à la base de son optimisme ?

Tournons-nous d'abord vers l'Italie.

Sainte Catherine de Sienne ne paraît pas avoir exercé
sur la spiritualité de saint François de Sales une influence
comparable à celle des saintes vierges de Gênes et d'Avila.
Sans doute la révère-t-il comme un géant de la sainteté, et

16. *Ibid.*, IV, p. 273 ; V, p. 93.
17. *Ibid.*, IV, p. 123.
18. *Ibid.*, V, pp. 181-184.

un sûr indice de cette dévotion personnelle est qu'il n'hésite pas à la comparer, et en des termes identiques, à son séraphique saint François [19]. Mais, il faut bien le dire, plusieurs des traits les plus spécifiques de la mystique de sainte Catherine ne se retrouvent pas dans l'enseignement salésien. En voici deux exemples. Comme beaucoup d'auteurs du moyen âge, elle fonde sa doctrine spirituelle sur la connaissance de soi-même et la connaissance de Dieu, la première conduisant à la seconde et produisant de ce fait en nous l'amour divin et la sainteté [20]. Or, encore que saint François de Sales nous enseigne l'une et l'autre connaissance, ce n'est pas dans ce cadre d'ensemble qu'il a construit son œuvre spirituelle. Par ailleurs, on connaît la dévotion si caractéristique de sainte Catherine de Sienne pour le sang du Christ [21], mais là encore il n'existe pas de correspondance dans les œuvres de saint François de Sales.

---

19. *Ibid.*, IV, p. 358. Cf. aussi IV, p. 273 et V, p. 93.

20. Cf. POURRAT P., *La Spiritualité française,* II, pp. 440 ss. En ce qui concerne sainte Catherine, on connaît la parole célèbre de Notre-Seigneur : « Sais-tu, ma fille, qui tu es et qui je suis ? Si tu as cette double connaissance, tu seras heureuse. Tu es celle qui n'est pas, je suis Celui qui suis ». (Raymond de CAPOUE, *La vie de Sainte Catherine de Sienne,* trad. Hugueny, p. 87). La Sainte ne devait pas oublier cette divine leçon. A l'une de ses compagnes, elle donnait ce conseil : « Fais-toi une autre cellule spirituelle que tu porteras toujours avec toi : c'est la cellule de la vraie connaissance de toi-même, tu y trouveras la connaissance de la bonté de Dieu à ton égard. A vrai dire, ce sont deux cellules en une seule... Il faut donc que ces deux connaissances soient unies l'une à l'autre, et ne forment qu'une même chose. En agissant ainsi, tu arriveras à la perfection, car par la connaissance de toi-même tu acquerras la haine de ta nature sensuelle, et... dans la connaissance de Dieu tu trouveras le feu de la divine charité ».

21. C'est constamment qu'elle célèbre les vertus de ce sang rédempteur. De même que le Sacré-Cœur de Jésus est pour nous le symbole de l'amour de Dieu, le sang du Christ est pour sainte Catherine le signe sensible de notre rédemption et donc aussi de l'ineffable amour de Dieu. « Je veux, disait-elle, que nous nous enivrions et nous nous plongions dans le sang du Christ crucifié ». Aussi commençait-elle habituellement ses lettres par ces mots : « je vous écris dans le sang du Christ », c'est-à-dire dans cet esprit d'ardente charité pour Dieu et le prochain dont ce sang est le témoignage : « Dans le sang qu'elle voit répandu par amour (l'âme) s'y enivre, elle s'y embrase d'un saint désir, elle s'y enflamme, et se trouve toute remplie de charité, non seulement pour toi (Dieu), mais encore pour le prochain ». On peut consulter sur ce même thème : *Sainte Catherine de Sienne : Le Sang, la Croix, la Vérité* - Treize lettres traduites par L.P. Guiguef, Paris, Gallimard, 1940.

Que ces remarques pourtant ne nous portent pas à sous-estimer la valeur du témoignage de sainte Catherine de Sienne ! Si le saint évêque de Genève a reçu d'ailleurs les inspirations directrices de sa spiritualité, la vie de Catherine le confirmait dans ses conclusions les plus essentielles de sa doctrine de l'amour divin. Il aime à s'appuyer sur son témoignage et sur son exemple, qu'il s'agisse d'affirmer les extrêmes exigences de l'amour de Dieu [22], le besoin de souffrir pour celui qu'on aime [23], ou le mystère d'union qu'opère en nos âmes la charité surnaturelle [24]. Mais, en outre, certaines pages du *Dialogue* de sainte Catherine ont pu exercer une action plus profonde sur la pensée de saint François de Sales, bien que nous n'en ayons pas de preuve directe. C'est dans les chapitres qui décrivent la montée de l'âme de l'amour imparfait des mondains à l'amour parfait, qu'il manifeste sa pensée sur la véritable union à Dieu. « Quand mon serviteur m'aime ainsi, imparfaitement, c'est beaucoup moins moi qu'il cherche que la consolation pour laquelle il m'aime... L'unique moyen pour mes serviteurs de vouloir échapper à toute illusion, c'est de tout recevoir pour l'amour de Moi qui suis leur fin, en prenant leur appui sur ma douce volonté » [25]. Catherine pourchasse alors tous les obstacles au progrès de l'âme et surtout cette tentation subtile de l'amour-propre spirituel qui voudrait nous faire délaisser le service du prochain pour conserver la suavité de l'union à Dieu ; car la marque de l'amour parfait est

22. Cf., l'anecdote rapportée dans le *Traité* (V, p. 212). Le chapitre traite de la « jalousie » de Dieu, et saint François de Sales cite l'exemple de la sévérité des reproches divins pour une simple distraction de fragilité survenue à sainte Catherine - Saint François de Sales cite à plusieurs reprises la : *Vita Sanctae Catharinae Senensis* du Bienheureux Raymond de Capoue. Cf., en particulier : *Œuvres*, IV, p. 179 ; V, pp. 13, 116, 158, 212.

23. « Notre Seigneur ayant donné le choix à Sainte Catherine de Sienne d'une couronne d'or ou d'une couronne d'épines, elle choisi celle-ci comme plus conforme à l'amour » (*Traité*, V, p. 116). Et dans l'octroi des stigmates, saint François de Sales considère l'union mystérieuse de la souffrance et de l'amour : « Ces grandes âmes de saint François et de sainte Catherine sentirent des amours non pareilles en leurs douleurs et des douleurs incomparables en leurs amours lorsqu'elles furent stigmatisées, savourant l'amour joyeux d'endurer pour l'ami... Ainsi naît l'union précieuse de notre cœur avec son Dieu, laquelle est enfant de douleur et de joie tout ensemble ». (*Œuvres*, IV, p. 274)

24. Cf., *Œuvres*, V, p. 13, et V, p. 158.

25. *Dialogue*, I, pp. 229-235.

de s'exprimer par les œuvres envers le prochain : « cet amour, c'est le saint esprit lui-même qui se répand dans sa volonté, lui communiquant sa force, lui inspirant le désir de supporter la souffrance et de sentir sa retraite, pour produire les bonnes œuvres envers le prochain... « l'âme » n'a plus peur de perdre ses consolations spirituelles. Une fois parvenue à l'amour parfait et libre, elle sort au dehors, rien ne la retient plus » [26]. Dans l'état d'amour parfait, le chrétien s'est donc entièrement dépouillé de la volonté propre qui est morte en lui. « La volonté de l'âme ainsi ordonnée, écrit-elle, vit en Moi, revêtue de Ma Volonté éternelle. L'âme perd toute volonté en goûtant la douceur de ma Charité, et trouve par là même la paix et le repos... Ainsi, l'âme trouve la paix, une paix si parfaite que rien ne la peut troubler. Elle a perdu et renié la volonté propre, et elle est en repos : cette volonté lui laisse la paix, parce qu'elle est morte. Ceux qui sont en cet état enfantent sans douleur des vertus à l'égard du prochain... Mais, désormais, c'est Moi qu'ils aiment pour moi-même, parce que je suis la Souveraine Bonté, souverainement aimable. S'ils s'aiment eux-mêmes, c'est pour Moi ; s'ils aiment le prochain, c'est pour Moi, pour rendre honneur et gloire à mon nom » [27].

La mort de la volonté propre, la paix de l'âme, l'amour exclusif et plénier de Dieu, le zèle de sa seule gloire, autant de traits qui caractériseront dans le *Traité de l'Amour de Dieu* la vertu de l'indifférence. Mais pourrait-on parler d'une dépendance formelle du *Traité* par rapport à cette partie du *Dialogue* ? Nous n'oserions l'affirmer, car d'une part la similitude ne porte que sur des points de doctrine traditionnelle dans la théologie mystique et d'autre part aucun indice précis ne nous autorise à rapprocher davantage les deux textes [28]. Il n'en reste pas moins que cet

26. *Ibid.*, p. 250.
27. *Ibid.*, pp. 259-260.
28. A première vue, un rapprochement semble possible entre les quatre degrés de l'amour, tels que nous les expose saint François de Sales dans les chapitres IV et V du Livre X, et les quatre états ou quatre degrés de l'amour selon la doctrine du *Dialogue*. Sainte Catherine les résume ainsi : « au premier degré ils dépouillent les âmes de l'affection du cœur qui leur fait concevoir l'amour de la vertu. Au troisième qui est celui de la paix et de la quiétude de l'âme, ils éprouvent en eux la vertu, et, en

enseignement du *Dialogue* évoque irrésistiblement celui des Livres 9 et 10 du *Traité*. La lecture de la vie et des *Œuvres* de sainte Catherine de Sienne ne pouvait qu'engager saint François de Sales à enseigner avec force ce que tant de saints avaient professé et vécu avant lui.

Sainte Catherine de Gênes

C'est aux mêmes conclusions que nous conduira l'étude des liens spirituels qui unissent la pensée de saint François de Sales à celle de sainte Catherine de Gênes. Née sur le sol d'Italie un siècle après la vierge de Sienne (1347-1447), elle appartient par le rayonnement de sa sainteté et de ses écrits à ce XVIe siècle italien dont nous avons déjà signalé la spiritualité si fortement imprégnée de zèle pour le divin amour [29]. A ce titre elle est beaucoup plus proche de saint François de Sales et les traits distinctifs de son influence sont plus faciles à déterminer.

« Sainte Angèle de Foligno, écrit M. Pourrat, a senti fortement l'absolue transcendance de Dieu ; sainte Catherine de Sienne, son Amour et sa Miséricorde pour les hommes. Sainte Catherine de Gênes a été admise, elle, à contempler la pureté incompréhensible de l'essence divine. La vue et le sentiment de cette pureté souveraine expliquent la vie et les ouvrages de la Sainte » [30]. Or c'est bien cela aussi

s'élevant au-dessus de l'amour imparfait, ils arrivent à la grande perfection. Là, ils ont enfin le repos dans la doctrine de ma Vérité ». (*Dialogue*, I, p. 269). En faveur d'un rapprochement, on peut remarquer que l'auteur du *Traité* cite précisément l'exemple de sainte Catherine de Sienne à la fin du chapitre V (*Œuvres*, V, p. 184) et qu'il célèbre la sainteté en termes voisins de ceux du Dialogue. Mais outre qu'on ne peut relever aucun contact textuel, il faut renoncer à voir là une influence positive, car les quatre degrés chez saint François de Sales ne correspondent pas à ceux du *Dialogue*. Pour notre saint, le 1er degré est déjà un amour sincère et explicite de Dieu, *et il s'agit d'un progrès dans la perfection même de l'amour* ; cette notion du progrès fait partie de notre idée de l'optimisme.

29. Sainte Catherine de Gênes est morte en 1510. Sa vie, écrite par son professeur Miratoli, est publiée en 1551. Une première traduction française est faite par PP. Chartreux de Bourg-Fontaine en 1660. La Visitation de Venise possède un volume de cette édition : *La vie et les œuvres spirituelles de sainte Catherine d'Adorny de Gênes*, ayant appartenu à saint François de Sales et lui ayant sans doute servi pour ses citations du *Traité*. Cf., IV, p. XC, note 3.

30. POURRAT P., *Op. cit.*, II, p. 434.

qui a frappé saint François de Sales. Dans le Chapitre XIII
du Xe Livre, intitulé *Comme Dieu est jaloux de nous*, il
invoque explicitement son témoignage :

> Mais, Theotime, qui veut voir cette jalousie delicatement
> et excellemment exprimee, il faut qu'il lise les ensei-
> gnements que la seraphique sainte Catherine de Gennes
> a faitz pour declarer les proprietés du pur amour, entre
> lesquelles elle inculque et presse fort celle-ci : que
> l'amour parfait, c'est a dire l'amour estant parvenu jus-
> qu'au zele, ne peut souffrir l'entremise ou interposition, ni
> le meslange d'aucune autre chose, non pas mesme des
> dons de Dieu, voire jusques a cette rigueur, qu'il ne per-
> met pas qu'on affectionne le Paradis, si non pour y aymer
> plus parfaitement la bonté de Celuy qui le donne [31].

D'une façon générale, le souvenir de la grande mystique
lui est présent dès qu'il s'agit des ineffables jalousies du
Seigneur envers sa créature ou des souffrances d'un cœur
blessé d'amour et torturé de la seule crainte de ne pas aimer
assez [32]. Il est donc clair que saint François de Sales est
surtout redevable à sainte Catherine de Gênes de ce sens
aigu des exigences de l'amour divin dont lui-même fait
preuve dans son *Traité*, et dans toute sa spiritualité. Précisons donc davantage ce point.

A l'origine de la sainteté de Catherine, il y a, comme le
rappelle d'ailleurs saint François de Sales, la brusque révélation de la sainteté et de l'amour de Dieu : « elle demeura,
dit-il, toute changee et comme morte au monde et aux
choses créees pour ne vivre plus qu'au Createur » [33]. « Mon
Dieu, s'écria-t-elle alors, je vous veux tout entier, parce
que je le vois dans votre lumière, l'amour ne peut être
satisfait que quand il est arrivé à sa pureté, à sa félicité
suprême... Ne voyez-vous pas, mon aimable Maître, que le

---

31. *Œuvres*, V, p. 212.
32. Qu'il suffise pour le prouver de relever le titre des chapitres qui
contiennent les principales citations de sainte Catherine de Gênes. Ce
sont d'abord les derniers du Livre VI sur *Quelques autres moyens par
lesquels le saint amour blesse les cœurs* (chap. XIV), ou sur *La langueur
amoureuse du cœur blessé de dilection* (chap. XV). C'est le chapitre XI du
VIIe Livre : *Que quelqu'uns entre les divins amants mourrurent encore
d'amour*. Ce sont surtout les admirables chapitres des derniers livres du
Traité : *Comme Dieu est jaloux de nous* (Livre X, chap. XIII) ; *De la
crainte amoureuse des époux* (Livre XI, chap. XVI) ; *Qu'il faut avoir un
désir continuel d'aimer* (Livre XII, chap. II).
33. *Œuvres*, IV, p. 355.

désir d'être pure et sainte à vos yeux, me consume comme
la flamme qui éclate dans la fournaise ! » [34]. C'est ce désir
ardent qui la fera lutter jusqu'au bout contre « cette peste
maligne qui est l'amour obstiné de la volonté propre, le
plus substil de tous les vices, car il s'insinue dans nos
bonnes comme dans nos mauvaises actions... Le premier
pécheur au paradis terrestre, disait-elle, opposa sa volonté
à la volonté divine. C'est pourquoi nous devons prendre
maintenant pour objet de nos complaisances la céleste
volonté, et demander au Seigneur d'abattre et d'anéantir
sans merci la notre propre » [35]. Mais c'est encore l'amour
divin qui, comme un feu purificateur, opérera en elle ce
complet dépouillement. Détruisant en elle les racines de
l'orgueil, il lui donne, en même temps que l'horreur du
péché [36], un immense désir d'être transformée en la souveraine pureté de Dieu : c'est alors que Dieu remplace
l'action et la vie de ces âmes par sa vie et son action ; il
leur fait répudier toute action qui ne serait pas sienne
absolument. Oh ! même dans l'optimisme du progrès spirituel, il n'admettrait pas un désir, une pensée, un soupir,
où son œil saintement jaloux pourrait apercevoir la plus
petite parcelle de recherche propre. Il faut cet état d'absolu
dépouillement, de détachement sans mesure devant la sainteté infinie, pour que Dieu puisse se donner aux âmes avec
complaisance et qu'il leur accorde une vertu qui ne défaille
point, se développe et demeure comme la lumière d'un
soleil qui n'aurait point de couchant. Cette vertu est celle
de l'amour pur, par lequel on aime Dieu pour Dieu seul.
N'est-il pas, dès lors, évident, conclut la sainte, qu'il n'y
a que l'homme anéanti qui puisse posséder l'amour pur et

---

34. FLICHE M., *Sainte Catherine de Gênes, sa vie et son esprit*, Paris,
Sauton, 1881, pp. 69 et 71.

35. *Œuvres*, IV, pp. 94 s.

36. « Il est bon ! mais qu'il est saint aussi, et qu'il est pur le divin
amour ! J'étais saisie d'épouvante à la vue de mes fautes, qui l'avaient si
souvent irrité... même les actes de la vie que je croyais les meilleurs, sa
justice infinie les jugeait indignes d'elle, et s'il ne m'eût pas été possible
de les purifier dans le sang du Sauveur, elle les eût condamnés, frappées
de réprobation » (Cf., FLICHE, *Op. cit.*, p. 323). « Si l'homme voyait,
disait-elle encore, de quelle importance est un seul péché, il élirait plutôt
d'être dans une fournaise ardente et y demeurer tout vif en corps et en
âme que de l'endurer en soi ».

dire avec saint Paul : « Je vis, mais non ce n'est pas moi, c'est Jésus-Christ qui vit en moi ? » [37].

L'indifférence ou l'abandon

Ouvrez maintenant le *Traité de l'Amour de Dieu*, au Chapitre XVI du XIe Livre [38]. Vous y trouverez non seulement la même doctrine, mais le même accent, la même ferveur :

> Ouy mesme, l'ame arrive quelquefois a tant de perfection qu'elle ne craint plus de n'estre pas asses unie a luy, (Dieu), son amour l'asseurant qu'elle le sera tousjours, mais elle craint que cette union ne soit pas si pure, simple et attentive comme son amour luy fait pretendre. C'est cette admirable amante qui voudroit ne point aymer les goustz, les delices, les vertus, et les consolations spirituelles, de peur d'estre divertie, pour peu que ce soit, de l'unique amour qu'elle porte a son Bienaymé, protestant que c'est luy mesme et non ses biens qu'elle recherche... De cette sacree crainte des divines espouses, furent touchees ces grandes ames de saint Paul ; saint François, sainte Catherine de Gennes, et autres, qui ne vouloyent aucun meslange en leurs amours, ains taschoyent de le rendre si pur, si simple, si parfait, que ni les consolations ni les vertus mesmes ne tinssent aucune place entre leur cœur et Dieu ; en sorte qu'elles pouvoyent dire : Je vis, mais non plus moy mesme, ains Jesus Christ vit en moy [39].

Or ce qui est remarquable ici c'est que ce lien incontestable de dépendance concerne non pas une question de détail, mais l'âme même de la spiritualité salésienne. Car, où saint François de Sales veut-il nous conduire par un tel abandon sinon à ces sommets de l'amour pur ? Ce qu'il a retenu de la lecture de la vie de sainte Catherine de Gênes, ce ne sont pas tant les extases ou les anecdotes curieuses, que l'extrême pureté d'un amour effectif qui ne veut plus connaître que Dieu seul. En nous apprenant « l'absolu dépouillement », « l'anéantissement » en même

---

37. Fliche, *Op. cit.*, p. 261.
38. *Œuvres*, V, p. 294.
39. *Ibid.*, V, p. 295.

temps que le « pur amour », ces auteurs nous enseignent
la vertu de l'indifférence ou de l'abandon [40].

Saint François nous dit en quoi consiste cet abandon qui
est si nécessaire dans sa spiritualité.

> ... Il faut donques sçavoir qu'abandonner nostre ame et
> nous laisser nous mesmes n'est autre chose que quitter
> et nous deffaire de nostre propre volonté pour la don-
> ner à Dieu : car il ne nous serviroit de guere, comme
> j'ay desja dit, de nous renoncer et delaisser nous mesmes,
> si ce n'estoit pour nous unir parfaitement à la divine
> Bonté. Ce n'est donc que pour cela qu'il faut faire cest
> abandonnement, lequel autrement seroit inutile, et res-
> sembleroit ceux des anciens philosophes, qui ont fait des
> admirables abandonnemens de toutes choses et d'eux-
> mesmes, pour une vaine pretention de s'adonner à la
> philosophie : comme Epictete, ... Mais nous autres, nous
> ne voulons pas nous abandonner sinon pour nous laisser
> à la mercy de la volonté de Dieu [41].

C'est chez saint François de Sales, docteur de l'indifférence, comme nous l'avons écrit dans notre thèse de maîtrise [42], que le chrétien peut le mieux se renseigner à ce
sujet. Ce grand humaniste et docteur de l'église montre,
d'une façon extraordinaire, comment le chrétien peut se
sanctifier par le moyen de l'indifférence. Saint François

---

40. Saint François de Sales en nous parlant de la consommation de notre
union à Dieu par l'amour et de la mort de notre volonté propre prend
grand soin de sauvegarder l'inaliénable privilège de notre liberté, et le
caractère « volontaire » de cette perfection de l'abandon. Sinon, c'est la
porte ouverte au fatalisme ou même au panthéisme. Sainte Catherine de
Gênes a elle aussi des pages extrêmement nettes sur ce point délicat :
« cette union bienheureuse, c'est Dieu qui l'opère ; il demande qu'elle
soit libre, franche, amoureuse, qu'elle s'effectue dans nos âmes par la
délicieuse onction de sa charité... Dieu n'exerce pas de contrainte ; l'homme
garde son indépendance, mais s'il consent à l'aliéner... Il montera presque
sans effort à la perfection ». Mais précisément en quoi consiste cette
« aliénation » ? « O volonté, ô libre arbitre de l'homme, s'écrie-t-elle, mes
paroles s'adressent à toi. Te fais-tu l'idée des merveilles que tu pourrais
accomplir, si tu ne voulais plus perpétuer l'orgueilleuse indépendance
d'Adam, qui nous a coûté si cher ? Efface-toi, ou plutôt sache t'assujettir
volontairement au bon plaisir divin. Dieu t'a laissé maître de ton sort... »
Cf., FLICHE, Op. cit., pp. 274-276. Il s'agit donc de s'assujettir volontairement, et cette soumission de la volonté propre exige un constant exercice
de notre volonté.

41. Œuvres, VI, pp. 22 s.

42. MARCEAU William, Le stoïcisme de saint François de Sales, thèse,
Université Laval, 1964, pp. 39 s.

nous enseigne qu'il faut unir tellement notre volonté à celle de Dieu que la sienne et la nôtre ne soient à proprement parler qu'un même vouloir et non-vouloir.

La volonté de Dieu, c'est ou la volonté signifiée, celle qui nous est connue d'avance, manifestée clairement et explicitement par « les commandements de Dieu et de l'Eglise, les conseils, les inspirations, les regles et les constitutions » [43], les vœux et les ordres des supérieurs ; ou « la volonté du bon plaisir de Dieu laquelle nous devons regarder en tous les evenemens, je veux dire en tout ce qui nous arrive : en la maladie, en la mort, en l'affliction, en la consolation, és choses adverses et prospères, bref en toutes choses qui ne sont point preveües » [44].

Se soumettre à la volonté de Dieu signifiée, ce n'est point abandon mais obéissance. Pourtant ce sont les événements qui dépendent du bon plaisir de Dieu, qui sont le champ propre à l'abandon. Et ce champ est immense. Car même là où la volonté signifiée intervient, il reste une place à l'abandon : « Il faut travailler avec zele au succes d'une entreprise qu'on regarde prudemment comme inspirée par Dieu et accepter ensuite paisiblement l'echec, si Dieu veut qu'il se produise » [45]. Mais il ne peut y avoir opposition entre la volonté de Dieu signifiée et sa volonté de bon plaisir. Elles concordent nécessairement.

S'il y a conflit apparent, c'est la première qui donne son sens à la seconde : « Car cette obeissance marche toujours devant », nous dit l'évêque de Genève [46]. Se résigner, au sens actuel du mot, n'est pas encore s'abandonner. Il faut, pour l'abandon, un don de soi plus généreux que l'acceptation quasi forcée, l'acquiescement presque contraint qui suppose délibération et hésitation.

Certains considèrent l'indifférence comme une vertu négative et comme un acheminement à l'abandon. Ainsi l'indifférence décrite dans la méditation fondamentale des *Exercices* de saint Ignace est certainement une disposition préliminaire à l'abandon : elle suppose la volonté humaine

43. *Œuvres*, VI, p. 265.
44. *Ibid.*, VI, p. 266.
45. *Ibid.*, V, p. 126.
46. *Ibid.*, VI, p. 264.

dans l'attente de la volonté divine, l'âme prête à s'élancer
là où elle apercevra le bon plaisir de Dieu ; mais l'indifférence n'a plus de raison d'être, une fois que la volonté
du bon plaisir de Dieu s'est manifestée. Or, selon saint
François, elle est si intimement liée à l'abandon qu'il l'appelle très couramment la « sainte indifference ». Dans le
deuxième *Entretien,* il la définit « une parfaite indifference
à recevoir toutes sortes d'evenemens, selon qu'ils arrivent
par l'ordre de la providence de Dieu... » [47].

Au Livre IX de l'*Amour de Dieu* qui traite « de l'amour
de soumission par lequel nostre volonté s'unit au bon
playsir de Dieu » il n'établit de distinction qu'entre la
résignation et l'indifférence. « La resignation prefere la
volonté de Dieu a toutes choses, mais elle ne laisse pas
d'aimer beaucoup d'autres choses outre la volonté de Dieu.
Or l'indifference est au-dessus de la resignation, car elle
n'ayme rien, sinon pour l'amour de la volonté de Dieu,
si que aucune chose ne touche le cœur indifferent en la
presence de la volonté de Dieu » [48]. Saint François de
Sales n'oppose point la sainte indifférence à l'abandonnement, il identifie seulement l'abandon à l'indifférence parfaite.

L'indifférence ou l'abandon tel qu'il l'entend est l'équilibre parfait de l'âme dans l'attente de la manifestation
des ordres divins ; elle ne peut donc s'exercer que dans les
choses où la volonté de Dieu n'est pas exprimée sous quelque forme que ce soit. L'indifférence devient alors un
acquiescement joyeux, une obéissance amoureuse et em-
pressée.

Cet abandon, cette attente confiante chez saint François
est une attente heureuse, une confiance en celui qui est le
responsable de notre sort. Autrement dit, il est une
attente confiante de l'action de « la divine Bonté » ou de
la providence. Cette confiance est optimiste car elle se
fie à :

> ... la supreme Providence (qui) a establie en la multitude
> innombrable de ces intelligences celestes et des per-
> sonnes humaines, esquelles est si admirablement exercee

47. *Ibid.,* VI, p. 23.
48. *Ibid.,* V, pp. 119 s.

la justice et misericorde divine ; et nous ne pourrons nous contenir de chanter avec une joye pleine de respect et de crainte amoureuse :

J'ay pour object de mon cantique
La justice et le jugement ;
Je vous consacre ma musique
O Dieu tout juste et tout clement [49].

Theotime, nous devons avoir une extreme complaysance de voir comme Dieu exerce sa misericorde par tant de diverses faveurs qu'il distribue aux Anges et aux hommes, au Ciel et en la terre, et comme il prattique sa justice par une infinie varieté de peynes et chastimens ; car sa justice et sa misericorde sont egalement aymables et admirables en elles mesmes, puisque l'une et l'autre ne sont autre chose qu'une mesme tres unique Bonté et Divinité [50].

Saint François met l'accent sur la miséricorde, la bonté et l'amour de Dieu à qui l'humain doit s'abandonner. Il n'a pas peur de cette divinité qui va être bonne pour sa créature ; créature pour qui la grâce abondera et à qui elle ne manquera jamais. Ce Dieu munificent et bon ne délaissera jamais ici-bas le pécheur, si dépravé qu'il soit. Après une chute, Dieu l'attend et lui offre sa grâce. Au moment du jugement, on pourra compter sur la miséricorde de celui qui l'aime.

La vertu d'indifférence s'allie donc parfaitement à cette attitude de confiance, de virilité et de hardiesse dans la conduite de la vie. Bien plus, l'indifférence exige cette vertu de force, car il faut bien que la volonté soit maîtresse en nous pour soumettre tout l'homme à l'accomplissement constant et paisible du bon plaisir divin. Saint François de Sales, le premier, est, quoi qu'on en ait dit, un magnifique exemple de cette énergie au service de l'abandon ou de l'indifférence.

Mais, s'il en est ainsi, il semble à tout le moins logique de reconnaître à la volonté, et à son œuvre de maîtrise de nous-mêmes, une place de premier plan dans la spiritualité salésienne. Nous développerons cette idée dans notre quatrième chapitre. Mais il faut comprendre tout de suite, au moment où nous considérons cette vertu de l'indifférence,

49. Ps., C, I.
50. Œuvres, V, p. 110.

que l'importance de la volonté pour saint François n'est pas sans danger. La doctrine de François de Sales est toute d'équilibre et de mesure, et l'on ne peut se permettre de forcer sa pensée sans risquer aussitôt de la fausser. Certains auteurs ont cru pouvoir le faire, et c'est ainsi que le livre de Francis Vincent : *Saint François de Sales, Directeur d'âmes* [51], porte ce sous-titre significatif : l'*Éducation de la volonté*. Dans son premier chapitre il étudie l'*Optimisme de saint François de Sales*. Ce chapitre est excellent. Mais son second chapitre intitulé *Le moralisme de saint François de Sales*, soulève une sérieuse difficulté : comment concilier la culture des valeurs humaines, avec l'oubli de soi et le pur amour de Dieu que postule la vertu de l'abandon si importante à la spiritualité salésienne ? Il nous semble nécessaire de défendre la doctrine salésienne contre tout excès de passivité et en même temps de la garantir contre toute exagération inverse.

Pour comprendre la spiritualité de François de Sales, notre premier soin est d'affirmer que la doctrine salésienne est authentiquement une doctrine de l'amour pur. Pour y arriver, nous essayons de montrer que les sources de la doctrine de saint François contiennent, elles aussi, cette notion de l'amour pur (bien qu'elle ne soit pas définie en fonction des grâces mystiques de la vie contemplative). Mais il importe aussi de dégager cette théorie de l'amour de toute interprétation quiétiste, en précisant comment notre saint conçoit le désintéressement de l'amour et le rôle que joue la volonté dans la vie spirituelle. L'indifférence salésienne est un amour pur ; elle nous élève à la perfection de la charité et de l'union à Dieu. C'est là son objet propre ; et tout autre caractère qu'on lui reconnaîtrait ne peut être que subordonné.

C'est pourquoi nous croyons devoir repousser toute interprétation « moraliste » de la sainteté salésienne et chercher dans une autre direction le sens profond de cette attitude spirituelle. Or le secret de saint François de Sales n'est-il pas de surmonter par la perfection de l'indifférence ou l'abandon la dualité des voies traditionnelles de la vie

51. VINCENT F., *Saint François de Sales, Directeur d'âmes*, Beauchesne, Paris, 1926.

active et de la vie contemplative ? Et qu'est-ce qui pourrait
être plus heureux que d'arriver à un tel degré de perfection où nous pourrions nous abandonner parfaitement
à celui qui est la bonté même ? Quel amour et quelle
confiance se montrent dans une telle attitude d'anéantissement de soi ! Cet optimisme authentiquement spirituel,
n'est-il pas supérieur à celui qui ambitionne les récompen-
ses d'un amour intéressé ? Ce n'est qu'à travers une vie
véritablement spirituelle, telle que celle de saint François, qu'on peut arriver à un tel degré de perfection chrétienne.

En prenant pour objet de son étude saint François de
Sales, directeur d'âmes, F. Vincent a volontairement considéré la doctrine salésienne sous l'angle psychologique.
Lui-même a précisé en ces termes le but qu'il poursuit :
« Ce ne peut être ici notre dessein de faire l'anatomie,
l'analyse entière de ses théories de l'amour. Nous n'avons
à étudier sa doctrine que dans sa liaison avec la conduite
de la vie. Retenons seulement, pour nous guider dans cette
voie, que la volonté, au sentiment de notre saint, est en
nous le principe générateur de l'ordre et que cette volonté
se décide par un mobile unique, l'Amour » [52]. Cette intention est parfaitement légitime jusqu'à un certain point ;
il est à craindre pourtant qu'elle n'ait entraîné l'auteur à
une erreur de perspective : soucieux de montrer en saint
François de Sales un éducateur de la volonté, il semble
méconnaître le véritable caractère et la portée réelle de
cette doctrine de l'abandon dans la pensée salésienne.
D'ailleurs il ne consacre explicitement à cette question que
quelques pages, à titre de 3e corollaire de sa thèse sur l'efficacité de l'amour de Dieu dans la formation chrétienne [53].
Pour F. Vincent : « ce que saint François de Sales appelle
la sainte indifférence est la plus haute expression de la
volonté libre... Le chef-d'œuvre de la volonté, c'est cette
abnégation toute nue du vouloir divin, acceptation sans
prestige, dépourvue de tous ces excitants ou anesthésiques

52. VINCENT F., *Op. cit.*, pp. 167 s.
53. Cette thèse de F. Vincent a été l'objet de critiques véhémentes de la
part d'Henri Bremond. L'outrance et la désinvolture de ces critiques
déconsidéraient la thèse qu'elles servaient. Cf. BREMOND H., *Op. cit.*, VII,
pp. 26 s.

que sont l'amour-propre, l'émulation, la mode, l'instinct de liberté. Seule, l'acceptation fait cette merveille : nous arracher à nous-mêmes » [54].

Erreur de perspective, disons-nous. En effet, en se plaçant à ce point de vue, M. Vincent reste constamment à côté du problème essentiel de la spiritualité salésienne. Ce qui intéresse saint François de Sales, ce n'est nullement « le chef-d'œuvre de la volonté » réalisé par la pratique de l'indifférence, mais c'est d'arriver par l'immolation de notre volonté propre à honorer et à aimer parfaitement le seul vouloir de Dieu « pour sa souveraine et infinie bonté, dit-il, comme Dieu et selon qu'il est Dieu » [55]. L'attitude de saint François de Sales, en toute cette question, est une attitude d'adoration et de respect souverain pour ce Dieu saint dont la volonté doit être aimée pour son excellence même, dans un oubli total, non seulement de nos préférences, mais de nous-mêmes. Son idéal est d'être, en toutes ses actions, pensées, désirs, totalement consacré et pour toujours au grand office de l'amour divin. L'âme parfaite, selon notre saint, est celle qui, comme l'Enfant-Jésus aux bras de sa mère, a remis à Dieu tout le soin de vouloir pour elle, et se quittant elle-même pour ainsi dire, a fixé ses regards sur Dieu non pas tant pour le remercier de son action bienfaisante à son égard, que pour le louer, le bénir et l'aimer à cause de sa très sainte et très adorable perfection. Si le mot *contemplation* ne risquait de faire oublier que pour l'évêque de Genève l'amour n'existe pas hors de l'action quotidienne, on pourrait parler du caractère contemplatif de la perfection salésienne.

C'est pourquoi M. Vincent nous paraît s'être éloigné de la vraie pensée du saint, quand il écrit par exemple : « se renoncer, c'est être à soi, c'est arracher son moi aux fatalités inférieures et instinctives qui le tyrannisent, c'est se libérer du caprice. Etouffer ses aveugles fantaisies, c'est assurer sa personnalité, c'est établir en soi la magistrature de la volonté, d'une volonté ajustée à celle de Dieu » [56]. Et plus loin l'« Accepter, ce n'est donc pas s'abandonner,

54. VINCENT F., *Op. cit.*, p. 210.
55. *Œuvres*, V, p. 175.
56. VINCENT F., *Op. cit.*, p. 212.

c'est se prendre en mains, si l'on peut dire, et par un effort
de virile adhésion s'adapter à l'ordre fixé par Dieu. C'est
par un constant appel à la volonté que saint François de
Sales nous conduit à la sainte indifférence » [57].

Sans doute ces affirmations seraient-elles à la rigueur
susceptible d'une exacte interprétation, bien qu'elles son-
nent faux à l'oreille d'un lecteur du *Traité de l'Amour de
Dieu*; mais précisément c'est sur le fond même du problème, sur l'orientation profonde de la spiritualité salésienne
que Francis Vincent semble s'être mépris.

L'Ecole espagnole et sainte Thérèse d'Avila

Du sol de l'Italie, un même appel à l'amour héroïque a
jailli, de siècle en siècle, vers Dieu et vers le monde chrétien - saint Gaétan, saint François d'Assise, sainte Catherine
de Gênes et sainte Catherine de Sienne en furent de vivants
témoins.

Saint François de Sales en recueille pieusement l'écho.
Comme son saint patron, il chante à son tour l'amour divin
et nous savons que par sa voix, c'est encore l'appel de
tous ces hérauts de Dieu, qui parvient jusqu'à nous. Mais
toutefois que l'influence déterminante des mystiques de
l'école italienne ne nous fasse pas oublier la profonde
affinité spirituelle qui unit le saint évêque à la Bienheureuse Mère Thérèse. Le message que, du fond de la catholique Espagne, la vierge d'Avila nous adresse ne diffère
sans doute pas dans sa substance de ceux que nous avons
déjà étudiés; mais la place privilégiée que saint François
de Sales accorde dans son œuvre à la grande mystique du
Carmel nous oblige à lui consacrer ici quelques pages.

Dans le *Traité de l'Amour de Dieu* aucun auteur spirituel
n'est aussi souvent nommé que sainte Thérèse dont François cite tous les grands ouvrages ; fréquemment aussi dans
ses lettres il en recommande la lecture [58]. Au surplus, n'est-

---

57. *Ibid.*, p. 213.
58. Ainsi, à la Baronne de Chantal le 1ᵉʳ novembre 1604 : « Je désire que
vous voyes le chapitre 41 du *Chemin de la Perfection de la Bienheureuse
Sainte Thérèse* ; car il vous aidera à bien entendre le mot que je vous ai
dit si souvent, qu'il ne faut point trop pointiller en l'exercice des vertus,

il pas significatif de voir comment dans la Préface du
Traité, saint François de Sales détache son nom de tous
ceux des auteurs dont il invoque l'autorité, comme pour
donner plus de poids à son témoignage ; après avoir indiqué ses sources, il ajoute en effet : « Mays en fin, la bienheureuse Therese de Jesus a si bien escrit des mouvemens
sacrés de la dilection, en tous les livres qu'elle a laissés,
qu'on est ravi de voir tant d'eloquence en une si grande
humilité, tant de fermeté d'esprit en une si grande simplicité ; et sa très sçavante ignorance fait paroistre très igno-
rante la science de plusieurs gens de lettres, qui, après un
grand tracas d'estude, se voyent honteux de n'entendre
pas ce qu'elle escrit si heureusement de la prattique du
saint amour » [59].

Nous découvrons en même temps dans ces lignes ce qui
a conquis saint François de Sales dans l'enseignement de
la Mère Thérèse : c'est la profondeur et la simplicité conjuguées ! Lui qui condamne si souvent dans ses lettres la
complication de tous ces « livres fort obscurs et qui che-
minent par la cime des montagnes » [60], lui qui, dans sa Préface, avoue qu'il n'entend pas toujours la doctrine de ces
auteurs subtils, il goûte au contraire l'aisance avec laquelle
sainte Thérèse nous expose les plus profonds mystères de
la vie surnaturelle. Dans ses œuvres, il trouve cette « bonne
et aimable clarté » qu'il cherchait lui-même à répandre « es

mais qu'il faut y aller rondement, franchement, naïvement, à la vieille
française, avec liberté, à la bonne foi, grosso modo » (XIII, p. 392) - ou
encore à Madame Bourgeois, l'Abbesse du Puits-d'Orbe, en avril 1605 :
« Quant a l'humilité, je n'en veux guère dire... Lisés bien ce que la Mère
Thérèse en dit au *Chemin de la Perfection* » (XIII, p. 31).

59. *Œuvres*, IV, p. 7. Ce n'est qu'en 1614, deux ans avant la publication
du *Traité* (qui était alors déjà en chantier depuis plusieurs années) que
Paul V béatifia la sainte réformatrice ; mais ses œuvres étaient déjà
connues et commentées depuis longtemps en France, comme dans toute
l'Europe. Traduites en français dès 1590, huit ans après la mort de la
sainte, par M. de Brétigny, elles furent revues et publiées de nouveau
en 1601 par Dom de Cheure, Prieur de la Chartreuse de Bourgfontaine.

60. Certains étaient alors répandus dans le monde religieux tels *La
perle évangélique*, *L'abrégé de la perfection* et *La méthode de servir Dieu*
du Père Alphonse de Madrid. L'aridité des raisonnements, les divisions
et subdivisions de ces traités les compliquaient au point d'en bannir
l'onction et d'en rendre la lecture trop difficile. « Le livre de la *Méthode
de servir Dieu* est bon, dit-il, par exemple à sainte Chantal, mais embar-
rassé et difficile le plus qu'il ne vous est requis » (Cf., *Œuvres*, IV, p. ix).

endroitz les plus malaysés » de son *Traité* [61], et manifes-
tement il s'y complaît. « Chez elle, écrit Dom Mackey, ce
qu'il y a de plus élémentaire côtoie ce qu'il y a de plus
sublime ; les humbles vertus et les hautes contemplations
se combinent mutuellement et ne s'excluent jamais. Tel
fut aussi le grand mérite de saint François de Sales : se
tenir constamment éloigné des extrêmes, demeurer dans
un juste milieu que n'enhardit pas la présomption et ne
décourage pas la faiblesse. On ne s'étonne donc pas si
après de profondes études et des recherches assidues, notre
Saint ne trouve aucune doctrine mystique plus sûre, plus
complète et qui réponde autant à ses attraits intérieurs
que celle de la Bienheureuse Mère Thérèse. C'est pourquoi, se proposant de « representer naifvement et simplement l'histoire de l'amour divin », il n'a garde de prendre
un autre guide » [62].

C'est donc d'abord une influence d'ordre général qu'exerce sainte Thérèse sur notre auteur. A la fréquenter, saint
François de Sales s'est affermi dans la conviction qu'il est
possible d'exposer à la pure lumière de la théologie catholique les plus sublimes activités de l'amour divin en notre
âme, et partant de proposer à tout chrétien un idéal à la
fois authentique et accessible à la sainteté. « La grande
école dont sainte Thérèse est la gloire, observe Dom
Mackey, eut, en effet, le double mérite de populariser,
si l'on peut ainsi dire, la science de la vie spirituelle, et
celui d'asseoir les fondements de cette science sur les bases
inébranlables de la foi et de l'enseignement théologique » [63].
Sainte Thérèse, comme saint François de Sales, en ouvrant
à tous, les sanctuaires de la vie intérieure, n'y introdui-
saient leurs disciples que par la voie sûre et lumineuse
de la foi aux dogmes fondamentaux de la religion ; ils
comprenaient l'un et l'autre combien il était nécessaire que,

---

61. Cf., *Ibid.*, IV, p. 13. C'est par contraste avec cette clarté si souhai-
table qu'il ajoute : « Et certes, comme je n'ai pas voulu suivre ceux qui
méprisent certains livres qui traitent d'une vie suréminente en perfection,
aussi n'ai-je pas voulu parler de cette suréminence ; car ni je ne puis
censurer les auteurs, ni autoriser les censeurs d'une doctrine que je
n'entends pas ». Sans doute s'agit-il ici des maîtres de la mystique fla-
mande, particulièrement de Ruysbroeck l'Admirable.

62. *Œuvres*, IV, p. LIV.

63. *Ibid.*, IV, p. XXXXI.

face aux attaques du protestantisme, les auteurs spirituels
témoignent d'une connaissance rigoureuse de la doctrine
et montrent au peuple chrétien la splendide fécondité de
cette doctrine dans l'ordre de la sainteté.

Mais il faut dépasser cette première forme de l'influence
de sainte Thérèse sur la pensée de notre saint, et serrer
de plus près les modalités propres de cette action. Ce qu'un
examen rapide des textes nous révèle alors aussitôt, c'est
que François s'est visiblement inspiré de son enseignement pour rédiger les Livres VI et VII du *Traité*, concernant l'oraison [64]. La discussion de ces textes nous éclairera
et nous dictera nos conclusions.

L'auteur du *Traité*, après avoir défini au Chapitre 1er du
VIe Livre ce qu'est l'oraison en théologie mystique, traite
successivement (ch. II à VI) de ses deux degrés : la méditation et la contemplation. C'est alors qu'il en vient à parler
des formes supérieures de l'oraison, et aussitôt le voici à
l'école de sainte Thérèse. Le Chapitre VII : *Du recueillement amoureux de l'âme en la contemplation* est inspiré du
Livre des Demeures (4e demeure, ch. III) au point que son
début reproduit presque textuellement l'exposé de la
Sainte [65]. Au chapitre suivant, il nous décrit le *Repos de*

64. A part trois exceptions, toutes les citations de sainte Thérèse
appartiennent à ces deux livres, et surtout les chapitres VII à XV du
VIe Livre qui décrivent les formes les plus hautes de la vie d'oraison :
recueillement, quiétude, écoulement de l'âme en Dieu, blessure d'amour, etc.

65. Ainsi saint François de Sales commence par cette mise en garde :
« Je ne parle pas icy, Theotime, du recueillement par lequel ceux qui
veulent prier se mettant en la presence de Dieu, rentrans en eux mesmes,
et retirans par maniere de dire, leur ame dedans leur cœur pour parler
a Dieu ; car ce recueillement se fait par le commandement de l'amour...
Nous faysons nous mesmes ce retirement de notre esprit. Mais le recueillement duquel j'entens de parler... nous ne le faysons pas nous mesmes
par election, d'autant qu'il n'est pas en nostre pouvoir de l'avoir quand
nous voulons, et ne depend pas de notre soin, mays Dieu le fait en
nous, quand il luy plait, par sa tressainte grace » (IV, p. 326). Or, sainte
Thérèse commençait dans les mêmes termes l'exposé de ce mode d'oraison : ce recueillement « ne consiste pas à être dans l'obscurité, ni à
fermer les yeux ; il ne dépend pas d'une chose extérieure... Quoiqu'il n'y
ait pas la moindre industrie de notre part, l'âme construit, à mon avis,
l'édifice qui la prépare à l'oraison dont j'ai parlé... N'allez pas croire
cependant que vous l'obtiendrez à l'aide de l'entendement en considérant
que Dieu est au dedans de vous, ou « à l'aide de l'imagination, en vous le
représentant en vous... Ce n'est point là le recueillement dont je parle ;
il est d'une toute autre sorte ». (*Le château de l'âme* - Trad. du père Grégoire de St-Joseph, Paris, Ed. de la *Vie Spirituelle*, pp. 113-115). Saint

l'ame recueillie en son Bienaymé, et tient à se référer encore à l'autorité de la grande mystique : « Et c'est cet
aymable repos, observait-il, que la bienheureuse vierge
d'Avila appelle orayson de quietude », non guere differente
de ce qu'elle mesme nomme « sommeil des puissances »,
si toutefois je l'entens bien » [66]. Poursuivons notre lecture. Le Chapitre ix précise l'enseignement du précédent :
« N'aves vous jamais pris garde, Theotime, a l'ardeur avec
laquelle les petitz enfans s'attachent quelquefois au tetin
de leurs meres quand ilz ont faim ?... » C'est par cette
aimable comparaison que commence ce chapitre ; saint
François de Sales la développe d'ailleurs avec complaisance, mais, comme pour se justifier de son insistance, il
termine par ces mots : « La bienheureuse Mere Therese
ayant escrit qu'elle treuvoit cette similitude a propos, je
l'ay ainsy voulu declairer » [67]. Quelle remarque révélatrice
de l'attitude d'esprit de saint François de Sales !... Défé-
rence sans doute, mais plus encore, reconnaissance loyale
d'une compétence supérieure et de la confiance que l'on
doit donc avoir en son jugement.

La suite du VIe Livre nous apporterait de nouveaux

François de Sales donne ensuite, à l'exemple de sainte Thérèse l'image
du hérisson ou de la tortue qui rentrent en eux-mêmes « hormis, dit-il,
que ces bestes se retirent au dedans d'elles mesmes quand elles veulent,
mais le recueillement ne gist pas en notre volonté, ains il nous advient
quand il plait a Dieu de nous faire cette grace » (p. 326). Ce sont-là les
propres expressions de sainte Thérèse : « Toutefois, remarquait-elle, ne
l'ignorons pas, ces animaux rentrant en eux-mêmes quand ils veulent
tandis que le recueillement surnaturel n'a pas lieu quand nous le voulons,
mais seulement quand il plaît à Dieu de nous le donner ». (*Op. cit.*, p. 116).

66. *Ibid.*, IV, p. 330.

67. *Ibid.*, IV, p. 333, et *Chemin de la Perfection*. La comparaison des
deux textes est bien intéressante. Sainte Thérèse s'était contentée d'écrire :
« l'âme est alors comme l'enfant à la mamelle qui, reposant sur le sein
de sa mère, reçoit sans avoir besoin de têter le lait que celle-ci lui fait
couler dans la bouche pour le régaler. Voilà l'image de ce qui se passe
ici ». Elle n'insiste pas, tandis que notre auteur se complaît à décrire
avec moins de sobriété « cette pauvre petite pouponne » qui s'endort, se
réveille et pleure amèrement. Néanmoins le sens de la comparaison est
le même : « la volonté est occupée à aimer sans le moindre travail de
l'entendement », observait sainte Thérèse. L'âme ne doit pas chercher
« à comprendre comment elle en jouit ni ce qu'est cette faveur dont elle
jouit ». Et saint François de Sales : « l'âme qui est en repos et quietude
devant Dieu... suce presque insensiblement la douceur de cette presence,
sans discourir, sans operer et sans faire chose quelconque par aucune
de ses facultés, sinon par la seule pointe de la volonté ».

témoignages en ce sens [68], mais ces quelques traits peuvent nous suffire puisque nous ne poursuivrons pas ici une étude de la doctrine salésienne de l'oraison. Précisons toutefois que s'il est évident que saint François de Sales a mis à profit les merveilleuses analyses de sainte Thérèse, il est non moins certain que notre auteur n'exploite jamais servilement ses sources : il les fait servir à son propre dessein. Or, le saint évêque n'a jamais eu l'intention, dans ces deux Livres VI et VII du *Traité*, de faire un exposé complet et minutieux des divers états d'oraison ; il décrit plutôt à larges traits les principales étapes possibles de notre oraison : de la méditation au ravissement ; soucieux d'en bien marquer le caractère essentiel, il abonde en exemples tirés de l'écriture et de la vie des saints, mais il s'attarde peu à ces digressions pleines de finesse et d'expérience qui font le charme des écrits de sainte Thérèse, quoique nous en retrouvions d'ailleurs dans la correspondance et les entretiens de l'évêque [69]. Ainsi la classification des degrés d'oraison n'est exactement ni celle du *Livre des demeures,* ni celle de la *Vie* par elle-même [70], et l'insistance qu'il met à présenter toujours ces états spirituels en fonction de l'amour divin, insistance qui s'explique sans doute par le dessein général de l'auteur, n'en confère pas moins à son étude une tonalité spécifiquement salésienne.

68. *Ibid.,* pp. 337, 346, 355, 358.

69. Dans le manuscrit de la première rédaction, saint François de Sales écrivait par exemple à propos des marques de l'extase surnaturelle : « On apporte plusieurs marques des vraies extases que la Bienheureuse Mere Therese deduit en ses livres, et le P. Ribera... le P. Rossignol Rutilius Benzonius... (et il donne la référence exacte pour chacun d'eux)... Mays pour moy, il me suffira de vous en proposer deux principales marques, de la vraye extase divine » (V, p. 447). Et encore se réduisent-elles à cette idée très simple : la véritable extase ne doit pas tant satisfaire notre curiosité qu'accroître en nos cœurs l'amour affectif et dans nos actes l'amour effectif de Dieu.

70. Signalons entre autres sa classification des trois sortes d'extases : celles de l'entendement, celle de la volonté ou de l'affection, et enfin « l'extase de l'œuvre et de la vie, extase toute sainte, toute aimable et qui couronne les deux autres ». On sent bien qu'il est plus à son aise pour nous parler de cette troisième forme qui n'est autre que le mode propre de sainteté qu'il nous proposera dans les livres suivants du *Traité* : la fidélité à l'amour divin nous arrache en effet à nous-mêmes et nous porte au-dessus de la « Vie civile, honnête et chrétienne » jusqu'à une « vie suhumaine, spirituelle, dévote et extatique... extase perpétuelle d'action et d'operation ». Cf. V, p. 21, et surtout pp. 27 s.

Pour importante que soit cette question de l'oraison, du point de vue de la possibilité du progrès spirituel, ce serait pourtant restreindre curieusement l'influence de sainte Thérèse que de nous borner à ces conclusions. Par la fréquentation de ses œuvres, saint François de Sales s'est pénétré de son esprit ; à travers ses descriptions d'états mystiques, il a recueilli une conception de la vie spirituelle, et ce sont les affinités profondes de ces deux âmes qu'il nous faut maintenant dégager.

L'amour consiste plus à donner qu'à recevoir : toute la doctrine de la grande mystique tient en ces quelques mots. Sans doute est-elle possédée du désir d'entrer par l'oraison dans l'intimité du Seigneur et de boire cette eau vive dont la source est l'union mystique, mais, enseigne-t-elle, la vraie perfection de l'âme n'est pas là : elle consiste dans le don total de soi-même à Dieu : « Il est évident que la souveraine perfection ne consiste pas dans les joies intérieures, ni dans les grandes extases, ni dans les visions, ni dans l'esprit de prophétie. Elle consiste à rendre notre volonté tellement conforme à celle de Dieu que nous embrassions de tout cœur ce que nous croyons voulu par lui, et que nous acceptions avec la même allégresse ce qui est amer et ce qui est doux, dès que nous comprenons que Sa Majesté le veut » [71].

Si tel est l'idéal de perfection que la sainte nous propose, comment en concevoir le rapport avec les grâces supérieures d'oraison auxquelles la grande mystique nous presse de nous disposer ? Ces dons gratuits de Dieu, répond-elle, doivent nous rendre capable d'aimer et de donner toujours plus. Hélas, « nous nous estimons à un si haut prix ! Nous sommes si lents à faire à Dieu le don absolu de nous-mêmes que nous n'en finissons plus de nous préparer à cette grâce... Nous n'en finissons jamais de faire à Dieu le don absolu de nous-mêmes, reprend-elle plus loin. Aussi il ne nous donne pas tout d'un coup un tel trésor » [72]. Mais, au contraire « si nous sommes véritablement humbles et

---

71. *Fondations*, chap. v, *Op. cit.*, VI, pp. 81-82. (Cf. ci-dessus, p. 150, note 59.) « La vraie disposition pour nous, dit-elle ailleurs, n'est pas de désirer les goûts spirituels, mais d'aspirer sincèrement à souffrir et à devenir conformes à Jésus ». (*Château*, Demeure IV, p. III.)

72. *Vie, Op. cit.*, I, pp. 172-174. (Cf., ci-dessus, p. 150, note 59.)

détachés, dit-elle à ses sœurs, si, je le répète, notre détachement est absolu, le Seigneur ne manquera pas de nous
accorder cette faveur et beaucoup d'autres encore que nous
ne saurions désirer » [73]. Telle est donc la solution nuancée
de la sainte : l'un de ses fils spirituels la résume en ces
termes : « La contemplation n'est pas nécessaire à la sainteté, mais elle est un puissant moyen de sanctification.
Gratifiés de la contemplation, nous avons plus que le strict
nécessaire pour atteindre la perfection, nous sommes nourris avec une munificence qui nous fait cheminer plus vite
dans la voie de la sainteté. C'est pourquoi la contemplation
mystique peut s'appeler un « raccourci » et pour la même
raison elle reste un don gratuit de Dieu, un don que l'on
ne peut proprement mériter... Mais Dieu qui est la Miséricorde même est très enclin à nous donner cette surabondance, pourvu que nous nous disposions convenablement
à la recevoir... par l'abnégation parfaite de nous-mêmes
et le recueillement continuel » [74].

Ces précisions étaient nécessaires pour dissiper toute
équivoque et mieux comprendre la proximité spirituelle
de nos deux saints. Sainte Thérèse parle beaucoup dans
ses écrits de grâces d'oraison, elle en célèbre l'inexprimable
valeur, mais l'idéal demeure toujours l'union de conformité
par l'adhésion totale de notre volonté à celle de Dieu. Si
elle insiste constamment sur l'humilité et sur la mort de
la volonté propre, c'est donc à la fois pour nous faire
progresser dans la voie authentique de la sainteté, et pour
nous préparer aux dons gratuits de la contemplation qui
nous feraient avancer à pas de géants dans cette même
voie [75]. Saint François de Sales, pasteur et directeur de

73. *Château*, Demeure IV, chap. III. (*Op. cit.*, VIII, p. 112.)
74. Père Gabriel de Sainte Marie-Madeleine, *Sainte Thérèse de Jésus,
Maîtresse de vie spirituelle*, Paris, Desclée, p. 67.
75. Dans le *Livre des Demeures*, elle définit clairement cette position :
« Dieu, qui est tout puissant, a beaucoup de moyens pour enrichir les
âmes et les introduire dans ces demeures, sans les faire passer par ce
chemin raccourci dont il a été question. Toutefois, mes filles, sachez bien
que ce ver mystique (notre nature) doit mourir et qu'il nous en coûtera
alors beaucoup plus. Dans l'autre union, (de contemplation) l'âme éprouve
tant de joie de la vie nouvelle à laquelle elle est passée, qu'elle se trouve
puissamment aidée pour faire mourir ce ver. Mais, dans celle-ci, il faut
que l'âme tout en vivant de sa vie ordinaire, lui donne elle-même la mort.
Je vous avoue que le travail sera beauucoup plus pénible mais par ailleurs

conscience, se soucie plus volontiers d'enseigner « l'extase
de l'œuvre et de la vie » que de décrire les états supérieurs
de la vie d'oraison qui relèvent de grâces exceptionnelles
et ne sont pas indispensables pour acquérir la sainteté.
Mais pour lui comme pour sainte Thérèse, la sainteté,
c'est la parfaite conformité de notre vouloir au vouloir
divin, c'est la mort de notre volonté propre, c'est l'entière
indifférence de ces âmes « qui entre toutes sortes d'acci-
dens tiennent tous-jours leur attention et affection sur la
Bonté eternelle pour l'honnorer et cherir a jamais ! » [76].
Nous connaissons déjà l'enseignement du IXe Livre du
Traité. Ecoutons sainte Thérèse : la perfection « consiste
à unir notre âme d'une manière si étroite à la volonté de
Dieu, qu'il n'y ait aucune division entre Lui et elle. Il
n'y a plus qu'une seule et même volonté, manifestée non
par des paroles ou des désirs seulement, mais par des
œuvres » [77]. « Désormais l'âme ne veut rien posséder en
propre, mais s'abandonner entièrement à ce que le Seigneur jugera conforme à sa gloire et à sa volonté » [78].
C'est à chaque page que nous recueillons ces affirmations
essentielles, mais remarquons deux choses : pour sainte
Thérèse, comme pour saint François de Sales, cette conformité doit avant tout se manifester par des œuvres et,
ajoute sainte Thérèse, être sans cesse animée par l'amour.
« Ce sont des œuvres que le Seigneur demande de nous »,
répète-t-elle sans cesse... pratiquez la charité effective
à l'égard du prochain, « faites-le, non pas tant par amour
pour elle (une sœur malade) que par amour pour Dieu, qui
le veut, comme vous le savez. Telle est la véritable union
à la volonté » [79].

le prix en sera plus élevé et la récompense plus haute, si nous triomphons.
Il est impossible pour nous de douter de la victoire si notre volonté est
véritablement unie à celle de Dieu ». (*Château, Op. cit.*, VIII, p. 163.)

76. *Œuvres*, V, p. 156.
77. *Pensées, Op. cit.*, V, p. 58.
78. *Vie, Op. cit.*, I, p. 325.
79. *Château, Op. cit.*, VIII, p. 169. Quelques pages plus haut, elle insis-
tait déjà sur cette grande idée que c'est l'amour qui compte et non la
matérialité des actes : « Ne vous imaginez pas toutefois y être parvenus
(à la perfection) si votre conformité à la volonté de Dieu est telle que
vous n'éprouviez aucune douleur à la mort d'un père ou d'un frère, ou
que vous vous réjouissiez au milieu des épreuves et des maladies. Cette
disposition est bonne mais elle provient parfois de la prudence qui ne

Le progrès spirituel

Ces enseignements si forts et si précis de « la Bien-heureuse Mère Thérèse de Jésus, Vierge certes toute angé-lique » ont marqué profondément la spiritualité salésienne. Nous y retrouvons son optimisme spirituel, c'est-à-dire sa grande ambition de sainteté pour quiconque se livre à l'amour divin. En parlant de l'oraison de quiétude, elle dit :

> Il y a plusieurs ames lesquelles arrivent jusques a cet estat, et celles qui passent outre sont en bien petit nombre, et ne sçay qui en est la cause. Pour certain, la faute n'est pas de la part de Dieu, car, puisque sa divine Majesté nous ayde et fait cette grace que nous arrivions jusques a ce point, je croy qu'il ne manqueroit pas de nous en faire encore davantage, si ce n'estoit nostre faute et l'empeschement que nous y mettons de nostre part [80].

Et puis saint François ajoute : « Soyons donques atten-tifs, Theotime, a nostre avancement en l'amour que nous devons a Dieu, car celuy qu'il nous porte ne nous man-quera jamais [81]. Voici un élément essentiel dans la doc-trine de saint François : l'avancement spirituel ou le pro-grès spirituel. Nous nous arrêterons à cette notion si authentiquement salésienne. Elle joue foncièrement dans le système spirituel de saint François. C'est en approfon-dissant cette idée que nous comprendrons mieux aussi la clef de la sainteté salésienne : « Tout par amour, rien par force » [82].

Sans doute ce concept du progrès spirituel ne se trouve pas pour la première fois chez saint François. L'idée d'avancement, d'accroissement par degrés, se trouve déjà

---

pouvant rien contre ces maux, fait de nécessité vertu. Combien d'actions de cette sorte ou d'autres semblables n'ont pas été accomplies par les philosophes qui suivaient les lumières de leur science ! Dans le cas présent Dieu ne demande de nous que deux choses : que nous l'aimions et que nous aimions notre prochain. Voilà quel doit être le but de nos efforts. Si nous nous y conformons d'une manière parfaite, nous accom-plissons sa volonté et nous lui sommes unis... Plaise à Sa Majesté de nous donner Sa grâce, afin que nous méritions de parvenir, à cette perfection, car cela est en notre pouvoir, si nous le voulons » (*Ibid.*, pp. 165 s).

80. *Œuvres*, IV, p. 124.
81. *Ibid.*
82. *Ibid.*, XII, p. 359.

chez les anciens. Les stoïques et d'autres écoles anciennes
croyaient à l'avancement naturel et régulier de l'humanité
vers plus de connaissance et plus de bonheur ; à une transformation graduelle vers le mieux. La notion chrétienne
est aussi vieille que le christianisme lui-même. Pourtant
avec l'école italienne et l'école espagnole, cette idée prend
une nouvelle importance dans la spiritualité française du
XVIe et du XVIIe siècle : surtout chez saint François de
Sales. Il est encore plus marqué que la plupart de ses
précurseurs qui crurent au progrès spirituel.

Laurent Scupoli commence son *Combat Spirituel* en
disant :

> Enfant bien-aimé en Jésus-Christ, la plus grande et la
> plus noble entreprise qu'on puisse imaginer et dont on
> puisse parler, c'est assurément d'atteindre à la hauteur
> de la perfection et de s'approcher de Dieu, jusqu'à ne
> plus faire avec lui qu'un même esprit. Voulez-vous y
> arriver ? Sachez bien, d'abord, en quoi consiste la véri-
> table et parfaite vie spirituelle [83].

Nous y voyons bien la notion d'une lutte spirituelle qui
produit une transformation spirituelle. Son titre est bien
choisi. François de Sales enseigne ce progrès dans l'amour
lui aussi. Dans le *Traité* il écrit :

> Le sacré Concile de Trente nous asseure que « les amis
> de Dieu, allans de vertu en vertu, sont renouvellés de
> jour en jour, c'est a dire croissent par bonnes œuvres en
> la justice qu'ilz ont receüe par la grace divine, et sont
> de plus en plus justifiés, selon ces celestes advertisse-
> mens : Qui est juste, qu'il soit derechef justifié, » et qui
> est saint, qu'il soit encore plus sanctifié ; Ne doute point
> d'estre justifié jusques a le mort ; Le sentier des justes
> s'avance et croist, comme une lumiere resplendissante,
> jusques au jour parfait : Faisans la verité avec charité,
> croissons en tout en Celuy qui est le chef, a sçavoir Jesus
> Christ ; et, en fin, Je vous prie que vostre charité croisse
> de plus en plus : qui sont toutes paroles sacrees selon
> David, saint Jean, l'Ecclesiastique et saint Paul.
> Je n'ay jamais sceu qu'il se treuvast aucun animal qui
> n'eust point de bornes et limites en sa croissance, sinon
> le crocodile, qui estant extremement petit en son commen-
> cement, ne cesse jamais de croistre tandis qu'il est en
> vie ; en quoy il represente egalement et les bons et les

---

83. *Op. cit.*, p. 25.

mauvais ; car l'outrecuidance de ceux qui haïssent Dieu monte tous-jours, dit le grand roy David, et les bons croissent comme l'aube du jour, de splendeur en splendeur. Et de demeurer en un estat de consistance longuement, il est impossible ; qui ne gaigne, perd en ce traffiq ; qui ne monte, descend en cette eschelle ; qui n'est vainqueur, est vaincu en ce combat [84].

C'est donq Dieu qui fait cet accroissement, en consideration de l'employte que nous faysons de sa grace, selon qu'il est escrit : A celuy qui a, c'est a dire, qui employe bien les faveurs receües, on luy en donnera davantage, et il abondera. Ainsy se prattique l'exhortation du Sauveur : Amassés des thresors au Ciel ; comme s'il disoit : Adjoustés tous-jours des nouvelles bonnes œuvres aux precedentes, car se sont les pieces desquelles vos thresors doivent estre composés : le jeusne, l'orayson, l'aumosne. Or, comme au thresor du Temple, les deux petites pittes de la pauvre vefve furent estimees, et qu'en effect, par l'addition des petites pieces, les thresors s'aggrandissent et leur valeur s'augmente d'autant, ainsy les moindres petites bonnes œuvres, quoy que faites un peu laschement et non selon toute l'estendue des forces de la charité que l'on a, ne laissent pas d'estre aggreables a Dieu et d'avoir leur valeur aupres de luy : de sorte qu'encor que d'elles mesmes elles ne puissent pas causer aucun accroissement à l'amour precedent, estans de moindre vigueur que luy, la Providence divine toutefois, qui en tient compte et par sa bonté en fait estat, les recompense soudain de l'accroissement de la charité pour le present, et de l'assignation d'une plus grande gloire au Ciel pour l'advenir [85].

Toujours au sujet de cette idée du progrès spirituel le docteur écrit :

Jamais nos vertus n'ont leur juste stature et suffisance qu'elles ne produisent en nous des desirs de faire progres, qui, comme semences spirituelles, servent en la production de nouveaux degrés de vertus ; et me semble que la terre de nostre cœur a commandement de germer les plantes des vertus qui portent les fruitz des saintes œuvres, une chacune selon son genre, et qui ayt les semences des desirs et desseins de tous-jours multiplier et avancer en perfection : et la vertu qui n'a point la graine ou le pepin de ces desirs, elle n'est pas en la suffisance et maturité. « O donques, » dit saint Bernard au faineant, « tu ne veux pas t'avancer en la perfec-

84. Œuvres, IV, pp. 167 s.
85. Ibid., pp. 171 s.

tion ? Non. Et tu ne veux pas non plus empirer ? Non,
de vray. Et quoy donq ? tu ne veux estre ni pire ni meilleur ? Helas, pauvre homme, tu veux estre ce qui ne
peut estre. Rien voirement n'est stable ni ferme en ce
monde, mais de l'homme il en est dit encor plus parti-
culierement, que jamais il ne demeure en un estat » :
il faut donques qu'il s'avance ou qu'il retourne en
arriere [86].

Cette doctrine du progrès spirituel, si essentielle à la
spiritualité salésienne découle d'une conception de la bonté
de Dieu et des possibilités de ses créatures. Puisqu'elles
sont nées dans un état déchu, elles sont obligées de mener
une lutte spirituelle pour regagner leur créateur. Celui-ci
accordera toutes les grâces voulues à ceux qui luttent à
cause de leur amour pour celui qui reste la source d'elles-
mêmes et de tous leurs biens. Tout est possible à la divinité qui est la bonté même pour ses créatures qu'il veut
retrouver auprès de Lui. Voilà en somme le sens du combat
spirituel du chrétien, la raison d'être de son ascétisme.
La vie si « bellement » vécue de notre saint autant que
son œuvre manifestent cette doctrine.

Certaines conclusions, comme celles où nous conduisent
l'étude des grandes mystiques de Gênes, ou de Sienne,
sont certes substantielles, mais, avouons-le, elles ne laissent pas d'être quelque peu décevantes. Qu'il est difficile
de saisir et surtout d'exprimer une parenté spirituelle entre
deux grandes œuvres !... A vrai dire, ce qui nous a paru
probant, ce ne sont pas tant les contacts textuels qui,
réduits à eux-mêmes, témoignent plus d'un emprunt que
d'une influence profonde, que les thèmes essentiels de
l'enseignement spirituel, car ils ne peuvent qu'être communs à tous ces grands maîtres : tous ont parlé de l'amour
de Dieu et du prochain. A défaut de la découverte chez ces
auteurs mystiques d'une doctrine aussi précise que celle
du *Traité de l'Amour de Dieu*, ce que nous retenons de
cette longue analyse de leurs œuvres, c'est leur façon
commune et caractéristique de décrire le rôle de l'amour
dans l'œuvre de sainteté. L'amour divin (purificateur ou
miséricordieux, souffrant ou triomphant), cet amour lut-
tant victorieusement contre la volonté, nous arrachant à

86. *Ibid.*, V, pp. 82 s.

nous-mêmes, nous livrant au prochain et nous attachant à Dieu, cet amour nous sanctifiant par l'attrait irrésistible qu'il exerce sur notre cœur, cet amour, agent de notre sainteté et non pas seulement son terme ou son caractère, voilà ce qui, dans le message de ces grandes mystiques, nous est apparu comme authentiquement « salésien » et peut expliquer l'influence qu'elles ont exercée sur la spiritualité de notre saint docteur.

Saint Louis de Grenade

C'est ici qu'il faudrait achever ce chapitre pour nous en tenir au seul témoignage des mystiques, c'est-à-dire de ces saints qui nous ont livré, en même temps qu'une doctrine spirituelle, l'expérience exceptionnelle dont Dieu les a gratifiés.

Mais en parlant de l'école espagnole de spiritualité et de son influence sur saint François de Sales, nous ne pouvons taire le nom d'un auteur du XVIe siècle que notre saint tenait en très haute estime : Louis de Grenade. « Ce grand docteur de pieté, dit-il de lui dans la Préface du *Traité*, a mis un *Traitté de l'Amour de Dieu* dans son *Memorial* qu'il suffit de dire estre d'un si bon autheur pour le rendre recommandable » [87]. Le témoignage de ce savant dominicain, nature différente de celles que nous avons étudiées dans ce chapitre, mérite d'être relevé. D'une part il ne démentira d'ailleurs pas les conclusions auxquelles nous venons d'aboutir, d'autre part, sa doctrine nous aidera à voir d'autres aspects et sources de l'optimisme salésien.

Dans une lettre à l'Evêque nommé de Dol, datée de 1603, on relève ce magnifique éloge de l'œuvre de Louis de Grenade, donnant à son correspondant des conseils de lecture spirituelle :

> Ayés, je vous prie, lui mande-t-il, Grenade tout entier, et que ce soit vostre second breviaire ; le Cardinal Borromee n'avoit point d'autre theologie pour prescher que celle la, et neanmoins il preschoit tres bien. Mays ce n'est pas la son principal usage : c'est qu'il dressera

87. *Ibid.*, IV, pp. 5 s.

vostre esprit a l'amour de la vraye devotion et a tous les exercices spirituelz qui vous sont necessaires. Mon opinion seroit que vous commençassies a le lire par la grande *Guide des Pecheurs*, puis que vous passassies au *Memorial*, et enfin que vous le leussies tout. Mais pour le lire fructueusement, il ne le faut pas gourmander, ains le faut peser et priser, et, chapitre apres chapitre, le ruminer et appliquer a l'ame avec beaucoup de considerations et de prieres a Dieu. Il faut le lire avec reverence et devotion, comme un livre qui contient les plus utiles inspirations que l'ame peut recevoir d'en haut... [88].

Ces lignes écrites au début de l'épiscopat de saint François de Sales nous montrent à quel point et en quel sens il appréciait la doctrine de Grenade ; elles laissent aussi entrevoir le zèle avec lequel il se proposait de l'exploiter lui-même. Or toute sa correspondance témoigne pareillement de l'estime qu'il ne cessa d'avoir pour cet auteur ; vers la fin de sa vie, il écrivait encore au terme d'une lettre pleine de conseils sur l'abandon à la providence : « Vous treuveres tout ce que je vous ay dit, es troysiesme, quatriesme ou cinquiesme et dernier livres de l'*Amour de Dieu*. Vous treuveres beaucoup de choses a ce propos en la grande *Guides des pecheurs*, de Grenade » [89]. Rapprochement significatif : ainsi il donne lui-même à entendre qu'il s'est inspiré des écrits du dominicain pour rédiger les passages auxquels il fait allusion [90] mais, personnellement, ne s'était-il pas déjà nourri de son enseignement selon la méthode qu'il conseillait à l'évêque de Dol ?

Le *Traité de l'Amour de Dieu* de Grenade forme le VIIe Livre de son *Mémorial de la Vie Chrétienne*, mais il faut y adjoindre pour être complet le premier traité des *Additions au Mémorial* [91].

---

88. *Ibid.*, XII, pp. 189 s. Cf. aussi : *Ibid.*, pp. 320, 323, 393. Dans le même temps il disait à la présidente Brulart : « Prenez plaisir à lire les livres que Grenade â fait de l'oraison et méditation ; car il n'y en a point qui vous instruisent mieux, ni avec plus de mouvements ».
89. *Ibid.*, XVIII, pp. 211 s. Cf. XII, p. 351.
90. Cf. *Ibid.*, IV, L. III, ch. II et III, L. IV, ch. XI ; L. XII, ch. IX.
91. Les principales œuvres de Grenade sont l'*Introduction au Symbole*, la *Guide des Pécheurs* « où le chrétien apprend ce qu'il doit faire depuis sa conversion jusqu'à la fin de sa vie ». Le premier Livre de la *Guide* nous annonce-t-il dans la Préface « contiendra les grandes obligations que nous avons de suivre la vertu et les avantages inestimables qui l'accompagnent ». Le second « nous fera voir ensuite combien est heureuse la vie

Ce qui frappe tout d'abord à la lecture de ces pages, c'est le ton simple et « affectif » (dirait notre saint) avec lequel l'auteur nous parle de l'excellence de la charité et des moyens d'en acquérir la perfection. Beaucoup de citations des Pères, des anecdotes et en général un exposé clair de la doctrine spirituelle s'adressent tout autant au cœur qu'à l'intelligence. Voici par exemple, un hymne à la louange de Jésus-Christ que l'on pourrait croire de la plume de saint François de Sales :

> Qui ne vous louera donc, ô mon Seigneur ? qui sera assez dur pour ne pas vous aimer de tout son cœur ? Enflammez, ô Jésus, mon âme de votre amour, montrez-moi la beauté de votre face : que vos yeux rendent les miens bien-heureux, et ne refusez pas, ô parfait Amant, un baiser de paix à celui qui vous aime. Vous êtes l'Epoux de mon âme : C'est vous qu'elle cherche, et après lequel elle soupire. O Saint des Saints, vous ne la rejetterez pas après l'avoir délivrée de la mort par votre mort, et l'avoir blessée de votre amour. Pourquoi donc, misérable qu'elle est, ne ressent-elle point la douceur de votre présence ? Ecoutez-moi, mon Dieu et mon Sauveur ; donnez-moi un cœur qui vous aime, puisqu'il n'y a rien si doux, que de brûler toujours de votre amour [92].

qui est réglée par la vertu à quoi j'ajouterai les instructions nécessaires pour l'acquérir ». Signalons ensuite son *Traité de l'oraison et de la Méditation* contenant les considérations que l'on peut faire sur les principaux mystères de notre foi : avec trois petits traités touchant l'excellence des principales parties de la pénitence qui sont la Prière, le Jeûne et l'Aumône. Enfin son dernier grand ouvrage est le *Mémorial de la Vie Chrétienne* contenant « en un seul livre la manière de former un parfait chrétien, afin que ce livre fût comme un abrégé de tout ce qui appartient à la conduite de cette vie. Ce livre sera suivi des *Additions* au *Mémorial de la Vie Chrétienne* où il est traité de la perfection de l'amour de Dieu et des principaux mystères de la vie de notre Sauveur ». Nous empruntons toutes les citations de Grenade à l'édition de ses œuvres « traduites de nouveau en français par M. Girard, conseiller du Roi en ses conseils, à Paris, chez Pierre le Petit, 1679 ».

92. *Mémorial, Op. cit.*, p. 743. On peut lire aussi les « Sept oraisons pour demander et se procurer l'amour de Dieu » par lesquelles il achève son *Traité*, et donc aussi le *Mémorial de la Vie chrétienne* : « Après les trois premières Oraisons qui traitent des perfections divines, dit-il, j'en ai mis trois autres sur le Pater et une dernière pour la fin, par laquelle nous témoignons à Dieu, par de très ardents désirs, combien son Amour nous est cher, et combien nous souhaitons qu'il nous le donne ». Voici par exemple quelques élévations tirées de cette dernière oraison : « Ayant donc tant de différents sujets de vous aimer, ô mon Dieu, pourquoi ne vous aimerai-je pas de tout mon cœur, de toutes mes forces et de toute mon âme, ô mon unique *espérance*, ma seule gloire, et ma seule joie ? O mon Principe et mon tout, quand vous aimerai-je de cette sorte ? Quand vous

Quant à la doctrine même de l'amour de Dieu, elle ne peut qu'être conforme à l'enseignement traditionnel de l'église. C'est en l'amour de Dieu, nous dit-il dans le titre même de son *Traité*, que consiste « la perfection de la vie chrétienne » ; et il commence par nous définir quelle est la parfaite charité : « Puisqu'entre toutes les vertus, c'est la charité qui lie notre âme avec Dieu, qui la met dans son centre, et qui lui fait obtenir sa fin dernière ; c'est aussi en elle que consiste la perfection de la vie chrétienne ; et ainsi la vie du chrétien sera plus ou moins parfaite en lui, et s'il est parfait dans la charité, il sera sans doute parfait dans toute la vie. Mais vous me demanderez : en quoi consiste la perfection de la charité ?... »[93]. Celle-ci, répond-il, se mesure par le zèle d'un amour effectif, ardent à combattre tout ce qui le sépare de Dieu : la concupiscence et l'amour-propre. Dans cette perspective, l'auteur nous parle successivement des moyens propres à acquérir l'amour de Dieu, et des principaux obstacles qui s'y opposent. Il termine son livre par quelques considérations sur les bienfaits de Dieu et les perfections divines « pour allumer l'amour de Dieu dans nos cœurs »[94].

La composition de l'ouvrage est donc nettement différente de celle du *Traité* de saint François de Sales. Ici, c'est un but didactique qui conduit l'auteur : il fait un exposé systématique des problèmes relatifs à la charité, et nous donne tous les conseils appropriés à notre désir

serai-je agréable en toutes choses ? Quand verrai-je mort en moi tout ce qui vous est contraire ? Quand serai-je tout à vous ? Quand cesserai-je d'être à moi, et que rien que vous ne vivra en moi ?... Quand viendra le temps auquel dégagé de toutes les oppositions que je trouve en moi-même, vous me ferez un seul esprit avec vous ?... Je ne vous demande ni de l'or ni de l'argent, ni aucune autre chose créée, tout cela sans vous ne me rassasie pas ; tout cela sans vous n'est que pauvreté. Je vous demande de l'Amour, je veux de l'Amour, je soupire pour votre amour ; Seigneur, votre amour, s'il vous plaît et rien autre chose » (*Ibid.*, p. 792).

93. Grenade, *Op. cit.*, p. 750.

94. Saint François de Sales renvoie explicitement le lecteur aux œuvres de Louis de Grenade quand il résume au chapitre XI du XIIe Livre les *Motifs que nous avons d'aimer Dieu* (V, p. 342). Cette énumération méthodique de motifs ou de considérations est en effet caractéristique de l'ouvrage de Grenade. Le supplément au *Traité* qui se trouve dans les *Additions* au *Mémorial* se contente de développer plus abondamment les mêmes thèmes (moyens, empêchements, bienfaits de Dieu, perfections, etc.) sans rien apporter de vraiment neuf à l'enseignement du VIIe Livre du *Mémorial*.

de perfection [95], mais malgré le ton simple et cordial de l'ouvrage, nous sommes loin de cette grande synthèse salésienne qui nous fait voir toute la vie chrétienne centrée sur l'amour de Dieu. Le *Traité* de saint François de Sales considère tous les grands mystères du christianisme en fonction de cette idée directrice de l'amour divin, et c'est aussi en fonction d'elle qu'il comprend la bonté de Dieu. Au contraire, le *Mémorial* de Grenade, prenant le chrétien au sortir du péché et voulant le porter à la perfection, lui parle successivement, au cours des six premiers livres, du paradis et de l'enfer, de la confession et de la communion, des pratiques de vie chrétienne et de l'oraison. Alors seulement, il aborde explicitement le problème de la charité, dans le VIIe et dernier Livre : « Après toutes ces voies qui nous mènent à Dieu, il reste la dernière la plus parfaite, qui est le saint amour et la charité » [96]. L'auteur, c'est très certain, a parlé implicitement de la charité dans toute son œuvre, mais la différence d'accent est cependant sensible. Saint François de Sales aurait dit plutôt que la charité est la première et la plus parfaite des voies et il aurait soulevé le chrétien jusqu'aux cimes de la perfection, en allumant dès le premier instant en son cœur le feu du saint amour.

Ces réserves justifient ce mot de la Préface du *Traité* de

---

95. Nous retrouvons le même caractère encyclopédique dans beaucoup de traités d'auteurs contemporains. Aussi un religieux augustin espagnol, Fonseca Christophe, que saint François de Sales cite dans la Préface, conçoit ainsi son livre *Del Amor di Dios* (1591). Après une définition de l'amour, principe de toutes nos passions, voici successivement les divers caractères de l'amour, ses effets (il nous tire hors de nous-même et nous transforme en la chose aimée), ses causes (dont la première est le bien), ses preuves (telles que le zèle de Dieu). Tout ceci correspond au tiers du livre environ ; les deux autres tiers seront consacrés à l'étude systématique des divers objets valables ou non de notre amour : le prochain, nos ennemis, nous-même, les biens temporels enfin (comme : vie, honneurs, richesses, plaisirs humains). Le livre s'achève sur un chapitre concernant l'amour de la patrie. - De tels ouvrages pouvaient contenir d'excellents chapitres sur la force de l'amour comme levier de toutes nos énergies, sur la primauté de la charité sur toutes les vertus ; ils pouvaient offrir aux chrétiens une véritable *Somme* sur la doctrine et la pratique de la charité (et l'évêque de Genève conseille la lecture de Fonseca comme bienfaisante) ; on conviendra cependant sans peine, qu'ils laissaient vacante la place que tiendra bientôt le *Traité* de saint François de Sales dans l'histoire de la spiritualité.

96. *Préface du Mémorial, Op. cit.,* p. 501.

saint François de Sales : « Il me semble mesme que mon dessein n'est pas celuy des autres, sinon en général, entant que nous visons tous à la gloire du saint amour » [97]. Mais il serait injuste de s'en tenir à ces conclusions, car il n'en reste pas moins que l'évêque de Genève s'est nourri de l'enseignement du Père Louis de Grenade. On aime en particulier à relever, dans le *Traité* du dominicain espagnol, les pages ardentes où il nous exhorte au désir d'aimer Dieu : « Le principal moyen par lequel on acquiert l'amour de Dieu est de le désirer ardemment » ; le premier, Dieu suscite en nous ce désir par sa grâce en nous faisant goûter sa bonté et la joie de le servir. A nous de correspondre fidèlement à cette grâce et d'en mériter de nouvelles par notre générosité [98]. Aucun moyen n'est plus propre d'ailleurs à échauffer nos cœurs à la pratique du saint amour que les fréquents élans de l'âme vers Dieu : « Il est bon que vous appreniez quelques prières courtes et ferventes que vous ayez toujours sur les lèvres de votre cœur, pour demander cet amour à Dieu et pour le faire brûler en vous plus ardemment ; car rien n'est si capable d'augmenter ce feu divin que la parole de Dieu... Les Maîtres de la Théologie Mystique les recommandent extrêmement » [99]. On retrouve ici une idée chère à Grenade et que reprendra avec insistance l'évêque de Genève : pour attirer les âmes à la perfection, il faut que l'âme désire ardemment vivre de cet amour divin. Si les hommes ne pratiquent pas la vertu dit Grenade, c'est qu'ils la croient « rude,

---

97. *Œuvres*, IV, p. 8.

98. « La manière la plus commune dont Dieu se sert pour *augmenter* cette vertu (de charité) et pour la perfectionner dans ses élus, est de leur donner avant toutes choses un nouveau goût, une connaissance réelle de la noblesse, de la douceur et de la beauté de son amour, afin d'allumer dans l'âme un grand désir d'en ressentir quelque chose. Dieu ressemble à un marchand, si l'on peut user de cette comparaison, qui voulant vendre un excellent vin, en donne premièrement à goûter à celui qui le veut acheter, afin qu'étant attiré par sa bonté, il ne fasse pas de difficultés de donner tout ce qu'on lui en demandera... Il faut que les désirs pour les choses du ciel soient grands afin qu'il puisse y avoir quelque rapport entre ce que nous demandons et ce que nous espérons ; nos désirs doivent être grands si leur récompense est si grande et si relevée. Notre Seigneur ne veut pas que nous fassions peu d'estime de ses dons, par la facilité de les obtenir... Désirons donc autant que nous le devons » (*Mémorial*, Livre VII, ch. III, *Op. cit.*, pp. 752-754).

99. Grenade, *Op. cit.*, p. 756.

stérile et fâcheuse », c'est qu'ils pensent que « le chemin en est rude et difficile ». Il s'agit de les détromper et de leur prouver que l'« amour de Dieu rend le chemin du ciel doux et facile ». Tout le second livre de sa *Guide des pécheurs* a pour objet de nous faire voir « combien est heureuse la vie qui est réglée par la vertu » [100]. Saint François de Sales ne dira pas autre chose, lui qui refuse d'admettre la « prétendue impossibilité » de se sanctifier dans le monde et qui veut enseigner à Philothée à « treuver des sources d'une douce piété au milieu des ondes ameres de ce siècle » [101]. L'un et l'autre conduiront l'âme dévote par les voies de la paix et de la confiance.

Mais que l'on ne se méprenne pas ! S'il faut éveiller en l'âme un attrait positif de Dieu et la convaincre que bonheur et sainteté vont de pair, il ne peut s'agir d'une joie sensible et égoïste, mais plutôt d'une joie enracinée en Dieu. Nous savons avec quelle énergie saint François de Sales combat l'illusion de ceux qui « feroyent volontier comme les petitz enfans, auxquelz quand on donne du miel sur un morceau de pain, ilz lechent et succent le miel et jettent par apres le pain : car si la suavité estoit separable de l'amour ilz quitteroyent l'amour et tireroyent la suavité » [102]. Louis de Grenade, ayant allumé dans nos cœurs le feu de la charité ne craint pas d'enseigner avec une grande fermeté que sa flamme devra consumer toute forme d'amour-propre, avant que ne resplendisse en ces âmes la pureté du divin amour. « Il faut que vous sachiez que celui qui aime de tout son cœur ne peut aimer parfaitement qu'une seule chose... Or qu'y a-t-il de plus contraire que l'amour de Dieu et l'amour-propre, puisque l'amour-propre veut toutes choses pour soi-même, ne regarde que soi-même, et se prend toujours pour sa dernière fin, et qu'au contraire le saint amour rapporte tout à Dieu, qu'il renonce à soi-même et le crucifie pour Dieu ? » [103]

---

100. Préface de la *Guide des Pécheurs* - « J'ai dessein, dit-il encore, de les détromper (les hommes) en leur découvrant les richesses, les plaisirs, la dignité et la beauté de cette épouse céleste (la vertu) qui n'est abandonnée des hommes que pour n'en être pas connue ».

101. *Œuvres*, III, p. 6.

102. *Ibid.*, V, p. 142.

103. Grenade, *Op. cit.*, p. 759.

Et plus loin parlant de la lutte contre la volonté propre, il précise sa pensée :

> Il est impossible d'accomplir parfaitement la volonté divine si on ne renonce à la volonté humaine, qui est pour l'ordinaire opposée à l'autre. Ainsi ceux qui se résolvent tout de bon d'être à Dieu et de l'aimer sincèrement... prennent une forte résolution de n'être à eux ni à qui que ce soit, mais d'être seulement à Dieu ; de de ne se chercher jamais, mais de chercher Dieu seul, et enfin de ne se soucier plus, ni de leurs désirs, ni de leurs plaisirs, ni des discours et des murmures du monde, mais de regarder seulement la volonté de Dieu, et ce qui le contente... Car, comme l'essentiel de la religion chrétienne, et son plus haut point, consiste à aimer Dieu, il consiste aussi à lui rendre une parfaite obéissance, et à se conformer à sa volonté, puisque ce sont des effets ordinaires de cet amour... C'est donc cette parfaite soumission et cette conformité de volonté qui fait les véritables serviteurs de Dieu. Que l'on ne s'étonne point d'ailleurs de cette haute philosophie, car nous voici bientôt arrivés à la fin du voyage (de la perfection), et nous parlons ici de la vie parfaite, qui peut arriver jusqu'à ce degré [104].

Nous pouvons conclure que Louis de Grenade, comme tous les mystiques dont nous avons fait une brève étude, met l'amour au centre de sa doctrine. Pourtant chez Grenade nous sentons aussi peut-être mieux que chez d'autres, les notions du bonheur, de la joie de l'âme qui avance vers sa perfection spirituelle. Dans l'œuvre de saint Louis, nous comprenons mieux cette idée de l'amour pur en même temps que le jeu de l'amour et de la volonté dans cet effort d'arriver à un amour pur de Dieu.

L'enquête qui s'achève [105] confirme donc les conclusions auxquelles nous avait menés, dans la première partie de ce livre, l'étude des sources de l'optimisme salésien. Ce qui caractérise entre toutes, la doctrine spirituelle de saint François de Sales, c'est d'être entièrement conçue et exprimée en fonction du primat de l'amour de Dieu. Tan-

---

104. *Ibid.*, pp. 761 et 823.

105. Il n'a pas été question dans ce chapitre de saint Jean de la Croix. C'est qu'il est en effet inutile de chercher dans le *Traité de l'Amour de Dieu* des traces de l'influence du grand docteur mystique, bien peu connu encore en Savoie et en France. Il est mort en 1591, mais ses œuvres parues à Barcelone en 1619, ne seront traduites en français qu'en 1641.

dis que la spiritualité de saint Ignace suppose un amour
intense de Dieu mais parle de préférence de sa gloire, et
que celle de saint Benoît insiste surtout sur la vertu de
religion et la louange divine, qui ne sont évidemment
qu'autant d'expressions de notre amour, la spiritualité salésienne au contraire est centrée sur le problème de l'amour
de Dieu et sur les conditions de son parfait achèvement
dans l'âme chrétienne. Ainsi s'explique la place centrale,
dans cette spiritualité, de la vertu de confiance en Dieu.

Cette confirmation globale de notre avis est pour nous
de première importance et justifie amplement les enquêtes
de ces trois chapitres. Pourrait-on cependant, à la lumière
des conclusions partielles de ces chapitres mieux exprimer, en terminant, la valeur relative et l'harmonie des si
nombreuses influences qui ont engagé saint François de
Sales sur le chemin de l'optimisme chrétien ?

Pour répondre à cette question, abandonnons un ordre
d'exposition qui n'avait été adopté dans ces trois parties
que par souci de clarté logique, et efforçons-nous de saisir,
dans l'histoire de la vie du saint, le jeu complexe et nuancé
de ces diverses influences.

La première marque que reçut l'esprit du jeune François
de Sales fut évidemment celle de ses maîtres de la Compagnie de Jésus, et les preuves ne manquent pas qui
témoignent de la profondeur de cette empreinte. A leur
école, il s'initie dès son adolescence, à cet humanisme confiant et largement ouvert sur le monde et dont les jésuites
s'étaient faits les champions au xvie siècle. Mais surtout
son intelligence et son cœur trouvaient dans l'enseignement de ces maîtres les assises théologiques de son système spirituel. Celui-si s'affirmera ouvertement dans l'adhésion qu'il donne, au lendemain de sa tragique crise de conscience, à la conception moliniste du mystère de la prédestination. Il n'hésite pas alors, on le sait, à s'écarter résolu-
ment de saint Augustin et de saint Thomas.

Mais la théologie jésuite ne suffirait pas à expliquer saint
François de Sales. A une ascèse rigoureuse que ne démentira pas le *Traité de l'Amour de Dieu* devait s'ajouter une
influence plus largement épanouissante pour sa riche sensibilité. C'est de son séjour en Italie qu'il faut dater,
semble-t-il, son orientation définitive vers une spiritualité

de l'amour divin [106]. Dès 1589, à Padoue, il se met à l'école du *Combat spirituel* et se pénètre des années durant, de l'enseignement et de la tradition mystique que lui apportait ce précieux volume. La paix, la confiance en Dieu, en même temps que le renoncement le plus rigoureux à sa volonté propre, voilà les mots d'ordre du *Combat*, et tels seront aussi les principes de la spiritualité salésienne. Dans la pratique héroïque de ces vertus, l'âme du saint s'épanouissait et se purifiait ; l'amour de Dieu, qui fut toujours un besoin pour son cœur, devenait plus explicitement le mobile de tous ses actes.

Au progrès spirituel de cette âme qui s'ouvre à la vie mystique devait concourir de très bonne heure une influence dont nous avons déjà dit l'importance : celle de la Bienheureuse Mère Thérèse de Jésus. L'admiration que lui voua notre saint remonte en effet probablement au temps de ses études à Padoue et dut lui être inspirée par son maître et directeur spirituel, le Père Possevin. Celui-ci était alors l'un des plus ardents propagateurs de l'esprit de la grande contemplative [107]. Sans doute est-ce principalement au sujet de l'oraison que se révèle dans les œuvres de saint François de Sales, l'influence de sainte Thérèse, mais ce serait singulièrement restreindre son action que de la limiter à ce point. A travers les pages élevées et savoureuses de l'*Autobiographie* ou du *Chemin de la Perfection*, notre saint découvrait une doctrine de vie spirituelle simple, pratique, mais vibrante d'un ardent amour de Dieu, dont l'empreinte fut profonde sur sa propre spiritualité de l'amour et en particulier sur celle de la confiance.

Lorsqu'en 1602 il pénétrera à Paris, dans les cercles les plus fervents de la capitale et qu'il y travaillera à la fondation du premier Carmel français, il n'aura pas à découvrir sainte Thérèse. S'il est vrai comme on le dit souvent que son séjour à Paris a donné une impulsion décisive à sa vie spirituelle, déjà cependant les convictions essen-

106. Ce n'est d'ailleurs qu'à Padoue qu'il surmonte, sur le plan théologique, ses angoisses spirituelles de Paris.

107. *Œuvres*, III, p. XXXV. Dom Mackey cite la lettre qu'adressait, en janvier 1592, le Père Possevin au Maître du Sacré Palais à l'occasion de la première traduction en italien de l'*Autobiographie* de sainte Thérèse.

tielles semblent acquises. D'ailleurs, quelques mois plus tard, c'est-à-dire au lendemain de sa consécration épiscopale, il fait preuve dans une lettre déjà citée, d'une longue fréquentation avec un autre maître de l'école espagnole, Louis de Grenade, dont la spiritualité l'engageait, elle aussi, sur le chemin de la perfection chrétienne.

Si donc nous voulons comprendre, autant que faire se peut, la genèse de cette doctrine, c'est à ces premières influences qui se sont exercées très tôt dans sa vie qu'il faut la rapporter.

Nous n'avons pas omis pour autant de signaler dans notre second chapitre les grands maîtres de sa pensée théologique. Saint Thomas d'Aquin a fourni à la synthèse salésienne les cadres très fermes de sa philosophie et de sa théologie ; toutefois si les principes thomistes que notre docteur fait siens président efficacement au développement de la doctrine de saint François de Sales, nous ne croyons pas cependant qu'il faille chercher de ce côté l'origine des idées maîtresses de sa spiritualité. Plus décisive, à ce point de vue, est l'action de saint Augustin puisque, par son volontarisme, et sa doctrine de charité, ce grand docteur semble avoir directement influencé les thèses essentielles du *Traité de l'Amour de Dieu*. De toutes façons, il est incontestable que la pensée salésienne témoigne constamment de sa dépendance à l'égard de la tradition théologique la plus sûre.

Plus tard, les exigences de la direction spirituelle et très particulièrement celles du nouvel institut qu'il fondait en 1610, l'engageront à approfondir sa connaissance des maîtres de la spiritualité. Comme nous l'avons vu, le *Traité* témoigne d'une longue fréquentation de tous les maîtres de la mystique chrétienne : saint Bernard, saint François d'Assise, sainte Catherine de Sienne, sainte Catherine de Gênes et tant d'autres que nous n'avons pu que nommer. Avec des nuances diverses, ils lui redisaient tous ce primat de l'amour de Dieu, de l'amour qui s'exprime avant tout par l'adhésion constante de sa volonté propre à celle de Dieu. Mais la multiplicité de ces sources ne nous apporterait guère de lumière, si nous ne savions déjà les options essentielles de saint François de Sales. Ce sont elles surtout qu'il fallait dégager dans ces conclusions.

Enfin, il serait vain de vouloir comprendre saint François de Sales, sans attacher une importance capitale au jeu essentiel que l'amour et la volonté opéraient en son être. C'est dans l'oraison, dans la constante méditation de l'écriture sainte, dans ses fréquents colloques spirituels avec sainte Chantal qui prolongeaient sans la briser sa propre union à Dieu, c'est, en un mot, dans la libre réponse de sa sainteté à l'appel de l'amour divin, que réside le mystère insondable des origines de sa spiritualité.

Ainsi la quatrième partie de ce livre, en découvrant l'influence de la volonté dans la doctrine du Saint, contribuera, tout autant que cette recherche des origines de la pensée salésienne, à mettre en valeur la haute signification de sa spiritualité optimiste.

CHAPITRE IV

LE VOLONTARISME SALÉSIEN

La philosophie de l'homme

L'histoire n'avait pas assez reconnu jusqu'à Henri Bremond l'importance philosophique du mouvement dévot humaniste qui, à côté de Port-Royal, joua un rôle important au XVIIᵉ siècle. « On comprenait assez mal, écrit E. Seillière, à la suite de G. Goyau, l'histoire religieuse du XVIIᵉ siècle au temps où beaucoup d'écoliers et même quelques professeurs la réduisaient à un conflit entre l'austérité de Port-Royal et le relâchement des casuistes, ne voulant rien voir au-delà, rien autre si ce n'est, à la fin du siècle, un petit accès de fièvre mystique, puérile par certaines apparences, et auquel demeurait attaché le grand nom de Fénelon [1]. » Et cependant, continue E. Seillière, toujours à la suite de G. Goyau, « en face du jansénisme, une autre école tenait place au moins égale dans la vie religieuse du grand siècle, et surtout la première moitié de ce siècle... en face de Wittenberg et en face de Genève, la mystique salésienne, issue de l'« humanisme dévot d'un François de Sales [2] s'exhibait joyeuse et confiante » [3]. Ecole philosophique qui fit pourtant ses preuves « comme doctrine de sévérité » et dont la fin du XVIIᵉ siècle seulement vit les « excès condamnables » [4]. C'est reconnaître

---

1. SEILLIÈRE E., *Jansénistes et Salésiens, Les Débats*, 6 sept. 1923.
2. « Humaniste, saint François de Sales l'est donc au sens philosophique du terme ». Cf., ARCHAMBAULT P., *Saint François de Sales, L'Humanisme et les Humanités, La Vie Catholique*, 7 mai 1932.
3. *Ibid.*
4. *Ibid.*, Seillière cite les Lallemant, Guilloré, Condren, Olier, qui dans la lignée de F. de Sales, maintinrent dans sa pureté la doctrine de notre auteur.

à la philosophie de François de Sales un rôle d'autant plus grand qu'elle ne se limite pas à être une philosophie positive faisant échec au jansénisme mais bien à l'anti-humanisme lui-même [5], vaste mouvement « comprenant, mais débordant largement Port-Royal » [6], comme le remarque M. Henri Gouhier.

La philosophie humaniste à laquelle se rallie et que représente éminemment François de Sales, s'oppose à Jansénius [7] « en célébrant comme une merveille de la création la créature rachetée et qui s'appelle l'homme » [8]. « Que ne puis-je citer ici, regrette Henri Bremond, les chapitres de haute philosophie qui ouvrent le *Traité de l'Amour de Dieu*, et les comparer, ligne à ligne, aux chapitres parallèles de Calvin sur la misère de l'homme » [9]. « C'est parce qu'il connaît bien l'homme », écrit de son côté P. Herbaye qui s'attache à l'optimisme salésien, que François de Sales « croit à une thérapeutique des misères humaines par des moyens humains. L'homme n'est pas laissé sans ressources, même du côté de la nature, et si, pour s'élever jusqu'à Dieu il y faut Dieu lui-même, il ne laisse pas d'ajouter très justement qu'il y faut l'effort de l'homme même et que cet effort n'est ni impossible ni vain. Aucune doctrine n'est plus respectueuse de la nature ni plus encourageante pour la nature » [10]. On assiste donc au XVIIe siècle à l'antithèse de deux positions de la philosophie chrétienne, quasi congénitales à l'acte de foi : « Il

5. Le mouvement anti-humaniste prend à l'époque force réactionnaire chez les esprits religieux qui réagissent contre la hardiesse de l'humanisme spirituel. « Ce sont les héritiers intellectuels d'un Gaguin ou d'un Francesco Pic, contempteurs de toute littérature et les émules du farouche cardinal Adrien de Corneto, qui, dans sa haine de l'humanisme ne reculait pas devant la pensée d'empoisonner Léon X, pour en débarrasser la chrétienté ». Cf., VINCENT F., *Saint François de Sales...*, *Op. cit.*, p. 231.

6. GOUHIER M., *Note sur l'anti-humanisme ; à propos de Bérulle*, dans *Dieu vivant*, n° 23, 1953, pp. 145-150.

7. « Entre l'exagération calvino-janséniste du péché d'origine et sa suppression naturiste, les salésiens comme l'Eglise romaine depuis quinze siècles, avaient suivi la droite voie psychologique ». *Ibid.*

8. *Ibid.*, p. 137.

9. BREMOND H., *La philosophie de saint François de Sales*, Rev. Paris, 1923, p. 141.

10. HERBAYE P., *Saint François de Sales et Pascal*, La Croix, 31 déc. 1925.

s'agissait de décider, continue Bremond, si l'on doit voir
en l'homme une corruption totale, un péché vivant et qui
ne serait que péché, ou au contraire un être foncièrement
bon, fait pour la vérité et la vertu : fatal problème que les
anciens Pères [11] comme d'ailleurs l'évangile, avaient explicitement, ou implicitement résolu de la manière la plus
consolante, la plus stimulante aussi et la plus morale,
mais qui soudain remis en question par « l'incomparable
saint Augustin » n'avait plus cessé depuis d'obséder le
monde [12].

« Dieu, Père de toute lumiere, souverainement bon et
beau, par sa beauté attire nostre entendement a le contempler, et par sa bonté il attire nostre volonté a l'aymer » [13]. Au sujet de Dieu, saint François est nettement
optimiste. Puis le saint nous dit que « l'homme est la perfection de l'univers » [14]. La source de cette doctrine humaniste est Marsile Ficin pour lequel l'homme est le centre
du monde [15]. Ainsi le *Traité* se relie-t-il au courant humaniste qui exalte la royauté de l'homme. Le beau de la
nature ou le beau créé par les artistes ne peut que mener
à Dieu. François de Sales est de ceux « qui prient mieux
devant la beauté » [16]. Cette doctrine lui vient de l'humanisme de la renaissance qui révère la beauté humaine
« comme un reflet de Dieu même, ou comme un moyen de
s'élever jusqu'à Lui » [17]. Cette apologétique du monde au

11. Dualisme qui se partageait déjà la pensée religieuse à l'époque
gréco-romaine : tendance optimiste et tendance pessimiste. « Dans la
première, le monde considéré comme beau,... la vue du monde conduit
naturellement à la connaissance... d'un Dieu... » « Dans la seconde, le
monde est regardé comme mauvais, du fait de ce désordre foncier que
constitue chez l'homme la présence d'une âme immortelle, originalement
pure et divine, dans un corps matériel, corruptible et souillé par son
essence même ». Platon demeure... la source commune de ces deux courants. Il est le père de la philosophie religieuse helléniste... » Cf.
VINCENT A., *Compte rendu du livre du R.P. Festugière, O.P., La révélation
d'Hermès Trismégiste, II. Le Dieu cosmique* (coll. Et. bibliques), Paris,
Gabalda, 1949, pp. XVII-610, dans *Rev. des Sciences Religieuses*, 25,
1951, pp. 380-382.
12. BREMOND H., *Op. cit.*, p. 138.
13. *Œuvres*, V, p. 23.
14. *Ibid.*, V, p. 165.
15. Cf. CHESNEAU P., *Le Père Yves de Paris et son temps*, Paris, Soc.
Hist. Eccles. France, 1946, II, p. 69.
16. VINCENT F., *Op. cit.*, p. 238.
17. *Ibid.*, p. 239.

service de Dieu explique la propre séduction et persuasion salésienne, à l'école de cet humanisme mais aussi à celle du platonisme antique [18]. Toute la perfection du monde conduit à Dieu. Homme ou monde ne sont que les miroirs de l'infini. Les choses sont la signification de Dieu. « Dieu comme l'imprimeur, a donné l'estre a toute la diversité des creatures..., par un seul trait de sa toute puissante volonté... » [19]. Et c'est son unité qui est cause de la diversité des choses [20]. La puissance créatrice de Dieu est dépendante de sa perfection : « ... Dieu ayant eu une eternelle et tres parfaite connoissance de l'art de faire le monde pour sa gloire, il disposa avant toutes choses en son divin entendement toutes les pieces principales de l'univers qui pouvoient lui rendre de l'honneur, c'est a dire la nature angelique et la nature humaine... » [21]. La gloire de Dieu entraînait la création de l'homme. C'est ce que nous livre aussi le texte suivant : « Dieu... voulant prouvoir l'homme des moyens naturelz qui luy sont requis pour rendre gloire a sa divine Bonté, il a produit en faveur d'iceluy tous les autres animaux et les plantes..., varieté de terroirs, de saysons, de fontaines, de vens, de pluyes... les elemens, le ciel et les astres..., les creatures..., les chevaux..., les brebis... » [22]. L'unité divine a été responsable de la bonté et de la beauté de l'univers, ou du moins bonté et beauté de l'univers, constatera François de Sales, sont dues à l'unité parfaite établie par Dieu [23]. Il en est de même de la bonté et de la beauté de l'âme [24]. En effet, tout a été ordonné par Dieu. C'est lui qui prête sa main forte au feu pour monter en haut, aux eaux pour couler vers la mer, à la terre pour descendre en bas et y demeurer quand elle y est. Il est l'auteur et souverain maître de la nature.

---

18. THAMIRY E., *La méthode d'influence de saint François de Sales, Son apologétique conquérante*, Paris, Beauchesne, 1922.
19. *Œuvres*, IV, p. 93.
20. *Ibid.*
21. *Ibid.*, IV, p. 96.
22. *Ibid.*, IV, p. 97.
23. *Ibid.*, IV, p. 25.
24. Toutefois il s'agit toujours pour François de Sales - quand il parle de la beauté et de la bonté de l'âme humaine - de cette âme lorsqu'elle est en état de grâce.

Dans cette perspective, il est évident que « la bonté » de l'homme est en dépendance étroite de la bonté de Dieu.

En effet, ce qui frappe surtout François de Sales dans ce monde produit par Dieu : c'est l'homme. L'homme est « la perfection de l'univers » [25] à qui Dieu dit : « Soyes saintz parce que je suis saint [26] ; qui est saint, qu'il soit encor davantage sanctifié, et qui est juste, qu'il soit encor plus justifié [27] ; soyez parfaits ainsy que vostre Père celeste est parfait » [28]. Nous avons déjà montré dans le chapitre précédent que cette perfection chrétienne existe pour saint François sous la forme de l'amour pur. Mais notre saint identifie amour et volonté : « Dieu, dit-il, ne veut l'homme que pour l'âme, ni l'âme que pour la volonté, ni la volonté que pour l'amour » [29]. Dès le premier chapitre du *Traité*, il affirme « que, pour la beauté de la nature humaine, Dieu a donné le gouvernement de toutes les facultés de l'ame a la volonté ». Il s'efforce de scruter attentivement « la convenance qui est entre Dieu et l'homme », et qui demeure malgré le péché.

Saint François nous dit que la volonté est une faculté qui « veut et ayme » [30]. Elle s'identifie avec le désir du bien qui est une disposition fondamentale de l'homme. L'évêque de Genève, qui a confiance dans la nature humaine, découvre dans l'âme « une magnifique aptitude au bien » [31]. C'est la volonté qui conduira l'homme à son bien par la convenance qu'elle a avec lui : « La volonté, lisons-nous dans le *Traité*, a une si grande convenance avec le bien que tout aussi tost qu'elle l'apperçoit, elle se tourne de son costé pour se complaire en iceluy... et qu'est-ce que la volonté sinon la faculté qui porte et fait tendre au bien, ou a ce qu'elle estime tel ? » [32].

Notre chapitre trois aura suffisamment démontré déjà que pour saint François l'amour que Dieu attend de nous ne consiste pas dans le sentiment mais dans l'indifférence,

25. Cf., ci-dessus, p. 177, note 14.
26. *Œuvres*, V, pp. 81 s.
27. Apoc., XXII, 11.
28. Matt., V, ult.
29. *Œuvres*, III, p. 201.
30. *Ibid.*, V, p. 356.
31. VINCENT F., *Op. cit*,. p. 96.
32. *Œuvres*, IV, pp. 40 s.

l'abandon ou le don volontaire de nous-mêmes à Dieu et
au prochain. C'est la doctrine explicite du *Traité*. « Certes,
écrit-il, c'est l'homme qui ayme, mais il ayme par la
volonté » [33]. Cet amour ne dépend donc pas d'une com-
plexion plus ou moins sensible, et le sentiment lui, paraît
s'ajouter à l'amour, « comme le gui qui vient sur les arbres,
par manière de surcroissance » [34], mais l'anomalie c'est
que parfois le sentiment dévore à son profit la force de
l'amour.

> Puis donq que l'amour est un acte de nostre volonté, qui
> le veut avoir non seulement noble et genereux, mais fort,
> vigoureux et actif, il en faut retenir la vertu et la force
> dans les limites des operations spirituelles ; car qui vou-
> droit l'appliquer aux operations de la partie sensible ou
> sensitive de nostre ame, il affoibliroit d'autant les ope-
> rations intellectuelles, esquelles, toutefois, consiste
> l'amour essentiel [35].

L'amour procède de la volonté, et, en un certain sens,
on peut dire qu'il la domine et la gouverne. De cette
manière, l'amour peut être considéré comme la première
complaisance que nous ayons au bien. Cependant, pour
François de Sales, la complaisance n'est pas la véritable
essence de l'amour car celui-ci est d'abord et fondamentalement extatique : c'est le « mouvement ou écoulement
de la volonté en la chose aymée » [36] qui le constitue.

Les sources philosophiques du volontarisme

Pour comprendre l'idée de saint François, il faut tenir
compte de cet éloignement typique des auteurs spirituels
du XVIe et XVIIe siècle à l'égard de leurs prédécesseurs
scolastiques. François de Sales et d'autres humanistes se
sont rapprochés des anciens du point de vue du style et
de la pensée. Afin de saisir le volontarisme salésien, il faut
replacer la volonté dans la hiérarchie que Platon établit

33. *Ibid.*, IV, p. 55.
34. *Ibid.*
35. *Ibid.*, IV, pp. 56 s.
36. *Ibid.*

entre les facultés de l'âme pour en étudier le rôle. Il y a
étroite correspondance entre l'ordre du monde et l'unité
parfaite dans l'âme humaine. De même que le royaume
est soumis à son roi, les villes à la province, les personnes
à la famille ; les facultés de l'âme : entendement, mémoire,
appétit sensuel, sont semblablement tributaires du gouvernement de la volonté. François de Sales écrit que Dieu a
« establi une naturelle monarchie en la volonté, qui commande et domine » sur « l'innumerable multitude et variete
d'actions, mouvemens, sentimens, inclinations, habitudes,
passions, facultés et puissances qui sont en l'homme » [37],
petit monde à l'image du grand monde.

Cet ordre de l'âme, nous le trouvons déjà souligné dans
les textes platoniciens dont vraisemblablement saint François de Sales s'est inspiré dans ce développement. Platon
dans *la République* enseigne que l'harmonie doit régner
entre les parties du corps et surtout entre les parties de
l'âme. Pour lui, la justice veut que l'homme établisse un
ordre véritable dans son intérieur, « qu'il se commande
lui-même, qu'il se discipline..., qu'il harmonise les trois parties de son âme absolument comme les trois termes de
l'échelle musicale... » [38]. Saint François dira providence et
Dieu au lieu de dire « la justice ».

Toutefois, comme le péché a faussé cette convenance
spontanée de la volonté avec le bien, l'homme peut s'abu-
ser et prendre pour le bien, de faux biens. Il s'agit de réta-
blir l'intégrité première. Au lieu de conduire naturellement
l'homme à son bien, la volonté aura à maîtriser passions
et instincts. C'est pourquoi François de Sales explique que
la domination de la volonté qui est aisée lorsqu'elle
s'exerce sur les mains, les pieds et la langue qui obéissent
aux ordres de se mouvoir par réflexe, devient beaucoup
plus difficile lorsqu'il faut commander à l'entendement et
à l'affectivité qui contrarient les ordres reçus, lorsqu'il
s'agit, par exemple, de donner ordre à la marche de ne
pas se porter au devant d'une personne aimée, aux mains
de rester inertes au sein de la passion, à la langue de taire

37. *Œuvres*, IV, p. 25.
38. PLATON, *Œuvres complètes*, Belles-Lettres, Paris, 1933, VII, 1re partie, *La République*, IV, 443 D, p. 44.

un aveu. C'est qu'il ne s'agit plus proprement de nos mains, de nos pieds ou de notre langue, mais de notre sensibilité empruntant comme moyen d'expression nos organes naturels. Il s'agira donc d'user d'industrie, de « divertir les yeux » ou de les « couvrir de leur chaperon naturel » et de les fermer si l'on veut qu'ils ne voient pas. Et s'il est vrai que la volonté

> ne peut pas manier ni ranger si absolument comme elle fait les mains, les pieds ou la langue, a rayson des facultés sensitives, et notamment de la fantaisie, qui n'obeissent pas d'une obeissance prompte et infaillible a la volonté, et desquelles puissances sensitives la memoire et l'entendement ont besoin pour operer : mays toutefois, la volonté les remue, les employe, et applique selon qu'il lui plaist, bien que non pas si fermement... [39].

Il en est de même de l'appétit sensuel « sujet rebelle, seditieux, remuant ». La volonté a aussi domination sur lui, « mais elle n'evite pas les tempestes, les séditions ». Le tableau qu'exécute saint François est vivant comme une évocation théâtrale. C'est une lutte entre la raison et la convoitise. Et l'écrivain nous parle de « ravaler », de rompre ses desseins (de l'appetit sensuel) et de les « repousser », ce qui est le rôle de la volonté. Il nous parle des mouvements de l'appétit sensuel par lesquels « comme par autant de capitaines mutinés, il fait sa sedition en l'homme » [40]. Cette psychologie des passions se retrouve lorsque saint François remarque que « le péché consiste dans la volonté et non dans le sentiment » [41].

Dès lors on serait tenté de limiter à une étude psychologique le problème de la volonté chez François de Sales. C'est le point de vue du Père Cognet qui écrit, rattachant le *Traité de l'Amour de Dieu* à la *Règle de Perfection* de Benoît de Canfeld [42] : « On y retrouve (dans le *Traité*) avec une particulière ampleur théorique, le volontarisme de saint François de Sales... Du chemin mystique il donne

---

39. *Œuvres*, IV, pp. 27-29.
40. *Ibid.*, p. 29.
41. *Ibid.*
42. Cf., GOUHIER M., *Benoît de Canfeld et l'amour pur dans Dieu Vivant*, n° 20, pp. 133-138.

une interprétation qui, sur bien des points, rejoint celle de
Benoît de Canfeld : tout le problème sera pour lui d'aboutir à une parfaite conformité de la volonté humaine et de
la volonté divine ; mais chez lui le développement en est
poussé dans un sens bien plus psychologique que métaphysique. Bien plus que Canfeld, il se préoccupera d'édi-
fier une minutieuse théorie de la volonté humaine, de ses
procédés et de son rôle » [43]. Nous pouvons évidemment
accorder à cette thèse un certain bien-fondé si nous ne
nous attachons qu'aux prémisses de cette psychologie.
Pour aller plus loin, il nous faut d'abord passer à l'examen
de la nature et des ressources de l'homme, puis examiner
le rôle de la volonté dans son rapport avec l'amour selon
la doctrine de saint François. Nous cherchons par là
même, à mieux saisir ce qu'est l'optimisme salésien [44].

L'aspiration de l'homme

Comme Maurice Blondel l'a dit très justement « l'ambition persévérante de l'homme est d'égaler ses désirs » [45].
Sous leur poussée, il s'attache à tous les biens qu'il rencontre, avide de s'y unir intimement, de s'y assimiler pour
se les assimiler, de s'absorber en eux pour les absorber
dans sa vie et les faire siens dans toute la force du
terme. Par ces assimilations et adaptations, il cherche le
repos dans la possession d'un objet qui comblera les exigences profondes de son être. Et rien ne semble pouvoir
enrayer l'expansion de son activité à la poursuite de ce
but. Déçue sans cesse, sa volonté de l'atteindre ne s'en
exalte que davantage. Elle se détourne des biens imparfaits qui l'ont séduite un instant, mais dont elle a reconnu
la vanité, pour courir à d'autres conquêtes avec une persévérance que rien ne lasse.

A considérer ainsi les biens que la volonté poursuit
aujourd'hui, nos observations psychologiques nous permet-

43. Cognet M., La spiritualité française au XVIIᵉ siècle, La Colombe,
sept. 1949, p. 48.
44. Cf., ci-dessus, p. 178, note 18.
45. Blondel M., L'Action, Oudin, Paris, 1893, p. 148.

tent de marquer la distance qui nous sépare actuellement d'un idéal de bonheur inévitablement cherché. Elles nous font reconnaître également par quelles voies d'adaptation progressive nous sommes constamment entraînés vers lui.

Une inéluctable aspiration, telle est l'histoire de toute vie ! Merveilleusement ondoyant et divers, l'homme poursuit des rêves de félicité, qu'il abandonne et reprend, comme les enfants changent leurs jeux. A peine a-t-il obtenu un objet longtemps convoité, qu'il en aperçoit la futilité et s'en détache. Au fond de la coupe des plaisirs il ne trouve que l'amertume. Les frivolités de la jeunesse, qui étourdissent un instant, laissent à l'âme une impression de vide et de néant ; et la déception n'est pas moindre pour l'âge mûr qui recherche les biens plus positifs d'honneurs et de richesses. Vanité des vanités ! Rien ne remplit l'infini de nos vœux. Mais en ces heures d'inassouvissement et de détresse, l'homme fait un retour sur lui-même et constate combien il est loin de son idéal de bonheur. Alors, il se met en quête d'un remède à son ennui.

Pourquoi ne l'a-t-il pas trouvé, ce remède, dans la jouissance des biens d'ici-bas ? Parce que son désir inéluctable est animé par une inclination dont l'objet les dépasse tous ; il entrevoit certes en eux le rayonnement et le reflet du souverain bien, mais cela même avive son besoin de posséder ce bien suprême : Dieu.

Saint François de Sales découvre à la racine de nos aspirations incoercibles une « inclination naturelle d'aymer Dieu sur toutes choses » [46]. Or, cette inclination, que l'observation nous révèle en dernier lieu, s'empare à bon droit du sceptre entre tous les amours.

> L'amour divin est voyrement le puisné entre toutes les affections du cœur humain ; car comme dit l'Apostre, « ce qui est animal est premier et le spirituel apres » [47] ; mais ce puisné herite toute l'authorité, et l'amour-propre, comme un autre Esaü, est destiné a son service, et non seulement tous les autres mouvemens de l'ame, comme ses freres, l'adorent et luy sont soumis, mais aussi l'entendement et la volonté, qui luy tiennent lieu de pere

46. *Œuvres*, IV, p. 77.
47. I Cor., XVI, 46.

et de mere. Tout est sujet a ce celeste amour, qui veut tous-jours estre roy ou rien, ne pouvant vivre qu'il ne regne, ni regner si ce n'est souverainement [48].

Nous avons donc une inclination naturelle qui spontanément oriente notre cœur vers Dieu. C'est elle qui au fond inspire toutes nos démarches à travers les biens passagers ; et empêche que nous nous y arrêtions. Elle ne nous laisse pas de repos ici-bas où « rien ne la contente parfaitement » [49]. Il est vrai que parfois elle semble assoupie, mais elle n'est jamais détruite : elle se réveille exigeante dès que nous pensons « un peu attentivement a la Divinité » [50].

Cependant, si l'analyse psychologique, telle que la conduit saint François de Sales, aboutit à nous faire apercevoir en l'homme « une inclination naturelle d'aymer Dieu sur toutes choses » [51], elle nous avertit en même temps de notre impuissance à « naturellement executer cette si juste inclination » [52].

Sur ce point, en effet, nous serions comparables aux aigles :

Les aigles ont un grand cœur et beaucoup de force à voler ; elles ont neanmoins incomparablement plus de veüe que de vol, et estendent beaucoup plus viste et plus loin leur regard que leur aysles. Ainsy nos espritz animés d'une sainte inclination naturelle envers la Divinité, ont bien plus de clarté en l'entendement pour voir combien elle est aymable, que de force en la volonté pour l'aymer ; car le peché a beaucoup plus debilité la volonté humaine qu'il n'a offusqué l'entendement, et la rebellion de l'appetit sensuel, que nous appelons concupiscence, trouble voirement l'entendement, mais c'est pourtant contre la volonté qu'il excite principalement la sedition et revolte ; si que la pauvre volonté des-ja toute infirme, estant agitee de continuelz assautz, que la concupiscence, luy livre, ne peut faire un si grand progres en l'amour divin, comme la rayson et inclination naturelle lui suggerent qu'elle devroit faire [53].

48. Œuvres, IV, p. 38.
49. Ibid., IV, p. 76.
50. Ibid., IV, p. 74.
51. Cf., ci-dessus, p. 184, note 46.
52. Ibid.
53. Ibid., IV, p. 80.

Voilà pourquoi

> nostre chetifve nature navree par le peché, fait comme les palmiers que nous avons de deça, qui font voirement certaines productions imparfaites et comme des essais de leurs fruitz, mais de porter des dattes entieres, meures et assaisonnees, cela est reservé pour des contrees plus chaudes. Car ainsy nostre cœur humain produit bien naturellement certains commencemens d'amour envers Dieu, mais d'en venir jusques a l'aymer sur toutes choses, qui est la vraye maturité de l'amour deu a cette supreme Bonté, cela n'appartient qu'aux cœurs animés et assistés de la grace celeste et qui sont en l'estat de la sainte charité ; et ce petit amour imparfait duquel la nature en elle mesme sent les eslans, ce n'est qu'un certain vouloir sans vouloir, un vouloir qui voudroit mais qui ne veut pas, un vouloir sterile qui ne produit point de vrays effetz, un vouloir paralytique qui void la piscine salutaire du saint amour mais qui n'a pas la force de s'y jeter ; et en fin, ce vouloir est un avorton de la bonne volonté, qui n'a pas la vie de la genereuse vigueur requise pour en effect preferer Dieu a toutes choses ; dont l'Apostre, parlant en la personne du pecheur, s'escrie : Le vouloir est bien en moy, mais je ne treuve pas le moyen de l'accomplir [54].

Nous constatons ainsi notre indigence. Il nous faut la grâce céleste.

Cependant, ajoute saint François de Sales, « l'inclination... d'aymer Dieu sur toutes choses ne demeure pas pour neant dans nos cœurs » [55]. Outre que Dieu s'en sert « comme d'une anse pour nous pouvoir plus suavement prendre et retirer a soy » [56] ; ... elle nous est un indice et memorial de nostre premier Principe et Créateur, a l'amour duquel elle nous incite, nous donnant un secret advertissement que nous appartenons a sa divine Bonté » [57].

En conséquence, non seulement elle indique à notre activité la direction à suivre, mais elle amorce encore notre énergie par l'espérance qu'elle engendre.

---

54. *Ibid.*, IV, pp. 82 s.
55. *Ibid.*, IV, p. 84.
56. *Ibid.*
57. *Ibid.*

C'est pourquoy le grand Prophete royal appelle cette inclination non seulement lumiere parce qu'elle nous fait voir ou nous devons tendre, mais aussi joye et allegresse, parce qu'elle nous console en nostre egarement, nous donnant esperance que Celuy qui nous a empreinte et laissee cette belle marque de nostre origine, pretend encor et desire de nous y ramener et reduire, si nous sommes si heureux que de nous laisser reprendre a sa divine Bonté [58].

A ce double titre, elle nous rendra donc aptes à reconnaître son objet, lorsque par une aide divine nous passerons de la possession idéale à la possession réelle de ce souverain bien, auquel notre âme aspire et dont nous sentirons la présence au « tressaillement universel de nostre ame » [59].

Le cœur humain tend a Dieu par son inclination naturelle, sans sçavoir bonnement quel il est ; mais quand il le treuve a la fontaine de la foy, et qu'il le void si bon, si beau, si doux et si debonnaire envers tous, et si disposé a se donner comme souverain bien a tous ceux qui le veulent, o Dieu, que de contentemens et que de sacrés mouvemens en l'esprit, pour s'unir a jamais a cette bonté si souverainement aymable ! J'ay en fin treuvé, dit l'ame ainsi touchee, j'ay treuvé ce que je desirois, et je suis maintenant contente [60].

C'est enfin le repos sans la satisfaction parfaite du désir. « Ainsy... nostre cœur ayant eu si longuement inclination a son souverain bien, il ne sçavoit a quoy ce mouvement tendoit ; mais si tost que la foy le luy a monstré, alhors il void bien que c'estoit cela que son ame requeroit, que son esprit cherchoit et que son inclination regardoit » [61].

Au terme de l'investigation psychologique, cette tendance indestructible, si vivace et si nettement définie, nous apparaît donc comme une disposition profonde de notre nature. D'où pourrait-elle surgir, en effet, sinon d'une convenance essentielle que nous avons avec Dieu et par similitude et par correspondance ?

58. *Ibid.*, IV, p. 85.
59. *Ibid.*, IV, p. 137.
60. *Ibid.*
61. *Ibid.*, IV, p. 138.

Nous sommes faits pour Dieu : vers Lui sont orientées irrésistiblement nos aptitudes foncières et constitutives. Aussi, saint François de Sales a toute raison de conclure : « mais quant a nous, Theotime, mon cher ami, nous voyons bien que nous ne pouvons estre vrays hommes sans avoir inclination d'aymer Dieu plus que nous mesmes » [62]. Combien cette pensée originale montre la tendance de saint François : tendance vers une reconnaissance des « possibilités » des « vrays hommes » et la convenance essentielle entre l'homme et Dieu.

A travers les assimilations spontanées de notre volonté avec le bien, dans lequel elle se complaît « comme en son objet tres aggreable » [63], saint François de Sales a découvert une orientation définie de notre activité. Il a vu aussi que le progrès de cette dernière, marqué par des adaptations de plus en plus heureuses est dû à l'épanouissement d'une « inclination naturelle d'aymer Dieu sur toutes choses ».

Le but de l'homme et ses problèmes

Nous en sommes au point où son analyse lui a permis de déterminer le but vers lequel nous allons nécessairement, la manière dont nous le poursuivons et les ressources que nous possédons pour cela. Il peut désormais nous offrir un idéal proportionné à nos forces et trouver une méthode efficace pour l'atteindre, en mettant en valeur les aptitudes foncières de notre nature.

Mais avant d'exposer son œuvre de synthèse pratique, il est intéressant d'étudier les problèmes que pose et résout cette tentative de tracer à l'âme humaine un itinéraire vers sa fin suprême.

Au point de départ, son analyse constate une inclination naturelle à aimer Dieu sur toutes choses ; ne pourrait-on pas trouver en elle quelque indice révélateur de notre destinée ? Nous paraissons marcher vers notre fin sous la contrainte d'une règle inflexible opérant un triage entre

62. *Ibid.*, V, p. 203.
63. *Ibid.*, IV, p. 40.

nos diverses aspirations : quelle est la loi de cette logique morale qui dirige notre mouvement ? Enfin, parvenus au bout de nous-mêmes en notre effort, nous devons avouer notre impuissance à gravir le sommet que nous entrevoyons : quel est donc notre réel point d'arrivée ? Quelles sont les limites infranchissables à notre ascension ?

Le point de départ, le mouvement, le point d'arrivée ; voilà semble-t-il, ce qu'il importe d'examiner avant d'entreprendre le voyage.

Nous venons d'entendre dire à saint François de Sales que l'âme humaine éprouve un invincible besoin de se dépasser elle-même. « Son entendement a une inclination infinie de sçavoir tous-jours davantage et sa volonté un appetit insatiable d'aymer et treuver du bien » [64]. L'attrait du souverain bien l'empêche de s'arrêter en route ; il faut qu'elle « tende et s'estende » vers Lui, afin de s'y unir. C'est Lui qu'elle veut essentiellement et fondamentalement et qu'elle cherche à son insu peut-être dans le mouvement de son inévitable expansion. Il appert donc que « nous avons une inclination naturelle au souverain bien, en suite de laquelle nostre cœur a un certain intime empressement et une continuelle inquietude, sans pouvoir en sorte quelconque s'accoiser, ni cesser de tesmoigner que sa parfaite satisfaction et son solide contentement luy manquent » [65].

C'est donc un fait que l'analyse psychologique constate : une inquiétude, une aspiration, une exigence nous travaillent. Qu'est-ce donc que cette inclination qui est à leur source ?

Pour en bien connaître la nature, il nous faut, semble-t-il, la considérer successivement au point de vue statique et au point de vue dynamique, c'est-à-dire examiner d'abord les caractères qu'elle présente et les formes qu'elle revêt, puis chercher à découvrir son origine ; cette découverte nous aidera à déterminer la portée de son expansion.

Outre que cette inclination manifeste sa puissance par le mouvement très réel qu'elle imprime à notre activité, elle demeure toujours dans le champ de notre observation

64. *Ibid.*, IV, p. 76 s.
65. *Ibid.*, IV, p. 136 s.

psychologique. Point n'est besoin pour l'apercevoir de faire en toute rigueur scientifique, comme le fit Maurice Blondel l'auteur de l'*Action* [66], l'inventaire de nos richesses intérieures. Un simple coup d'œil y suffit [67].

Et cet « eslan d'amour » se manifeste à notre conscience par des aspirations chaque jour plus pressantes : il s'accroît en effet au fur et à mesure que par le progrès de son action l'homme acquiert un sentiment plus vif de l'écart qui existe entre ses volontés successives et sa volonté nécessairement voulue.

De plus, la même expansion de sa vie lui montre davantage à chaque étape que son « vouloir fondamental » n'est pas orienté vers n'importe quoi, mais vers une fin, vers un bien nettement défini. Une inclination également définie nous conduit vers ce but. C'est à cause de cela qu'elle peut à juste titre nous servir de norme pour juger la valeur des biens auxquels nos désirs risquent de nous attacher. Tout attrait où elle ne trouve pas convenance, harmonie et complaisance est condamné ; toute solution qui ne répond pas à ses vœux est éliminée, car l'un et l'autre sont par là même reconnus en désaccord avec les orientations essentielles de notre nature.

L'inclination n'étant au fond que la manifestation de ces dernières, demeure comme elles indestructible. Saint François de Sales en témoigne au moyen d'un gracieux exemple :

> Entre les perdrix, dit-il, il arrive souvent que les unes desrobbent les œufs des autres affin de les couver soit pour l'avidité qu'elles ont d'estre meres, soit pour leur stupidité qui leur fait mesconnoistre leurs œufs propres. Et voyci chose estrange, mais neanmoins bien tesmoignée, car le perdreau qui aura esté esclos et nourri sous les aysles d'une perdrix estrangere, au premier reclam qu'il oyt de sa vraye mere qui avoit pondu l'œuf duquel il est procedé, il quitte la perdrix larronnesse, se rend a sa premiere mere et se met a sa suite, par la correspondance qu'il a avec sa premiere origine... [68].

---

66. *Op. cit.*
67. *Œuvres*, Cf., ci-dessus, p. 69, note 149.
68. *Ibid.*, IV, pp. 78 s.

De la même manière ne disparaît jamais de notre âme l'aspiration profonde, qui lui fait rechercher le souverain bien. Elle y engendre l'inquiétude, et le remords aux jours d'égarement, aux jours où nous nous écartons du chemin qui conduit vers le but auquel, bon gré mal gré, nous sommes ordonnés.

Sans doute, cette aspiration peut demeurer longtemps assoupie ; mais elle se réveillera nécessairement quand les circonstances ramèneront notre pensée vers Dieu. Alors, notre penchant vers sa divinité reparaîtra plus vif que jamais, comme reparaît chez le perdreau de saint François de Sales

> la correspondance qu'il a avec sa premiere origine ; correspondance toutefois qui ne paroissoit point, ains fut demeuree secrette, cachee et comme dormante au fond de sa nature, jusques a la rencontre de son object, que soudain excitee, et comme resveillee, elle fait son coup et pousse l'appetit du perdreau a son premier devoir. Il en est de mesme, Theotime, de nostre cœur ; car quoy qu'il soit couvé, nourri et eslevé emmi les choses corporelles, basses et transitoires et par maniere de dire, sous les aysles de la nature, neanmoins, au premier regard qu'il jette en Dieu, a la premiere connoissance qu'il en reçoit, la naturelle et premiere inclination d'aymer Dieu, qui estoit comme assoupie et imperceptible, se resveille en un instant, et a l'improuveu paroist, comme une estincelle qui sorte d'entre les cendres, laquelle touchant nostre volonté, luy donne un eslan de l'amour supreme deu au souverain et premier Principe de toutes choses [69].

Quelle que soit la forme qu'elle revête alors, cette inclination exprime le souhait d'une « âme naturellement chrétienne » [70]. Il en est ainsi de la tendance à l'infini que saint François de Sales invoque sous l'aspect d'un « interminable desir de sçavoir » [71] ; de même que de la « naturelle inclination d'aymer Dieu sur toutes choses ». Les exigences de notre âme demeurent toujours inassouvies, parce que,

69. *Ibid.*, IV, p. 79.
70. Cf., Tertullien, *Apologie*, ch. xvii, édit. Migne, P.L., I, col. 377.
71. *Œuvres*, IV, p. 76.

aspirant à la possession du bien suprême, elles ne peuvent trouver leur repos qu'en Dieu [72].

L'origine et la force de ce but

Nous venons d'examiner les qualités essentielles de l'inclination motrice de notre vie intellectuelle et morale ; mais comme toute force, comme toute tendance orientée, cette inclination sera mieux connue par l'examen de son origine, de sa force d'expansion et de son but.

Réelle, définie, indestructible et incoercible, elle ne peut naître que d'une aptitude également réelle, définie, indestructible et incoercible, sise au sein de notre nature et principe du développement progressif de son action. Une telle aptitude possède tous les caractères de ce que les anciens ont appelé d'une façon très suggestive « raisons séminales » [73]. Celles-ci sont des sources d'énergie essentiellement orientée : elles sont les « principes de la science comme de l'action qui sont en quelque sorte les semences des vertus intellectuelles et morales en tant que dans la volonté réside un naturel désir du bien » [74].

---

72. Saint Thomas, *Summa Theologica*, 1 a, II ae, q. II, art. 8, in c., Piana, 1953, t. II, p. 125 B : « Objectum autem voluntatis, quae est appetitus humanus, est universale bonum, sicut objectum intellectus est universale verum. Ex quo patet quod nihil potest quietare voluntatem hominis nisi bonum universale ; quod non invenitur in aliquo creato, sed solum in Deo ».

« Or, l'objet de la volonté, c'est-à-dire, de l'appétit humain, c'est le bien universel, tout comme le vrai universel est l'objet de l'intellect. Il résulte évidemment de là que rien ne peut apaiser la volonté de l'homme, si ce n'est le bien universel ; bien qui ne se trouve dans aucune chose créée, mais uniquement en Dieu. »

73. Thamiry, *Les deux aspects de l'Immanence et le Problème religieux,* Bloud, Paris, 1908, ch. I, II. Afin de préciser ce concept de « raisons séminales », il sera peut-être utile de rappeler quelques citations de saint Thomas à ce sujet : « Saint Thomas, en effet, soutient qu'il est nécessaire d'admettre dans les corps des puissances actives et passives, principes des générations et mouvements naturels » (*Op. cit.*, I, q. CXV,

74. Saint Thomas, *Op. cit.* I a, II ae, q. LXIII, art. 1. « ... In ratione hominis insunt naturaliter quaedam principia naturaliter cognita tam scibilium quam agendorum ; quae sunt quaedam seminaria intellectualium virtutum et moralium in quantum in voluntate inest quidam naturalis appetitus boni... » « ... nous avons tout naturellement dans la raison certains principes naturellement connus tant de l'ordre du savoir que de celui de l'agir ; principes qui sont une pépinière de vertus intellectuelles

Puissances passives, elles peuvent demeurer assoupies
comme on l'a vu de « l'inclination naturelle d'aymer Dieu
sur toutes choses » ; mais à la manière de « l'appetit du
perdreau », dès qu'elles ont été éveillées, rien n'arrête plus
leur nécessaire expansion. Leur réaction comme toute
réaction vitale, est supérieure de beaucoup à l'action qui
l'a provoquée ; de là ce progrès illimité de ces aspirations
qui, en nous, tendent à l'infini du vrai et du bien.

Les raisons séminales constituent donc cette force
vivante dont le déploiement irrésistible se manifeste par
des exigences semblables à elles.

> L'âme ne possède pas seulement dans la raison, qui lui
> apartient nécessairement, l'aptitude et la mission d'arri-
> ver à une connaissance quelconque de Dieu, des rap-
> ports de la créature à Dieu et par conséquent de l'ordre
> moral fondé sur la loi divine. Elle possède encore d'une
> façon inadmissible, comme appartenant à l'essence de la
> raison, une force vivante, une lumière, une vertu qui
> lui permet d'acquérir par elle-même cette connaissance,
> de sorte que cette force jusqu'à un certain degré se
> développe spontanément et se maintient dans son déve-
> loppement. Il y a donc une certaine connaissance de
> Dieu, une aptitude naturelle à l'esprit et qui se fait
> jour, dès que l'esprit commence à se développer [75].

Mais il y a aussi en notre âme une aptitude et une tendance à aimer Dieu « qui lui sont aussi naturelles, que
l'amour de soi-même et des autres êtres » [76] ; et l'auteur
que nous citons, M.J. Scheeben, n'hésite pas à ajouter « sa
nature (de l'âme) serait antinaturelle, si elle n'avait en
elle-même aucun germe vivant d'amour de Dieu » [77]. En
quoi il ne fait que traduire saint Thomas disant : « qu'ai-

---

et de vertus morales ; et aussi en tant que nous avons dans la volonté
un appétit naturel du bien (qui est selon la raison). » Avant lui, saint
Augustin avait écrit, *de Trin*, Lib. VIII, c. 3, nº 4 ; Migne, 1844-64,
P.L., t. XL, II, col. 949 : « De bono dicere nequeamus aliud alio melius
nisi esset nobis impressa notio ipsius boni secundum quod probaremus
aliquid et aliud alii praeponeremus ». « Nous ne pourrions dire au sujet
du bien une chose meilleure qu'une autre s'il n'y avait gravé en nous
un concept du bien lui-même en vertu duquel nous pourrions formuler
quelque approbation et préférer une chose à une autre. »

75. Cf. SCHEEBEN M.J., *Handbuch der katholischen Dogmatik*, Fribourg-
en-Brisgau, 1878, liv. III, nº 521, II, p. 206.

76. *Ibid.*, nº 522, II, p. 207.

77. *Ibid.*

mer Dieu sur toutes choses est connaturel à l'homme » [78] : enseignement d'ailleurs explicitement situé dans une perspective de salut [79]. Dieu l'a voulu ainsi puisqu'il a « luymesme planté dans le cœur de l'homme une speciale inclination naturelle, non seulement d'aymer le bien en general, mays d'aymer en particulier et sur toutes choses sa divine bonté qui est meilleure et plus aymable que toutes choses » [80].

Mais pourquoi cette inclination est-elle impérieuse au point de ne pas laisser en repos l'âme humaine ? Parce que, selon saint François de Sales, elle est sans cesse tenue en éveil par une triple cause : la sympathie naturelle que nous éprouvons pour la divinité, le désir de trouver en elle la perfection qui nous manque, l'espérance d'être pris par elle en une union d'amour.

La sympathie, « douce esmotion de cœur » que l'homme sent sitôt qu'il pense « un peu attentivement a la divinité » [81], naît de notre ressemblance avec cette dernière. Elle nous fait souhaiter de nous en approcher davantage, afin de la mieux connaître et de la mieux aimer.

---

78. SAINT THOMAS, *Op. cit.*, I a, II ae, q. CIX, art. 3, in c., édit. de Piana, II, p. 1354 B : « Diligere autem Deum super omnia est quiddam connaturale homini ».

79. *Ibid.* : « Unde homo in statu naturae integrae dilectionem sui ipsius referebat ad amorem Dei sicut ad finem et similiter dilectionem omnium aliarum rerum ; et ita Deum diligebat plus quam seipsum, et super omnia. Sed in statut naturae corruptae homo ab hoc deficit secundum appetitum voluntatis rationalis, quae propter corruptionem naturae sequitur bonum privatum, nisi sanetur per gratiam Dei.

Et ideo dicendum est quod homo in statu naturae integrae non indigebat dono gratiae superadditae naturalibus bonis ad diligendum Deum naturaliter super omnia ; licet indigeret auxilio Dei ad hoc eum moventis : sed in statu naturae corruptae indiget homo etiam ad hoc auxilio gratiae naturam sanantis ». « Donc l'homme dans son intégrité première rapportait l'amour qu'il avait pour lui-même à son amour de Dieu qui en était la fin, et il en était de même de l'amour qu'il avait pour tous les autres objets ; et ainsi il aimait Dieu plus que lui-même et par-dessus tout. Mais dans l'état de déchéance l'homme n'a pas su se maintenir à ce niveau, et l'appétit de sa volonté rationnelle, en conséquence du désordre de sa nature, poursuit son bien privé, tant qu'il n'est pas remis en état par la grâce de Dieu. »

« Il faut donc conclure que dans son intégrité l'homme n'avait pas besoin pour aimer Dieu naturellement par-dessus tout qu'une grâce fût ajoutée par surcroît à ses facultés naturelles, bien qu'il lui fallût toujours le secours d'une grâce qui assainisse sa nature. »

80. *Œuvres*, IV, p. 77.

81. *Ibid.*, IV, p. 74.

Ce playsir, cette confiance que le cœur humain prend
naturellement en Dieu, ne peut certes provenir que de
la convenance qu'il y a entre cette divine Bonté et
nostre ame : convenance grande, mais secrette ; convenance que chacun connoist, et que peu de gens entendent ; convenance qu'on ne peut nier, mais qu'on ne
peut bien penetrer. Nous sommes creés a l'image et
semblance de Dieu : qu'est-ce a dire cela, sinon que nous
avons une extreme convenance avec sa divine Majesté [82] ?

Mais, outre cette convenance de similitude, il y a une
correspondance nompareille entre Dieu et l'homme pour
leur reciproque perfection ; non que Dieu puisse recevoir aucune perfection de l'homme, mais parce que,
comme l'homme ne peut estre perfectionné que par la
divine Bonté, aussi la divine Bonté ne peut bonnement
si bien exercer sa perfection hors de soy qu'a l'endroit
de nostre humanité : l'une a grand besoin et grande
capacité de recevoir du bien, et l'autre a grande abondance et grande inclination pour en donner. Rien n'est
si a propos pour l'indigence qu'une liberale affluence,
rien si aggreable a une liberale affluence qu'une necessi-
teuse indigence ; et plus le bien a d'affluence, plus l'inclination de se respandre et communiquer est forte, plus
l'indigent est necessiteux, plus il est avide de recevoir,
comme un vuide de se remplir. C'est donq un doux et
desirable rencontre que celuy de l'affluence et de l'indigence... [83].

Or, il ne faut pas à l'homme une longue réflexion pour
entrevoir cette « correspondance nompareille ». Son cœur
la devine spontanément, puisque « si quelque accident
espouvante nostre cœur, soudain il recourt a la Divinité,
advoüant que quand tout luy est mauvais, elle seule luy
est bonne et que quand il est en peril, elle seule comme
son souverain bien, le peut sauver et garantir » [84]. De tout
cela jaillit un désir de Dieu sans cesse avivé par le sentiment de notre indigence.

Enfin, ce désir s'accompagne encore d'une espérance
entretenant « l'inclination naturelle d'aymer Dieu sur toutes
choses ». C'est que, nous dit saint François de Sales, cette
inclination, qui nous est « un indice et memorial de nostre
premier Principe et Createur, a l'amour duquel elle nous

82. *Ibid.*
83. *Ibid.*, IV, p. 75.
84. *Ibid.*, IV, p. 74.

incite » [85], est le « signe de sa grace perdue » [86]. Qu'est-ce
à dire sinon qu'en l'état « de santé et droitture originelle » [87], l'âme humaine gratifiée d'énergies surnaturelles
put pratiquer l'amour de Dieu au-dessus de toutes choses
et en goûter la douceur ; que nos énergies naturelles par-
ticipèrent nécessairement à cette opération sublime, dont
elles sont par elles-mêmes incapables ; et que de cette
collaboration il est résulté pour elles un accroissement
d'orientation vers Dieu.

Or, au jour de la chute originelle, cet accroissement,
qui donne tant de vivacité à notre « inclination d'aymer
Dieu sur toutes choses », ne fut point enlevé à cette dernière ; et c'est pour cela que saint François de Sales
l'appelle « signe de la grace perdue », que Dieu n'a pas
voulu nous ôter, car, « selon les entrailles de sa misericorde, il ne nous voulut pas du tout ruiner... » [88]. Seulement, elle nous reste, comme chez un homme ruiné persistent certains penchants que l'usage de la richesse a
développés [89] et dont la non-satisfaction fait plus cruelle-
ment éprouver l'amertume de l'indigence actuelle. Elle
s'accompagne, en effet, d'un sentiment d'impuissance parce
que sa mise en plein exercice dépasse les forces de « nostre
chetifve nature navree par le péché » [90].

Cependant, à cette impression douloureuse se joint
comme le pressentiment que nos aspirations peuvent être
satisfaites ; que, si le souverain bien est absent, il nous
est possible (avec le secours divin), d'entrer quelque jour
en sa possession.

Cette inclination, par cela même qu'elle est une « belle
marque de notre origine » [91], devient donc également « un

85. *Ibid.*, IV, p. 84.
86. *Ibid.*, IV, p. 83.
87. *Ibid.*, IV, p. 78.
88. *Ibid.*, IV, p. 83.
89. Bossuet, *Sermon pour la Fête de l'Annonciation*, édit. Lebarq.,
t. III, Paris, 1891, p. 429 : « De ce grand et épouvantable débris où la
raison humaine ayant fait naufrage, a perdu tout à coup toutes ses
richesses, et particulièrement la vérité pour laquelle Dieu l'avait formée,
il est resté dans l'esprit des hommes un désir vague et inquiet d'en
découvrir quelque vestige... »
90. *Œuvres*, IV, p. 82.
91. *Ibid.*, IV, p. 85.

indice » [92] qui éclaire notre ignorance toujours prête, sous la poussée de notre souhait de bonheur immédiat, à se laisser captiver par les biens d'ici-bas, et un « memorial » [93] qui oriente notre espérance, puisqu'elle nous donne « un secret advertissement que nous appartenons a sa divine Bonté » [94], et que nous pouvons retourner à elle.

En résumé, considérée comme signe de la grâce perdue, « l'inclination naturelle d'aymer Dieu sur toutes choses » nous enseigne que l'homme est dans un état qui résulte de la perte d'un don initial ; elle nous rappelle qu'en vertu d'une possession antérieure, gratuite, accidentelle, surajoutée sans doute mais réelle, s'est accentuée en nous à l'égard de ce don « une capacité et une convenance » [95], à le recevoir de nouveau ; elle nous fait constater que notre opulence passée concourt à nous empêcher désormais de trouver notre parfait équilibre en notre nature, parce qu'il nous reste des traces, « un indice et un memorial », dont nous ne savons point par nous-mêmes interpréter toute la signification, mais qui de fait excitent notre aspiration vers un bien pour lequel nous sommes faits, auquel nous sentons confusément que nous appartenons, - et vers lequel nous devons nous élever sans cesse ; - enfin, elle avive en nous le sentiment de notre impuissance à l'atteindre. Dès lors, nous comprenons mieux pourquoi, arrivés au bout de nous-mêmes, nous avons encore la possibilité d'aller plus haut, et pourquoi apparaît si exigeant le besoin d'un secours qui nous le permette.

En effet, si cette « inclination d'aymer Dieu sur toutes choses » par sa triple source - ressemblance naturelle avec notre créateur, correspondance naturelle à sa divine affluence, signe de la grâce perdue - est en nous comme une « belle marque de nostre origine » [96], elle est aussi une marque de notre destinée.

La fin d'un être, son rôle dans l'harmonie universelle, le degré de perfection auquel il peut et doit prétendre, n'est-il pas découvert par l'étude même de ses énergies essen-

92. *Ibid.*, IV, p. 84.
93. *Ibid.*
94. *Ibid.*
95. Encycl. *Pascendi gregis*, édit. des Quest. Act., Paris, 1911, p. 57.
96. *Œuvres*, IV, p. 85.

tielles [97] ? Si donc à la racine de notre « inclination naturelle d'aymer Dieu sur toutes choses » nous constatons l'existence d'une aptitude réelle, définie, indestructible, dont la force d'expansion nous entraîne d'une manière irrésistible vers son objet infini, ne sommes-nous pas amenés à conclure sans hésitation qu'en l'épanouissement suprême de cette aptitude réside notre fin ? Nous le sentons à cette joie et complaisance toujours croissante à mesure que l'effort de notre activité nous en rapproche, et lorsqu'un être atteint le bonheur auquel il est destiné, cette inclination naturelle trouve pleine satisfaction.

Voilà comment, par voie d'analyse, saint François de Sales apporte une solution au problème de la destinée : D'où venons-nous ? Qui sommes-nous ? Où allons-nous ? Nous allons à Dieu, parce que nous venons de Dieu et qu'il nous a faits à son image. L'homme, de sa nature, tend toujours vers son accomplissement, son plein épanouissement en celui qui est son origine et qui lui a donné les moyens de le regagner.

Telle est la source « de la convenance qu'il y a entre cette divine Bonté et nostre ame » [98]. Et « cette convenance de similitude », à laquelle s'ajoute « une correspondance nompareille entre Dieu et l'homme » [99], engendre l'orientation foncière de notre nature, qui par un juste retour s'adapte au souverain bien et nous le fait aimer avec les fibres les plus intimes de notre cœur. Aussi de tout notre être, nous aspirons nécessairement à nous rapprocher de lui afin d'entrer en sa possession autant que cela nous est possible. A ses attraits, nous ne pouvons nous dérober, car « la connoissance naturelle de la Divinité

97. Cf., SCHEEBEN M.-J., *Op. cit.*, III, n° 586, II, p. 236 : « Quant à la mesure de cette consommation définitive et à la manière dont elle doit se réaliser en tant qu'elle est requise par la destinée naturelle, il faut évidemment les déterminer et par les aspirations de la nature vers son perfectionnement et par ses forces actives essentielles : la consommation doit se présenter comme le développement complet et continu de ces forces ou du germe qu'elles contiennent. Rien, en effet, ne peut être destiné par nature à une chose qui ne le peut faire ou atteindre par sa nature.

98. *Œuvres*, IV, p. 74.

99. *Ibid.*, IV, p. 75.

produit infailliblement l'inclination et tendance a l'aymer plus que nous-mesme » [100].

Cette connaissance de la divinité est notre fin. Sa conquête seule nous obtiendra le repos de la béatitude. Saint Augustin dit : « *Fecisti nos ad te, Domine, et inquietum est cor nostrum donec requiescat in te* » [101]. Saint François de Sales dira : « O vray Dieu, quelle suavité a l'entendement humain, d'estre a jamais uni a son souverain object, recevant non sa representation mais sa presence, non aucune image ou espece mais la propre essence de sa divine verité et majesté ! » [102].

L'éveil de l'inclination

La discussion que nous venons de suivre au sujet de la psychologie de la volonté, nous a permis de dégager l'idéal de saint François de Sales : à savoir, l'union de l'homme avec Dieu par un amour d'amitié consommé en une mutuelle bienveillance. Plus encore, cet idéal est une « amitié de dilection par laquelle nous faysons election de Dieu pour l'aymer d'un amour particulier » [103]. - Mais comment acheminer notre cœur vers une telle grandeur, lui qui est « couvé, nourri et eslevé emmi les choses corporelles, basses et transitoires, et, par maniere de dire, sous les aysles de la nature » ? [104] - Une longue éducation est nécessaire pour cela. Nous avons vu que cette éducation sera éclairée et dirigée par le mouvement spontané qui nous entraîne vers le souverain bien. Et tout son effort consistera à mettre en valeur l'aptitude constitutive qui, sous forme « d'inclination naturelle d'aymer Dieu sur toutes choses », nous oriente dès notre point de départ vers notre destinée.

Comment saint François de Sales en sa synthèse pratique dirigera-t-il le disciple qui accepte de se mettre à son école ? Comment le fera-t-il passer de la possession

100. *Ibid.*, V, p. 202.
101. *Confessions*, L. I, c. I, édit. Migne, P.L., T. XXXII, col. 661.
102. *Œuvres*, IV, p. 201.
103. *Œuvres*, IV, p. 164.
104. *Ibid.*, IV, p. 79.

idéale à la possession réelle de ce Bien dont l'analyse précédente vient d'aviver encore en lui l'impérieux désir ?

Il n'y a qu'une méthode efficace pour y réussir : guider l'âme humaine dans la mouvante synthèse que constitue sa vie. Cela se fait par l'éveil de ses énergies intimes, par leur développement grâce à des adaptations voulues et choisies, jusqu'à leur union définitive avec leur sublime objet en une assimilation aussi parfaite que possible. L'amour, en effet, est « comme un bel arbre duquel la racine est la convenance de la volonté du bien, le pied en est la complaysance, sa tige c'est le mouvement ; les recherches, poursuites et autres effortz en sont les branches, mais l'union et jouissance en est le fruit » [105].

Pour cueillir un jour le fruit de ce bel arbre, c'est à sa racine qu'il faut d'abord donner des soins, c'est-à-dire aux énergies intimes, aux aptitudes foncières, d'où naît notre « inclination naturelle d'aymer Dieu sur toutes choses ». Celle-ci d'ailleurs, avec toutes les qualités que nous lui connaissons, ouvre d'elle-même les portes de l'âme à l'influence du maître en amour divin, saint François de Sales : elle est pour lui, dans notre intérieur, l'alliée sans la sympathie, correspondance et complicité de laquelle seraient vaines toutes les actions exercées du dehors [106].

Son œuvre, en effet, vise à promouvoir et guider l'épanouissement de nos ressources naturelles. La perfection qu'il veut nous voir acquérir ne sera donc pas imposée du dehors. Il sait la tentative impossible. Mais, averti par la science de la pratique que lui a révélée son enquête psychologique et morale, il tente de susciter notre progrès, à partir du fond même de notre être, par un exercice rationnel de nos énergies mentales. D'une part, ses fines analyses lui permettront de composer un traité d'ascétisme, une pratique de la science spirituelle qui nous fera suivre d'étape en étape un itinéraire de l'âme vers Dieu. D'autre part, ces mêmes analyses nous permettront de dégager d'une façon plus nette encore son esprit et la spiritualité optimiste qui en découle.

Le premier souci de son itinéraire sera de tenir en éveil

105. *Ibid.*, IV, p. 41.
106. *Ibid.*, IV, pp. 102 s.

« l'inclination naturelle d'aymer Dieu sur toutes choses ».
A cela sont destinées les considérations philosophiques des
« quatre premiers Livres » et de « quelques chapitres des
autres » [107].

Lors donc que par ses discours saint François de Sales
attire et maintient son regard de l'âme sur cette précieuse
inclination, son dessein est de l'aviver par là même, comme
il arrive à tout fait de conscience sur lequel se fixe avec
persévérance notre attention.

Dans ce but, il nous apprend d'abord que les mouvements d'amour, qui entraînent notre volonté vers le bien,
résultent d'une « convenance tres estroitte » [108] avec lui.
« Cette convenance produit la complaysance que la volonté
ressent a sentir et appercevoir le bien ; cette complaisance
esmeüe et pousse la volonté au bien ; ce mouvement tend
a l'union... » [109] selon le vœu de l'amour.

« Considerons, de grace, la prattique d'un amour insensible entre l'aymant et le fer : car c'est la vraye image de
l'amour sensible et volontaire duquel nous parlons. Le fer
donques a une telle convenance avec l'aymant, qu'aussi
tost qu'il en apperçoit la vertu, il se retourne devers luy ;
puis il commence soudain a se remuer et demener par
des petitz tressaillemens, tesmoignant en cela la complaisance qu'il ressent, en suite de laquelle il s'avance et se
porte vers l'aymant, cherchant tous les moyens qu'il peut
pour s'unir avec iceluy » [110].

Ce penchant de nos cœurs vers le bien, tous, nous pouvons le reconnaître aux heures où nous éprouvons un
sentiment de désaccord, d'éloignement, ou qu'un souhait
pique notre conscience psychologique comme par l'aiguil-
lon d'un désir.

> mais quand le bien devers lequel le cœur s'est retourné,
> incliné et esmeu, se trouve esloigné, absent ou futur, ou
> que l'union ne se peut pas encore faire si parfaittement

---

107. *Ibid.*, IV, pp. 9 s. Sans doute, le *Traité* est en lui-même une œuvre
de mysticisme, mais n'oublions pas que saint François de Sales a jugé
bon de lui donner un préambule ascétique, à l'étude duquel nous nous
attachons ici.
108. *Ibid.*, IV, p. 41.
109. *Ibid.*
110. *Ibid.*, IV, pp. 41 s.

> qu'on pretend, alors le mouvement d'amour par lequel le cœur tend, s'avance et aspire a cet objet absent, s'appelle proprement desir ; car le desir n'est autre chose que l'appetit, convoistise ou cupidité des choses que nous n'avons pas, et que neanmoins nous pretendons d'avoir [111].

Le conflit des désirs plus encore, maintient le regard de l'âme sur ses aspirations spontanées. Leurs tendances divergentes, leurs incompatibilités nous donnent le spectacle d'une anarchie intérieure dont nous ne sortons que par un coup de volonté :

> Comme quand un malade desire manger des potirons ou melons, et quoy qu'il en ait a son commandement, il ne veut neanmoins pas en manger, parce qu'il craint d'empirer son mal ; car qui ne void deux desirs en cet homme, l'un de manger des potirons, et l'autre de guerir ? Mays parce que celuy de guerir est plus grand, il estouffe et suffoque l'autre, l'empeschant de produire aucun effect [112].

Ainsi, par l'élection qu'elle fait de l'un de nos désirs, la volonté sauvegarde son pouvoir. Elle maintient à son profit la « naturelle monarchie » qu'elle possède en notre « petit monde » [113] intérieur, et rend inefficaces les souhaits qu'elle n'approuve pas.

> Et ces souhaitz qui sont arrestés non point par impossibilité mais par l'incompatibilité qu'ilz ont avec les plus puissans desirs, s'appellent voirement souhaitz et desirs, mais souhaitz vains, suffoqués et inutiles. Selon les souhaitz des choses impossibles, nous disons : je souhaitte, mais je ne puis ; et selon les souhaitz des choses possibles, nous disons : je souhaitte, mais je ne veux pas [114].

Par ces descriptions, saint François de Sales amorce la curiosité de son disciple, mais il s'attache à la retenir encore par une étude plus profonde.

Ces désirs et cette volonté, dont il nous montre les luttes, sont tous mus par l'amour. Or quelle est la source

111. *Ibid.*, IV, p. 44.
112. *Ibid.*, IV, pp. 45 s.
113. *Ibid.*, IV, p. 25.
114. *Ibid.*, IV, p. 46.

et l'origine de l'amour ? C'est une convenance certes, mais
« quelle est la convenance qui excite l'amour ? » [115]. « Ceux
la n'ont pas bien rencontré qui ont creu que la ressemblance estoit la seule convenance qui produisoit l'amour ;
car qui ne sçait que les viellars les plus sensés ayment ten-
drement et cherement les petitz enfans, et son reciproque-
ment aymés d'eux ; que les sçavans ayment les ignorans,
pourveu qu'ilz soyent dociles, et les malades, leurs mede-
cins ? » [116].

La ressemblance n'est donc pas la seule source de
l'amour, car « je vous prie, quelle similitude y a-t-il entre
la chaux et l'eau, ou bien entre l'eau et l'espongie ? et
neanmoins, la chaux et l'espongie prennent l'eau avec une
avidité non pareille, et tesmoignent envers elle un amour
insensible extraordinaire. Or, il en est de mesme de l'amour
humain, car il se prend quelquefois plus fortement entre
les personnes de contraires qualités, qu'entre celles qui
sont fort semblables » [117]. Et saint François de Sales multiplie les comparaisons afin de nous intéresser à son
discours.

> Les accords de musique se font en la discordance, par
> laquelle les voix dissemblables se correspondent, pour
> toutes ensemble faire un seul rencontre de proportion ;
> comme la dissemblance des pierres precieuses et des
> fleurs fait l'aggreable composition de l'esmail et de la
> diapreure. Ainsy l'amour ne se fait pas tousjours par la
> ressemblance et simpathie, ains par la correspondance
> et proportion, qui consiste en ce que par l'union d'une
> chose a une autre elles puissent recevoir mutuellement
> de la perfection et devenir meilleure [118].

Pour quelles raisons s'attarder de la sorte en ces analyses psychologiques ? Pour nous faire méditer longuement
sur notre « inclination naturelle d'aymer Dieu ». Saint
François de Sales attire notre attention sur ce fait que
« si tost que l'homme pense un peu attentivement a la
Divinité, il sent une certaine douce esmotion de cœur,
qui tesmoigne que Dieu est Dieu du cœur humain » [119]. Et

115. *Ibid.*, IV, p. 47.
116. *Ibid.*, IV, pp. 47 s.
117. *Ibid.*, IV, p. 48.
118. *Ibid.*, IV, p. 49.
119. *Ibid.*, IV, p. 74.

de cette sympathie il nous expose de nouveau la cause profonde à la lumière de la précédente analyse de l'amour humain : « Ce playsir, cette confiance que le cœur humain prend naturellement en Dieu, ne peut certes provenir que de la convenance qu'il y a entre cette divine Bonté et nostre ame... convenance qu'on ne peut nier... Nous sommes creés a l'image et semblance de Dieu » [120]. Donc nous avons avec lui une « convenance de similitude » mais il y a aussi « une correspondance nompareille entre Dieu et l'homme pour leur reciproque perfection » [121]. La considération soutenue de cette merveille aura chance d'exalter notre désir d'aller à Dieu en nous abandonnant au mouvement de notre inclination à l'aimer sur toutes choses. C'est encore là un point très clair dans la doctrine de l'évêque de Genève. Et, afin d'y décider notre volonté, saint François de Sales s'ingénie à prouver la légitimité de cette démarche.

Il nous en fait constater la spontanéité : « Que si quelqu'accident espouvante nostre cœur, soudain il recourt a la Divinité, advouant que quand tout luy est mauvais, elle seule luy est bonne » [121]. Après quoi, il nous montre que de cette inclination souveraine nous ne pouvons nous défaire : elle subsiste toujours en nous « comme assoupie et imperceptible » [123], mais elle se « resveille en un instant et a l'improuveu paroist » [124] « en notre cœur au premier regard qu'il jette en Dieu » [125]. Enfin il nous force à écouter au fond de notre conscience le cri de détresse que pousse notre âme « considerant que rien ne la contente parfaitement et que sa capacité ne peut estre remplie par chose quelconque qui soit au monde » [126]. Par ailleurs, s'il nous avertit de notre impuissance à « naturellement executer cette si juste inclination » [127], il entend bien qu'elle « ne demeure pas pour neant » [128] en nos cœurs. Aussi nous invite-t-il à

---

120. *Ibid.*
121. *Ibid.*, IV, p. 75.
122. *Ibid.*, IV, p. 74.
123. *Ibid.*, IV, p. 79.
124. *Ibid.*
125. *Ibid.*
126. *Ibid.*, IV, p. 76.
127. *Ibid.*, IV, p. 77.
128. *Ibid.*, IV, p. 84.

considérer ce « signe de sa grace perdue » [129] que Dieu nous a laissé, « affin que le regardans, et sentans en nous cette arriance et propension a l'aymer, nous taschassions de ce faire » [130]. En cet effort il met toute l'espérance que lui inspire la méthode d'ascétisme qu'il va proposer à notre bonne volonté.

En cela, comme en toutes ses démarches, saint François de Sales poursuit sans cesse le même objectif : troubler l'illusoire tranquillité dans laquelle pourrait nous entretenir la jouissance des biens inférieurs ; nous montrer sous nos désirs inquiets et toujours inassouvis l'orientation foncière de notre nature vers le souverain bien et augmenter par là même notre aspiration vers la béatitude que nous promet sa conquête ; attirer nos réflexions sur la forme concrète et vivante que cette aspiration revêt dans « notre inclination naturelle d'aymer Dieu sur toutes choses », nous la faire estimer, nous intéresser à son développement, nous amener à placer en elle notre persévérante espérance : en un mot susciter en faveur de cette précieuse inclination une fermentation d'états de conscience, comptant sur ce que nous appellerions un phénomène d'automatisme psychologique pour la rendre dominatrice dans le monde de notre âme. Alors, espère-t-il, vu notre besoin d'unité intérieure et d'harmonie extérieure, nous serons naturellement conduits à la pratiquer dans notre vie et à passer ainsi de la connaissance à l'action .

La Providence

Nous disposons de bien peu de forces pour exécuter ce mouvement, c'est chose entendue ; mais notre impuissance n'est pas une raison de nous décourager et de renoncer à l'entreprise. Nous avons toujours une espérance qui nous soutient. Aucune de nos aspirations essentielles vers notre fin ne peut en effet demeurer vaine. La divine « providence naturelle » [131] que la philosophie montre gouvernant l'univers, se doit de « pourvoir l'homme des moyens naturels

129. *Ibid.*, IV, p. 83.
130. *Ibid.*
131. *Ibid.*, IV, p. 97.

qui luy sont requis pour rendre gloire a sa divine Bonté » [132].

Inspiré par cette conception, saint François de Sales est en droit de nous exhorter à persévérer dans notre effort, par l'espoir d'une assistance céleste. « La douceur de la pieté divine » [133], il nous le promet, répondra à la pratique fidèle de notre sainte aspiration en nous donnant

> quelque secours, par le moyen duquel nous pourrions passer plus avant ; que si nous secondions ce premier secours, la bonté paternelle de Dieu nous en fourniroit un autre plus grand, et nous conduiroit de bien en mieux, avec toute suavité, jusques au souverain amour auquel nostre inclination naturelle nous pousse : puisque c'est chose certaine qu'a celuy qui est fidele en peu de choses et qui fait ce qui est en son pouvoir, la bénignité divine ne denie jamais son assistance pour l'avancer de plus en plus [134].

Après cela, toujours pour captiver l'attention de son disciple et la retenir sur cette inclination naturelle, saint François de Sales entre dans des considérations d'un ordre plus élevé : en son Livre Second, il fait l'« histoire de la generation et naissance celeste du divin amour » [135] comme s'il voulait nous fasciner par le charme d'une espérance qui répond à nos secrets désirs.

Sans se lasser, heureux de parler de l'objet souverainement aimable et désirable vers lequel il aspire, il nous raconte les bontés de la « providence souveraine » [136] : bonté inépuisable « envers les creatures raysonnables » [137] bonté qui créa les hommes « tous en justice originelle, laquelle n'estoit autre chose qu'un amour tres suave qui les disposoit, contournoit et acheminoit a la felicite eternelle » [138]. Il rappelle que « sa miséricorde a esté plus salutaire pour racheter la race des hommes, que la misere d'Adam n'avoit esté veneneuse pour la perdre » [139].

132. *Ibid.*
133. *Œuvres*, IV, p. 84.
134. *Ibid.*
135. *Ibid.*, IV, p. 87.
136. *Ibid.*, IV, p. 94.
137. *Ibid.*, IV, p. 99.
138. *Ibid.*, IV, p. 101.
139. *Ibid.*, IV, p. 104.

Il répète que Dieu « ne nous a pas laissé l'inclination naturelle pour l'aymer, pour neant ; car affin qu'elle ne soit oyseuse, il nous presse de l'employer par ce commandement general, et affin que ce commandement puisse estre prattiqué, il ne laisse homme qui vive auquel il ne fournisse abondamment tous les moyens requis a cet effect » [140].

Nous pouvons donc compter sans crainte sur une assistance généreuse, car « Dieu ne nous donne pas seulement une simple suffisance de moyens pour l'aymer, et en l'aymant nous sauver, mais... une suffisance riche, ample, magnifique, et telle qu'elle doit estre attendue d'une si grande bonté comme la sienne » [141]. Dans sa bonté, donc, Dieu s'occupe de nous. Mais il s'agit aussi de coopérer avec cette assistance.

Cette coopération, c'est l'appel à la bonne volonté nécessaire, que sollicitent les touches secrètes de la divinité, d'une manière sans doute incompréhensible pour l'esprit humain, mais qui cependant ne perd rien de son efficacité psychologique sur nos âmes. Aussi ferons-nous comme les oiseaux apodes.

> Il y a certains oyseaux, Theotime, qu'Aristote nomme apodes, parce qu'ayans les jambes extremement courtes et les pieds sans force, ilz ne s'en servent non plus que s'ilz n'en avoyent point : que si une fois ilz prennent terre, ilz y demeurent pris, sans que jamais d'eux mesmes ilz puissent reprendre le vol, d'autant que n'ayans nul usage des jambes ni des pieds, ilz n'ont pas non plus le moyen de se pousser et relancer en l'air ; et partant, ilz demeurent la croupissans et y meurent, sinon que quelque vent propice a leur impuissance, jettant ses bouffees sur la face de la terre, les vienne saisir et enlever, comme il fait plusieurs autres choses ; car alhors, si employans leurs aysles ilz correspondent a cet eslan et premier essor que le vent leur donne, le mesme vent continue aussi son secours envers eux, les poussant de plus en plus au vol [142].

De même notre action s'appuyant sur le secours d'enhaut fera croître sans cesse notre « inclination naturelle d'aymer Dieu ». Les « premiers sentimens d'amour que les

140. *Ibid.*, IV, p. 112.
141. *Ibid.*, IV, p. 113.
142. *Ibid.*, IV, pp. 115 s.

attraitz divins font en l'ame, avant qu'elle ayt la foy »[143] réchaufferont notre « vouloir paralytique qui void la piscine salutaire du saint amour mais qui n'a pas la force de s'y jetter »[144]. Leur charme nous encouragera et nous attirera, car « le propre lien de la volonté humaine, c'est la volupté et le playsir ». « On monstre des noix a un enfant », dit saint Augustin, « et il est attiré en aymant ; il est attiré par le lien, non du cors, mais du cœur »[145]. Ainsi le Père céleste nous tire par des « delectations et playsirs spirituelz »[146], qu'il met en nos cœurs.

Cependant, de ces sollicitations, naturelles ou surnaturelles, peu importe, nous ne tirerons parti que par une coopération effective et pratique.

> Nous ne pouvons empescher que l'inspiration ne nous pousse, et, par consequent, ne nous esbranle ; mais si, a mesure qu'elle nous pousse, nous la repoussons pour ne point nous laisser aller a son mouvement, alhors nous resistons. Ainsy le vent ayant saisi et enlevé nos oyseaux apodes, il ne les portera guere loin s'ilz n'estendent leurs aysles et ne cooperent, se guindans et volans en l'air auquel ilz ont esté lancés. Que si, au contraire, amorcés peut estre de quelque verdure qu'ilz voyent en bas ou engourdis d'avoir croupi en terre, au lieu de seconder le vent ilz tiennent leurs aysles pliees et se jettent derechef en bas, ilz ont voirement receu en effect le mouvement du vent, mais en vain, puisqu'ilz ne s'en sont pas prevalus. Theotime, les inspirations nous previennent, et avant que nous y ayons pensé elles se font sentir, mais apres que nous les avons senties, c'est a nous d'y consentir pour les seconder et suivre leurs attraitz, ou de dissentir et les repousser : elles se font sentir a nous, sans nous, mais elles ne nous font pas consentir sans nous[147].

Dès lors, si notre volonté tenue en éveil par la considération de nos insuffisances autant que par celle de nos aspirations incoercibles accepte de coopérer à cette action d'en haut, nos progrès seront rapides et définitifs :

143. *Ibid.*, IV, p. 129.
144. *Ibid.*, IV, p. 82.
145. *Ibid.*, IV, p. 126.
146. *Ibid.*
147. *Ibid.*, IV, pp. 128 s.

> Le mesme vent qui releve les apodes se prend premie-
> rement a leurs plumes, comme parties plus legeres et
> susceptibles de son agitation, par laquelle il donne
> d'abord du mouvement a leurs aysles, les estendant et
> despliant en sorte qu'elles luy servent de prise pour
> saysir l'oyseau et l'emporter en l'air. Que si l'apode
> ainsy enlevé contribue le mouvement de ses aysles a
> celuy du vent, le mesme vent qui l'a poussé l'aydera
> de plus en plus a voler fort aysement. Ainsy, mon cher
> Theotime, quand l'inspiration, comme un vent sacré,
> vient pour nous pousser en l'air du saint amour, elle
> se prend a nostre volonté, et par le sentiment de quel-
> que celeste delectation elle l'esmeut, estendant et des-
> pliant l'inclination naturelle qu'elle a au bien, en sorte
> que cette inclination mesme luy serve de prise pour
> saisir nostre esprit... [148].

Par cet exemple qui attire notre attention, nous constatons qu'un phénomène d'élan, une recrudescence de force (dont la source nous échappe, répétons-le), nous est donnée pour nous avancer vers notre idéal.

> Que si nostre esprit ainsy saintement prevenu, sentant
> les aysles de notre inclination esmeües, depliees, esten-
> dues, poussees et agitees par ce vent celeste, contribue
> tant soit peu son consentement, ah, quel bonheur,
> Theotime ; car la mesme inspiration et faveur qui nous
> a saisi, meslant son action avec nostre consentement,
> animant nos foibles mouvemens de la force du sien, et
> vivifiant nostre imbecille cooperation par la puissance
> de son operation, elle nous aydera, conduira, et accom-
> paignera d'amour en amour, jusques a l'acte de la tres-
> sainte foy, requis pour nostre conversion [149].

Dans cette analyse, saint François de Sales nous fait comprendre la puissance et la bonté de Dieu. Mais en même temps, il souligne l'importance de la volonté de l'homme qui reste toujours parfaitement libre parce qu'il est créé à l'image de son créateur. C'est en étant de « vrays hommes » que nous pouvons arriver à cet idéal auquel nous sommes destinés : l'union avec Dieu selon les moyens propres à notre nature.

148. *Ibid.*, IV, p. 129.
149. *Ibid.*, IV, pp. 129 s.

Vue d'ensemble

De tous ces mouvements qu'il s'attache à susciter en notre âme par ses dissertations et de la manière dont s'éveille et se déploie notre « inclination naturelle d'aymer Dieu sur toutes choses », saint François de Sales nous offre une sorte de vue synthétique dans l'histoire de saint Pachome.

Saint Pachome, lhors encore tout jeune soldat et sans connoisance de Dieu, enroollé sous les enseignes de l'armee que Constance avoit dressee contre le tyran Maxence, vint avec la trouppe de laquelle il estoit, loger au pres d'une petite ville non guere esloignee de Thebes, ou, non seulement luy, mais toute l'armee se treuva en extreme disette de vivres : ce qu'ayant entendu les habitans de la petite ville, qui par bonne rencontre estoyent fidelles de Jesus Christ, et par consequent amis et secourables au prochain, ilz prouveurent soudain a la necessité des soldatz, mais avec tant de soin, de courtoisie et d'amour, que Pachome en fut tout ravi d'admiration ; et demandant quelle nation estoit celle-la, si bonteuse, amiable et gracieuse, on luy dit que c'estoyent des Chrestiens ; et s'enquerant derechef quelle loy et maniere de vivre estoit la leur, il apprit qu'ilz croyoient en Jesus Christ, Filz unique de Dieu, et faisoyent bien a toutes sortes de personnes, avec ferme esperance d'en recevoir de Dieu mesme une ample recompense. Helas, Theotime, le pauvre Pachome, quoy que de bon naturel, dormoit pour lhors dans la couche de son infidelité ; et voyla que tout a coup, Dieu se treuve a la porte de son cœur, et par le bon exemple de ces Chrestiens, comme par une douce voix, il l'appelle, l'esveille et luy donne le premier sentiment de la chaleur vitale de son amour ; car a peyne eut-il ouï parler, comme je viens de dire, de l'aymable loy du Sauveur, que tout rempli d'une nouvelle lumiere et consolation interieure, se retirant a part et ayant quelque tems pensé en soy mesme, il haussa les mains au ciel, et avec un profond soupir il se print a dire : « Seigneur Dieu, qui avés fait le ciel et la terre, si vous daignés jetter vos yeux sur ma bassesse et sur ma peyne et me donner connoissance de vostre Divinité, je vous prometz de vous servir, et d'obeir toute ma vie a vos commandemens. » Depuis cette priere et promesse, l'amour du vray bien et de la pieté prit un tel accroissement en luy, qu'il ne cessoit point de prattiquer mille et mille exercices de vertu [150].

Ne voyons-nous pas ici l'inclination naturelle vers Dieu tirée de son assoupissement par le secours d'un bon exemple, puis, avivée par la méditation, provoquer la réponse d'une âme de bonne volonté ? Mue par son désir de réaliser l'inspiration qui la saisit, cette âme adresse un appel à la lumière et la cherche toujours davantage par la pratique de « l'amour du vray bien ».

Saint François de Sales lui-même prend soin de marquer les étapes psychologiques de ce progrès :

> Il m'est advis, certes, que je voy en cet exemple un rossignol qui, se resveillant a la prime aube, commence a se secouer, s'estendre, desployer ses plumes, voleter de branche en branche dans son buisson, et petit a petit gazouiller son delicieux ramage : car n'aves-vous pas pris garde, comme le bon exemple de ces charitables Chrestiens excita et resveilla en sursaut le bienheureux Pachome ? Certes, cet estonnement d'admiration qu'il en eut ne fut autre chose que son resveil, auquel Dieu le toucha, comme le soleil touche la terre, avec un rayon de sa clarté, qui le remplit d'un grand sentiment de playsir spirituel. C'est pourquoy Pachome se secoue des divertissemens, pour avec plus d'attention et de facilité recueillir et savourer la grace receüe, se retirant a part pour y penser ; puis il estend son cœur et ses mains au ciel, ou l'inspiration l'attire, et commençant a desployer les aysles de ses affections, voletant entre la desfiance de soy mesme et la confiance en Dieu, il entonne d'un air humblement amoureux le cantique de sa conversion, par lequel il tesmoigne d'abord que des-ja il connoist un seul Dieu, Createur du ciel et de la terre ; mais il connoist aussi qu'il ne le connoist pas encor asses pour le bien servir, et partant, il supplie qu'une plus grande connoissance luy soit donnee, affin qu'il puisse par icelle parvenir au parfait service de sa divine Majesté [151].

De ces passages, nous dégageons de nouveau l'idée du progrès spirituel. Plus haut nous avons constaté l'idée d'avancement, d'accroissement par degrés dans la doctrine

150. *Ibid.*, IV, pp. 130 s.
151. *Ibid.*, IV, pp. 131 s.

spirituelle de saint François [152]. Encore une fois nous pouvons apercevoir cette transformation graduelle vers le mieux, mais dans d'autres textes. D'ailleurs cet optimisme relève plutôt du psychologique que du pur spirituel.

C'est donc à une union sublime avec Dieu, que saint François de Sales entreprend d'élever l'âme qui se livre à son influence et direction. Il connaît le chemin de ces hauteurs divines, pour avoir tant et si bien pratiqué l'amour de Dieu. Selon la très juste comparaison de Dom Mackey, il est semblable à un « géant qui ayant gravi d'un bond les sommets les plus élevés redescend vers le voyageur attardé au milieu de la plaine, et l'entraîne dans la rapidité de sa course » [153]. Mettant à notre service son expérience, il nous prend comme par la main ; et dans notre voyage vers Dieu il fait participer notre âme au mouvement de son âme. Il nous emporte en cette action unique et commune au maître et au disciple, qui caractérise toute influence efficace de l'un sur l'autre.

Par la puissance d'un vivant exemple, il nous enseigne l'exercice d'une méthode d'action qui met en valeur notre « inclination naturelle d'aymer Dieu sur toutes choses ». Son œuvre, en effet, n'entend point introduire en nous du dehors les vertus naturelles toutes faites, mais en provoquer l'éclosion par la culture de germes déposés en notre nature. Car la « rayson naturelle est un bon arbre que Dieu a planté en nous, les fruitz qui en proviennent ne peuvent estre que bons : fruitz qui en comparayson de ceux qui procedent de la grace sont a la vérité de tres petit prix, mais non pas pourtant de nul prix, puisque Dieu les a prisés et pour iceux a donné des recompenses temporelles » [154].

La raison pousse plus avant son action pour nous conduire à Dieu et nous inspirer de l'aimer, en nous le faisant connaître. « Or il est vray pourtant que, comme la claire veüe de la Divinité produit infailliblement la necessité de l'aymer plus que nous mesmes, aussi l'entreveüe, c'est a

152. Cf., ci-dessus, pp. 159 s.
153. *Ibid.*, IV, p. VIII.
154. *Ibid.*, V, p. 237.

dire la connoissance naturelle de la Divinité, produit infailliblement l'inclination et tendance à l'aymer plus que
nous mesmes » [155]. En cela nous découvrons une preuve
que nous sommes destinés à nous joindre à elle. En effet,

> si, par imagination de chose impossible, il y avoit une
> infinie bonté a laquelle nous n'eussions nulle sorte d'ap-
> partenance et avec laquelle nous ne peussions avoir
> aucune union ni communication, nous l'estimerions cer-
> tes plus que nous mesmes ; car nous connoistrions qu'es-
> tant infinie, elle seroit plus estimable et aymable que
> nous, et par consequent nous pourrions faire des sim-
> ples souhaitz de la pouvoir aymer : mais, a proprement
> parler, nous ne l'aymerions pas, puisque l'amour regarde
> l'union [156].

Saint François de Sales poursuit : « ...Theotime, mon
cher ami, nous voyons bien que nous ne pouvons pas estre
vrays hommes sans avoir inclination d'aymer Dieu plus
que nous mesmes » [157].

De fait, saint François de Sales songe toujours à cette
précieuse inclination lorsqu'il s'excuse de « prendre ainsy
les discours jusques dans leurs racines » [158]. Elle vit en
notre nature comme en un terrain fertile et sa floraison
produira le divin amour, qui « est une plante pareille à celle
que nous appelons angelique, de laquelle la racine n'est
pas moins odorante et salutaire que la tige et les feuil-
les » [159]. Il en aperçoit l'existence à travers les « assimilations spontanées » de notre âme et les orientations actuel-
les de nos désirs ; il en note le progrès dans les démarches
de notre cœur au milieu des biens d'ici-bas, auxquels nous
attachent un instant des adaptations heureuses ; enfin sous
son irrésistible force d'expansion il reconnaît les exigences
d'une aptitude essentielle à tous les « vrays hommes » [160].

Cette enquête méthodiquement conduite lui fait découvrir en cette inclination fondamentale le principe de notre
activité intérieure : sa source, son mouvement, son terme

155. *Ibid.*, V, p. 202.
156. *Ibid.*, V, p. 203.
157. *Ibid.*
158. *Ibid.*, IV, p. 9.
159. *Ibid.*
160. *Ibid.*, V, p. 203.

possible. La considération de ces faits pose au passage des problèmes que nous avons examinés.

Mais le résultat le plus appréciable de son analyse est d'éclairer la synthèse pratique qui est le but de son ouvrage. Il ne lui suffit pas en effet d'avoir fait l'inventaire de nos ressources intimes, il veut en tirer parti au moyen d'une féconde discipline morale. Pour cela, même lorsqu'il plane dans des sphères plus hautes et décrit, sous l'aspect humain qu'elles revêtent en leur point d'application, les mystérieuses opérations de l'assistance divine, il ne perd pas de vue notre « inclination naturelle d'aymer Dieu sur toutes choses ». Le souci qu'il prend de nous le rappeler jusque dans les derniers livres de son *Traité* nous le prouve. Aussi ses lettres, même vers la fin de sa vie, montrent qu'il est resté toujours optimiste.

Il semble qu'à son avis, c'est sur « l'inclination naturelle » qu'ont la prise la plus efficace, et les actes de l'initiative humaine et les touches imperceptibles de la grâce. Aussi consacre-t-il le principal de son effort à la cultiver : c'est pour la tenir en éveil, en faire l'éducation, la mettre en possession de l'idéal auquel elle est fondamentalement ordonnée, qu'il marque les étapes psychologiques que l'âme doit franchir en son œuvre de correspondance à l'inspiration céleste. Elle apparaît donc comme le point principal de sa préoccupation. Voilà pourquoi nous en avons fait le centre de cette partie de notre chapitre.

Sa méthode de conquête des âmes par l'amour et l'action, éclairée au préalable par une méthode d'investigation aux lignes précises, présente un intérêt universel et toujours vivant, puisqu'elle peut s'appliquer à l'examen et à l'éducation de toute inclination foncière quelle qu'elle soit. Cependant elle a une efficacité particulière pour faire fleurir toutes les vertus qui vivent de l'amour, comme les greffes entées sur l'arbre de Tivoli [161], vivaient de son « humeur radicale » [162].

---

161. *Ibid.*, V, p. 249 : « J'ay veu a Tivoli », dit Pline, « un arbre enté de toutes les façons qu'on peut enter, qui portoit toutes sortes de fruitz : car en une branche on treuvait des cerises, en une autre des noix, et es autres des raysins, des figues, des grenades, des pommes... » Ainsi, « la divine dilection sur laquelle toutes les vertus sont entees ».

162. *Ibid.*

Enfin elle guide l'homme dans sa marche de retour vers
son premier principe : créé « à l'image et semblance de
Dieu », l'homme fermera le cycle de son action en se
rapprochant de son divin modèle par une ascension morale
qui marquera le progrès de sa ressemblance avec lui. Dans
son effort pour perfectionner l'union à laquelle il aspire
spontanément, l'homme rendra à son auteur l'hommage
qu'il attend de sa libre volonté au nom de l'univers dont il
est la perfection. « L'homme est la perfection de l'univers, l'esprit est la perfection de l'homme, l'amour celle de
l'esprit et la charité celle de l'amour ; c'est pourquoy
l'amour de Dieu est la fin, la perfection et l'excellence
de l'univers » [163].

L'espérance

En terminant ce chapitre, nous voudrions nous arrêter
sur la vertu d'espérance. Nous avons déjà beaucoup écrit
au cours de notre étude sur le volontarisme de saint François. Certes, nous nous rendons compte de son importance
dans un esprit foncièrement optimiste. Il faut pourtant
approfondir le sens de cette deuxième vertu théologale telle
qu'elle est présentée dans les œuvres de saint François.
Ainsi nous comprendrons mieux la valeur de son enseignement au sujet de l'espérance et au sujet des vertus qui
en découlent. Nous parlerons d'abord de l'espérance dans
cette fin de chapitre puis les vertus qui en découlent feront
l'objet de notre dernier chapitre.

Nous avons déjà constaté que « l'inclination... d'aymer
Dieu sur toutes choses ne demeure pas pour neant dans
nos cœurs » [164]. Elle indique à notre activité la direction
à suivre, mais elle amorce encore notre énergie par l'espérance qu'elle engendre. L'espérance joue un grand rôle
dans la psychologie de celui qui veut aimer Dieu. Saint
François lui-même possédait cette vertu si importante
dans sa doctrine spirituelle.

Le Père Lajeunie écrit : « L'amour pur est né dans le

163. Ibid., V, p. 165.
164. Cf., ci-dessus, p. 186, note 55.

cœur de François... Mais cet amour pur, cet abandon parfait, ce renoncement à son propre intérêt chassent-ils l'espérance ? Non ! Avec l'amour pur naît aussi la pure espérance, celle qui compte uniquement sur la bonté de Dieu
pour l'homme, non sur la bonté de l'homme envers Dieu.
C'est un aspect des plus profonds de la mentalité salésienne. Son optimisme ne repose pas sur la valeur de sa
nature, même sanctifiée par la grâce. Il connaît à Padoue,
nous l'avons dit, « les péchés et imperfections que la conversation » lui a fait commettre autrefois ; il connaît aussi
les « ténèbres » de son âme, celles « de tous les pécheurs »,
et son « pauvre aveuglé cœur », et les « diaboliques apas » :
« Allez, allez, leur dit-il, retirez-vous loin de moi, cherchez
fortune ailleurs ; je ne veux point de vous... » [165]. Il est
donc capable, encore un coup, de mériter l'enfer ! Ce n'est
pas de la justice ni de la miséricorde de Dieu qu'il doute,
mais de sa propre vertu : *Si meis exigentibus meritis...*
C'est de son Dieu, tel qu'il l'adore en sa tentation, qu'il
attend, malgré son démérite, le salut. Jamais en ce monde
il ne cessera de l'aimer, jamais non plus il ne cessera d'espérer en lui : « Au moins en ce monde, ô mon Dieu, je vous
aimerai, et toujours en votre miséricorde j'espérerai... » [166].
L'espérance pure, celle qui se fonde sur la seule miséricorde divine, est un corollaire de l'amour pur, de cet amour
qui aime Dieu seul pour lui-même et l'univers en lui. Dès
Paris, la grâce a creusé dans le cœur de François le fondement sur lequel il bâtira son optimisme théologique à
Padoue » [167].

Dom Idesbald Van Houtryve, auteur spirituel bien connu
pour ses études sur saint François de Sales, partage cette
opinion du Père Lajeunie. En conclusion, dans son livre
Saint François de Sales peint par lui-même, le moine du
Mont César écrit : « Le fruit de cette vie (de saint François) toute soumise à Dieu, toute recueillie et toute perdue
en Lui, est une inébranlable et rayonnante confiance, un
optimisme à toute épreuve, dérivant en droite ligne de la
vertu surnaturelle d'espérance et de la charité. D'où une

---

165. *Œuvres*, XXII, pp. 23, 30, 31, 34.
166. *Ibid.*, p. 19, note 1.
167. LAJEUNIE E.-J., *Op. cit.*, I, pp. 143 s.

douce gaieté jaillissant spontanément du fond de l'être illuminé par Celui qui est la joie infinie » [168].

L'importance de cette notion de l'espérance sort à travers toute l'œuvre du saint. Il se sert soit du verbe « espérer », soit de la forme substantive, plus de 350 fois dans son œuvre. Le sixième *Entretien* s'intitule *De l'espérance* [169].

Dans une lettre du 11 mai 1967, M. le chanoine Claude Roffat, auteur du livre *A l'écoute de saint François de Sales*, m'a écrit : « L'optimisme de François de Sales, très réel, est à base de foi (qui engendre les autres vertus chrétiennes : espérance et charité) essentiellement... Les textes sont nombreux. Un d'entre eux résume bien la pensée du saint. Il se trouve dans la déposition de sainte Jeanne de Chantal au procès de béatification » [170].

« Il dit un jour à un grand Prélat, qui est Monseigneur l'évêque de Belley qui nous l'a prêché depuis, qu'il *fallait mourir* entre deux oreillers : l'un de l'humble confession que nous ne méritons que l'enfer ; l'autre d'une entière et parfaite confiance en la miséricorde de Dieu qui nous donnera son Paradis » [171]. Plus loin, sainte Jeanne continue : « Mon Dieu, disait ce Bienheureux une autre fois, que j'ay de consolation en l'asseurance que j'ay de nous voir éternellement conjointz en la volonté d'aymer et loüer Dieu ! Que sa divine providence nous conduise par où il luy semblera mieux ; mais j'espère, ains (et même) je m'asseure que nous aboutirons a ce signe et que nous arriverons a ce port. Vive Dieu ! j'ay cette confiance. Soyons joyeux en ce service, soyons joyeux sans dissolution et asseurés sans arrogance » [172].

Mais est-ce que saint François et Théotime peuvent aimer Dieu d'un amour pleinement désintéressé, c'est-à-dire pour le pur amour de sa souveraine excellence ? Devront-ils donc, pour satisfaire à ce désintéressement enseigné par saint François, ne plus se soucier de l'espérance du ciel,

---

168. *Op. cit.*, Centre Liturgique, Louvain, 1954, p. 238.
169. *Œuvres*, VI, pp. 86 s.
170. Lettre, Lyon, 11 mai 1967.
171. Sainte Jeanne-Françoise de CHANTAL, *L'âme de saint François de Sales* ; sa déposition au procès de béatification du serviteur de Dieu, Abry, Annecy, 1922, p. 47.
172. *Ibid.*, avec renvoi à une lettre à la sainte, XIII, p. 302.

au point d'accepter d'un cœur égal d'être privés de Dieu si telle était la volonté divine ?

L'auteur du *Traité* enseigne formellement que la seconde vertu théologale est imparfaite et insuffisante pour le salut, mais il entend parler de l'espérance qui précède la charité et qui par conséquent n'est pas encore vivifiée par son influence.

> Quand je dis que nous aymons souverainement Dieu (par la vertu d'espérance), je ne dis pas que nous l'aymions pour cela du souverain amour, car le souverain amour n'est qu'en la charité ; mais en l'esperance l'amour est imparfait, parce qu'il ne tend pas a sa bonté infinie entant qu'elle est telle en elle mesme, ains seulement entant qu'elle nous est telle : et neanmoins, parce qu'en cette sorte d'amour il n'y a point de plus excellent motif que celuy qui provient de la consideration du souverain bien, nous disons que par iceluy nous aymons souverainement, quoy qu'en verité nul, par ce seul amour, ne puisse ni observer les commandemens de Dieu ni avoir la vie eternelle, parce que c'est un amour qui donne plus d'affection que d'effect, quand il n'est pas accompagné de la charité [173].

La pensée est donc claire : cette espérance imparfaite, insuffisante et qu'il faut dépasser, ce n'est pas l'espérance qui s'épanouit dans un cœur chrétien vivifié par la charité, c'est-à-dire considérée, avec la foi et la pénitence, comme une des étapes qui élève jusqu'à la charité celui qui naît à la vie surnaturelle. L'amour d'espérance n'est donc imparfait qu'en ce sens qu'il ne suffirait pas, à lui seul, à nous assurer la plénitude de la vie surnaturelle.

La conclusion de cet enseignement, c'est qu'il faut dépasser ce stade et atteindre à la charité qui aime Dieu, non en tant qu'il est notre souverain bien, mais en raison de son excellence même. Et c'est là d'ailleurs obligation commune à tous les chrétiens [174]. Mais, de ce que la vertu d'espérance ne comporte encore qu'un degré insuffisant d'amour de Dieu, de quel droit conclure avec les quiétistes qu'elle doit s'effacer, disparaître entièrement du cœur qui

---

173. *Œuvres*, IV, p. 146.
174. *Ibid.*, IV, p. LXIV : réponse à une lettre de Mgr l'Archevêque de Cambrai et citée par Dom Mackey.

prétend à la perfection du pur amour ? Oui, cet amour pur qu'est l'amour d'indifférence implique un plus haut degré de charité que le simple amour d'espérance, car celui-ci « ne nous porte pas en Dieu parce que Dieu est souverainement bon en soy mesme, mais parce qu'il est souverainement bon envers nous mesmes »[175]. Est-ce pourtant une raison de bannir l'espérance au nom de ce désintéressement ? Ce serait bien mal comprendre les rapports qui unissent l'espérance et la charité.

« La charité, écrit saint François de Sales, est entre les vertus, comme le soleil entre les estoiles : elle leur distribue a toutes leur clarté et beauté. La foi, l'esperance, la crainte et penitence viennent oridinairement devant elle en l'ame pour luy preparer le logis ; et comme elle est arrivee, elles luy obeissent et la servent comme tout le reste des vertus, et elle les anime, les orne et vivifie toutes par sa presence »[176]. Texte décisif, à notre avis. Quand la charité resplendit dans l'âme, éclipse-t-elle l'espérance ? Nullement, mais elle l'anime, l'orne d'un nouvel éclat et la vivifie. Et plus la charité est ardente, plus elle vivifie cette unique espérance de notre souverain bien, sans perdre pour cela cette qualité de désintéressement qui en fait tout le prix.

C'est qu'en effet « la charité comprend toutes les vertus »[177]. L'ardeur de l'amour poussé à son dernier degré a pour effet apparent d'éliminer tout ce qui n'est pas lui ; quand l'amour règne, il n'y a plus de place en l'âme pour la crainte ou la cupidité. Mais n'oublions pas que l'amour est le contraire d'une force destructrice : tout ce qui a valeur positive, il ne l'élimine qu'en le transformant et en l'accomplissant. Oui, l'amour consume tout, mais c'est pour le consommer. Et cette loi générale s'applique tout particulièrement à la foi et à l'espérance.

Tout le XIe Livre du *Traité* enseigne cette même vérité : c'est la charité qui est l'âme de toute sainteté, mais non pas en supprimant les autres vertus. Au contraire, elle les vivifie et les élève à un degré de perfection qu'elles ne pour-

---

175. *Ibid.*, IV, p. 143.
176. *Ibid.*, V, p. 268.
177. *Ibid.*, V, pp. 262 s. (c'est même le titre du chapitre).

raient avoir par elles-mêmes. « Ainsy donques, Theotime, les actions vertueuses des enfans de Dieu appartiennent toutes a la sacree dilection : les unes parce qu'elle mesme les produit de sa propre nature ; les autres, d'autant qu'elle les sanctifie par sa vitale presence ; et les autres, en fin, par l'authorité et le commandement dont elle use sur les autres vertus, desquelles elles les fait naistre » [178]. Les actes de la vertu d'espérance relèvent évidemment de la seconde catégorie. C'est pourquoi après avoir qualifié la sainteté d'un homme par l'excellence de son espérance, de sa foi ou de sa pénitence, « il faut rapporter tout leur honneur a l'amour sacré, qui a toutes (les vertus) donne la sainteté qu'elles ont : ... l'amour est l'ame et la vie de toutes les vertus ; ... la patience n'est pas asses patiente, ni la foy asses fidele, ni l'esperance asses confiante, ni la debonnaireté asses douce, si l'amour ne les anime et vivifie » [179].

Cet enseignement est trop explicite pour que nous insistions sur ce premier aspect du problème. Il est indéniable, que, pour saint François de Sales, il ne peut s'agir de renoncer à l'espérance au nom de la pureté de l'amour [180]. Mais pénétrons plus avant dans la difficulté. Car, s'il est acquis que l'espérance de Dieu subsiste dans le cœur saintement indifférent, comment concilier alors ces deux attitudes de désir et d'amour pur dont l'une demeure nécessairement intéressée alors que l'autre progresse sans cesse dans le désintéressement ?

Pour comprendre la solution salésienne de cette difficulté, il faut tout d'abord préciser la notion d'espérance surnaturelle et le vocabulaire théologique qui sert à l'exprimer. La vertu théologale d'espérance est un désir confiant des biens éternels, malgré toutes nos difficultés à les obtenir, fondé sur la toute puissance miséricordieuse de Dieu et sur sa fidélité aux promesses qu'il nous a faites. Or, dans cette définition traditionnelle, deux idées se conjuguent : l'espérance est un désir de la possession de Dieu, l'espérance est une confiance en la puissance auxiliatrice

178. *Ibid.*, V, p. 246.
179. *Ibid.*, V, p. 248.
180. Cf., *Ibid.*, V, p. 147.

de Dieu. Selon que l'accent sera mis sur l'un ou l'autre de ces points de vue, les rapports entre les notions d'espérance, de désir de Dieu et d'amour pur seront compris diversement [181].

La première tendance qui est celle de Scot et de Suarez, insiste sur l'aspect de désir et s'appuie sur la distinction fondamentale entre amour de bienveillance et amour de convoitise. Cette seconde forme d'amour caractériserait essentiellement l'espérance alors que le propre de la charité serait, selon Scot, « de tendre vers son objet pris en lui-même, alors même que par impossible en serait enlevé ce qui en fait le bien de l'amant ». La confiance n'entre dans l'espérance que comme condition nécessaire à l'homme pour nourrir un vrai désir de la possession de Dieu. Or quiconque accepte une telle définition de l'espérance risque de l'opposer au mouvement de la charité au point de rendre toute conciliation impossible entre l'espérance et l'amour pur. N'est-ce pas le durcissement de cette opposition : bienveillance-convoitise, qui a porté les quiétistes, et avant eux, Abélard, à une vraie surenchère de désintéressement et à des raffinements chimériques de pureté.

Saint François de Sales, tout en s'appuyant sur l'idée de convoitise, n'a garde de tomber en de tels excès. Son premier soin en définissant l'espérance surnaturelle est de ne pas accentuer exagérément le caractère intéressé de cette vertu et de préparer par là même son harmonie avec la charité oublieuse d'elle-même. Ecoutons-le plutôt :

> Cet amour donq que nous appellons esperance, est un amour de convoitise, mais d'une sainte et bien ordonnee convoitise, par laquelle nous ne tirons pas Dieu a nous ni a nostre utilité, mays nous nous joignons a luy comme a nostre finale felicité... nostre amour propre y entre voirement, mais comme simple motif, et non comme fin principale ; nostre interest y tient quelque lieu, mays Dieu y tient le rang principal. Ouy, sans doute, Theotime, car quand nous aymons Dieu comme nostre souverain bien, nous l'aymons pour une qualité par laquelle nous ne le rapportons pas a nous, mais nous a luy ; nous ne sommes pas sa fin, sa pretention ni sa perfection, ains il est la nostre... de sorte que, aymer Dieu en tiltre du

181. Cf., de GUIBERT P., *Charité parfaite et désir de Dieu*, dans *Revue d'Asc. et de Myst.*, juillet 1926, VII, pp. 225-250.

souverain bien, c'est l'aymer en tiltre honnorable et respectueux, par lequel nous l'advoüons estre nostre perfection, nostre repos et nostre fin, en la jouissance de laquelle consiste nostre bonheur [182].

Saint François de Sales, fidèle à saint Thomas, préfère rapporter le désir de Dieu à la vertu théologale d'espérance, et il assigne à celle-ci le double objet d'un désir confiant de Dieu : elle nous fait accomplir, dit-il, « deux grands actes de vertu : par l'un, elle attend de Dieu la jouissance de sa souveraine bonté (c'est l'assurance ou confiance), et par l'autre, elle aspire à cette sainte jouissance (c'est le désir) ». Mais le principe de conciliation entre le désir de Dieu ainsi compris et la charité parfaite, c'est-à-dire entre l'espérance et l'amour pur, n'en est pas moins celui-là même qu'affirmaient avec force saint Bonaventure et saint Thomas : plus la charité est grande, plus elle désire être unie à Dieu et avoir Dieu. Loin de diverger, espérance et charité croissent parallèlement en nos âmes.

La force de cette solution réside, on le sait, dans la fermeté des principes philosophiques qui la soutiennent. L'amour de Dieu et l'amour de soi ne peuvent être contraires puisque Dieu est la fin de l'homme. Et si, hélas, l'expérience psychologique nous révèle une douloureuse dualité entre l'amour propre et l'amour de Dieu, cette dualité ne peut être maintenue dans l'ordre ontologique : « Si par impossible, écrit saint Thomas, Dieu n'était pas le bien de l'homme, celui-ci n'aurait aucune raison de l'aimer » [183]. Et saint François de Sales lui fait écho : « Mais si, par imagination de chose impossible, il y avait une infinie bonté a laquelle nous n'eussions nulle sorte d'appartenance et avec laquelle nous ne peussions avoir aucune union ni communication, nous l'estimerions certes plus que nous mesmes ; car nous connoistrions qu'estant infinie, elle seroit plus estimable et aymable que nous... mais, a proprement parler, nous ne l'aymerions pas, puisque l'amour regarde l'union » [184].

Pourrait-on concevoir ici-bas un amour de Dieu qui n'implique pas nécessairement l'espérance de Dieu ? Comment l'âme pourrait-elle ne pas se porter de tout l'élan de son

182. Œuvres, IV, p. 144.
183. Somme Théologique, II a, II ae, q. 26, art. 13.
184. Œuvres, V, p. 203.

amour vers celui qui est sa seule fin, et en qui son amour
même découvre sans cesse plus d'excellence et plus d'attrait ? Ce mouvement intérieur au sein de la charité ne nuit
pas à la pureté de celle-ci ; il lui est inhérent. Il exprime
l'ardeur de cette charité. Il en est la vie. Et c'est bien ainsi
que saint François de Sales comprenait l'harmonie supérieure de ces deux vertus. Dans un chapitre intitulé :
*Comme nous devons aimer la divine bonté souverainement
plus que nous mesmes,* il unit admirablement l'inaliénable
espérance de la possession de Dieu et de l'amour le plus
pur :

> Nous sommes plus en Dieu qu'en nous mesmes, nous
> vivons plus en luy qu'en nous, et sommes tellement de
> luy, par luy, pour luy et a luy, que nous ne sçaurions,
> de sens rassis, penser ce que nous luy sommes et ce
> qu'il nous est que nous ne soyons forcés de crier :
> Je suis vostre, Seigneur, et ne dois estre qu'a vous ;
> mon ame est vostre, et ne doit vivre que pour vous ;
> mon amour est vostre, et ne doit tendre qu'en vous. Je
> vous dois aymer comme mon premier principe, puisque
> je suis de vous ; je vous dois aymer comme ma fin et
> mon repos, puisque je suis pour vous ; je vous dois
> aymer plus que mon estre, puisque mon estre subsiste
> par vous ; je vous dois aymer plus que moy mesme,
> puisque je suis tout a vous et en vous [185].

A travers ces doctrines du volontarisme et de l'espérance, nous voyons constamment l'aimable sourire de saint
François de Sales. Au milieu même des déboires et des dé-
ceptions, des contradictions et des incompréhensions, il
garde sa belle humeur et son espérance. Souvent il a de
fines réparties et traite ses correspondants avec une souriante malice, une douce ironie, mais jamais avec une raillerie blessante. C'est que l'amertume naît d'un fond
d'égoïsme, tandis que la joie des enfants de Dieu est la
charité en fleur.

Aussi bien déteste-t-il la mélancolie et l'esprit chagrin.
Il veut la paisible vaillance, la joyeuse confiance, la charité
rayonnante. Il veut une dévotion aimable, douce et paisible.
S'il est tenté de tristesse au cours de son apostolat en
Chablais, il se retrempe vite en regardant une image du

185. *Ibid.,* V, pp. 202 s.

Christ ou de la Sainte Vierge, ou, encore, en fixant plus attentivement ses regards sur la patrie céleste. Il souffre surtout du chagrin de ceux qu'il aime, mais jamais il ne se retourne davantage vers Dieu que lorsqu'il se sent éprouvé. « Nous n'avons a dire autre chose en tout ce que Dieu fait, sinon - Amen, car Dieu est bon et fait toutes choses en sa bonté » [186].

La vertu, pour être vraiment telle, devra « s'humaniser dans ses entours » et s'épanouir en un sourire de grâce. « Je ne veux point, écrit-il à Madame de Limojon, une devotion fantasque, brouillonne, melancholique, fascheuse, chagrine ; mais une pieté douce, souëfve, aggreable, paysible et, un un mot, une pieté toute franche et qui se fasse aymer de Dieu premierement, et puis des hommes » [187].

Voilà donc les bases principales de l'optimisme salésien. Notre étude sur la psychologie de la volonté nous a montré la nature et la réalité profonde de l'union de l'homme et de Dieu par un amour mutuel. Puisque l'homme possède une « inclination naturelle d'aymer Dieu », saint François envisage l'accomplissement de cette grâce comme le bonheur propre à l'homme. Cette inclination soutenue par l'espérance lui assure le progrès spirituel nécessaire pendant sa vie pour connaître le bonheur éternel. Ces éléments si beaux et si optimistes nous aident à comprendre la spiritualité de confiance, de paix et de joie que nous allons étudier dans notre chapitre suivant.

186. *Ibid.*, XX, p. 31.
187. *Ibid.*, XIII, p. 59.

CHAPITRE V

DES VERTUS SALÉSIENNES
QUI DÉCOULENT DE L'OPTIMISME

Saint François de Sales nous propose une doctrine de paix, d'amour de Dieu. Nous avons souligné dans les chapitres précédents que la spiritualité de l'amour pur est la base de l'optimisme de saint François de Sales. Ses concepts de Dieu et de la nature de l'homme sont nets. Nous voulons, dans ce dernier chapitre, montrer les vertus enseignées par saint François de Sales, à partir de sa conception de l'optimisme.

Un des textes les plus probants de cette spiritualité se trouve dans le *Traité de l'Amour de Dieu* sur la persévérance filiale par les grâces de la rédemption. « ... l'estat de la redemption vaut cent fois mieux que celuy de l'innocence »[1]. Saint François, en effet, ne croit pas que notre nature soit foncièrement viciée par le péché originel. La rédemption a réparé et au-delà[2], elle est surabondante. Par cette confiance en la nature humaine, il s'éloigne de saint Augustin beaucoup plus que de saint Thomas. Il suffit de suivre notre vocation et de coopérer à la grâce qui ne nous fera jamais défaut, pour arriver au ciel[3]. Il s'écrie en citant une oraison de la liturgie[4] : « O Dieu... qui usés de misericorde envers tous ceux que vous prevoyes devoir estre a l'advenir vostres par foy et par œuvre »[5]. Cet

1. *Œuvres*, IV, p. 105.
2. *Ibid.*, IV, p. 186.
3. « ... La divine Bonté donne la gloire en suite des merites, les merites en suite de la charité, la charité en suite de la penitence, la penitence en suite de l'obeissance a la vocation, (...) et la vocation en suite de la redemption du Sauveur ; sur laquelle est appuyee toute cette eschelle mystique du grand Jacob (...) elle aboutit au sein amoureux de ce Pere eternel, (...) et le flanc percé du Sauveur... » : *Ibid.*, IV, p. 185.
4. Oratio tertia in Dominicis Quadragesimae.
5. *Œuvres*, IV, p. 186.

admirable enchaînement de grâces c'est l'échelle mystique, qui s'appuie d'un côté sur le « sein amoureux de ce Pere eternel » et de l'autre sur « le flanc percé du Sauveur » [6].

> Et qu'est-ce que Dieu demande de nous ? Escoutez-le, de grace, ce sacré Sauveur de nos ames : « Mon enfant, donne-moy ton cœur » [7], va-t-il repetant à un chacun de nous. Mais me dira-t-on, comment cela se peut-il faire que je donne à Dieu mon cœur qui est tout plein de pechés et d'imperfections ? comment pourroit-il luy estre aggreable, puisqu'il est tout rempli de desobeissances à ses volontés ? Hé, pauvre homme, de quoy te fasches-tu ? pourquoi refuses-tu de le luy donner tel qu'il est ? N'entens-tu pas qu'il ne dit point : Donne-moy un cœur pur comme celuy des Anges ou de Nostre Dame, mais : « Donne-moy ton cœur » ? C'est le tien propre qu'il demande ; donne-le tel qu'il est » [8].

Et saint François continue : « à mesure que nostre confiance par laquelle nous nous reposerions en sa providence seroit plus grande, plus aussi son soin s'estendroit sur toutes nos necessités. Et ne faudroit pas jamais douter que Dieu nous manquast, car son amour est infini pour l'ame qui se repose en luy » [9].

La confiance

Saint François prêche la confiance à ses disciples et à ses dirigées avec une chaleur qui répond à la plus solide conviction : conviction fondamentale de l'amour de Dieu pour nous. Camus nous rapporte que saint François recommandait la crainte filiale de préférence à la crainte servile qui ne fait que préparer la voie à Dieu dans une âme. Il disait habituellement : « Il faut craindre Dieu par amour, et non pas l'aimer par crainte » [10].

Sainte Chantal, dans sa déposition au procès de béatification de saint François, rapporte qu'il faisait toutes ses

6. *Ibid.*, IV, p. 185.
7. Prov., XXIII, 26.
8. *Œuvres*, IX, p. 235.
9. *Ibid.*, VI, p. 105.
10. *Op. cit.*, III, 12.

actions pour le seul amour de Dieu, « lequel il craignait parce qu'il l'aimait » [11].

Parole d'une profondeur singulière et révélatrice de l'âme salésienne. Aussi bien, voyons-nous saint François dans sa correspondance recommander souvent une crainte amoureuse et confiante de Dieu. « Il est tous-jours mieux de tenir nostre ame en confiance en Dieu qu'en crainte, quoy que nous le fassions pour nous humilier. L'amour nous fait assez humilier » [12]. Et « Les meditations des quatre fins de l'homme vous seront utiles, a la charge que vous les finissies tous-jours par un acte de confiance en Dieu, ne vous representent jamais ni la mort ni l'enfer d'un costé, que la Croix ne soit de l'autre, pour, apres vous estre excitee a la crainte par l'un, recourir a l'autre par confiance » [13].

De toute évidence c'est donc à la confiance que saint François conduit les âmes qui se mettent sous sa direction, et non sans motif sérieux. Quand il en parle aux premières religieuses de la Visitation, à chaque entretien spirituel presque, car son âme en déborde, il appuie toujours ses conseils sur la certitude de l'amour de Dieu à notre égard.

« Vous voulez encor sçavoir quel fondement doit avoir notre confiance. Il faut qu'elle soit fondée sur l'infinie bonté de Dieu et sur les merites de la Mort et Passion de Nostre Seigneur Jesus Christ, avec ceste condition de nostre part, que nous ayons et cognoissions en nous une entiere et ferme resolution d'estre tout à Dieu, et de nous abandonner du tout et sans aucune reserve à sa providence » [14].

« Grande est certes la confiance que Dieu requiert que nous ayons en son soin paternel et en sa divine providence : mais pourquoy ne l'aurions-nous pas, veu que jamais personne n'y a peu estre trompé ? Nul ne se confie en Dieu, qui ne retire les fruicts de sa confiance » [15].

En prévenant, cinquante ans plus tôt, la doctrine spiri-

11. *Op. cit.*, article XXVI.
12. *Œuvres*, VI, p. 416.
13. *Ibid.*, XII, p. 359.
14. *Ibid.*, VI, p. 30.
15. *Ibid.*, VI, p. 87.

tuelle de « l'adhérence » à Jésus, si chère à l'école française, il dit à ses filles :

« Mieux vaut s'attacher a Dieu comme Madeleine, se
tenant a ses pieds, luy demandant qu'il nous donne son
amour, que de penser comment et par quel moyen nous le
pourrons acquerir »[16].

Telle est la règle générale : confiance à Dieu pour tout.
Nous allons étudier maintenant la façon dont saint François en fait l'application aux différents états de vie ou
états d'âme.

Dans les tentations

Les âmes qui risquent le plus de succomber aux tentations de désespoir sont les âmes en état de péché. C'est à
elles d'abord que saint François va prêcher la confiance en
Dieu, soit dans ses *Entretiens*, soit dans sa correspondance.
Il y a là, peut-être, les pages les plus consolantes qu'il ait
écrites. Tout d'abord, considérons la doctrine d'ensemble.

> ... tant plus nous nous cognoissons miserables, tant plus
> nous avons occasion de nous confier en Dieu, puisque
> nous n'avons rien de quoy nous confier en nous mes-
> mes. La deffiance de nous-mesmes provient de la co-
> gnoissance de nos imperfections. Il est bien bon de se
> deffier de soy-mesme, mais de quoy nous serviroit-il
> de le faire, sinon pour jetter toute nostre confiance en
> Dieu et nous attendre à sa misericorde ?[17]

Constamment le saint doit remettre en confiance des
âmes délicates, parfois scrupuleuses, parfois aussi, inquiè-
tes d'une vue exacte de leurs fautes. A chaque fois, il les
rassure, sans pourtant jamais minimiser la faute.

> ... ne vous troubles point de quoy vous ne remarques
> pas toutes vos menues cheutes pour vous en confesser ;
> non, ma Fille, car, comme vous tombes souvent sans
> vous en appercevoir, aussi vous vous releves sans vous

16. *Ibid.*, VI, p. 105.
17. *Ibid.*, VI, p. 20.

en appercevoir. ... Ne vous mettés donq pas en peyne pour cela, mais allés humblement et franchement dire ce que vous aures remarqué ; et pour ce que vous n'aures pas remarqué, remettes le a la douce miséricorde de Celuy la qui met la main au dessous de ceux qui tombent sans malice, affin qu'ilz ne se froissent point... [18]

Philothée, au contraire de son directeur, se troublait souvent de sa misère, et se laissait ébranler trop facilement par le spectacle de ses fautes, ou même plus simplement par la peur d'y succomber. Saint François dut apprendre à ses dirigées à garder confiance au milieu des tentations, et dut revenir souvent sur ce point, car il est important.

L'essentiel pour lui c'était de donner aux âmes une juste notion de la tentation et d'établir avant tout les frontières de son domaine et celles du péché. C'est dans l'*Introduction à la Vie dévote* que saint François s'en préoccupe dans un chapitre remarquable de clarté dont il nous faut ici donner l'essentiel.

Quand la tentation de quelque peché que ce soit dureroit toute nostre vie, elle ne sçauroit nous rendre desaggreables a la divine Majesté, pourveu qu'elle ne nous plaise pas et que nous n'y consentions pas ; la rayson est, parce qu'en la tentation nous n'agissons pas mays nous souffrons, et puisque nous n'y prenons point playsir, nous ne pouvons aussi en avoir aucune sorte de coulpe. Saint Paul souffrit longuement les tentations de la chair, et tant s'en faut que pour cela il fust desaggreable a Dieu, qu'au contraire Dieu estoit glorifié par icelles [19] ; la bienheureuse Angele de Foligny sentoit des tentations charnelles si cruelles qu'elle fait pitié quand elle les raconte ; grandes furent aussi les tentations que souffrit saint François et saint Benoist, lhors que l'un se jetta dans les espines et l'autre dans la neige pour les mitiger, et neanmoins ilz ne perdirent rien de la grace de Dieu pour tout cela, ains l'augmenterent de beaucoup. Il faut donq estre fort courageuse, Philothee, emmi les tentations, et ne se tenir jamais pour vaincue pendant qu'elles vous desplairont, en bien observant cette difference qu'il y a entre sentir et consentir, qui est qu'on les peut sentir encor qu'elles nous desplaisent, mais on ne peut consentir sans qu'elles nous plaisent, puisque

18. *Ibid.*, XVIII, p. 136.
19. II Cor., XII, 7, 9.

le playsir pour l'ordinaire sert de degré pour venir au consentement. Que donq les ennemis de nostre salut nous presentent tant qu'ilz voudront d'amorces et d'appastz, qu'ilz demeurent tous-jours a la porte de nostre cœur pour entrer, qu'ilz nous facent tant de propositions qu'ilz voudront ; mais tandis que nous aurons resolution de ne point nous plaire en tout cela, il n'est pas possible que nous offensions Dieu, non plus que le prince espoux de la princesse que j'ay representee ne luy peut sçavoir mauvais gré du message qui luy est envoyé, si elle n'y a prins aucune sorte de playsir. Il y a neanmoins cette difference entre l'ame et cette princesse pour ce sujet, que la princesse ayant ouï la proposition deshonneste peut, si bon luy semble, chasser le messager et ne plus ouïr ; mais il n'est pas tous-jours au pouvoir de l'ame de ne point sentir la tentation, bien qu'il soit tous-jours en son pouvoir de ne point y consentir : c'est pourquoy, encor que la tentation dure et persevere longtems, elle ne peut nous nuire tandis qu'elle nous est desaggreable [20].

Ne faut-il pas voir, en ces dernières lignes, la règle d'or capable de calmer les consciences scrupuleuses ? Mais continuons avec la distinction entre les deux parties de l'âme.

Quant a la delectation qui peut suivre la tentation, pour autant que nous avons deux parties en nostre ame, l'une inferieure et l'autre superieure, et que l'inferieure ne suit pas tous-jours la superieure ains fait son cas a part, il arrive maintesfois que la partie inferieure se plait en la tentation, sans le consentement, ains contre le gré de la superieure : c'est la dispute et la guerre que l'apostre saint Paul descrit [21], quand il dit que « sa chair convoite contre son esprit, qu'il y a une loy des membres et une loy de l'esprit » [22], et semblables choses.
Aves-vous jamais veu, Philothee, un grand brasier de feu couvert de cendres ? quand on vient dix ou douze heures apres pour y chercher du feu, on n'en treuve qu'un peu au milieu du foyer, et encor on a peyne de le treuver ; il y estoit neanmoins puisqu'on l'y treuve, et avec iceluy on peut rallumer tous les autres charbons des-ja esteintz. C'en est de mesme de la charité, qui est nostre vie spirituelle, parmi les grandes et violentes

20. Œuvres, III, pp. 295 s.
21. Galat., V, 17.
22. Rom., VII, 23.

tentations ; car la tentation jettant sa delectation en la partie inferieure, couvre, ce semble, toute l'ame de cendres, et reduit l'amour de Dieu au petit pied, car il ne paroist plus en nulle part sinon au milieu du cœur, au fin fond de l'esprit ; encores semble-t-il qu'il n'y soit pas, et a-on peyne de le treuver. Il y est neanmoins en verité, puisque, quoy que tout soit en trouble en nostre ame et en nostre cors, nous avons la resolution de ne point consentir au peché ni a la tentation, et que la delectation qui plait a nostre homme exterieur desplait a l'interieur, et quoy qu'elle soit tout autour de nostre volonté, si n'est-elle pas dans icelle : en quoy l'on voit que telle delectation est involontaire, et estant telle ne peut estre peché [23].

Rien de plus clair et rien de plus rassurant déjà qu'une telle doctrine. Saint François multiplie dans les chapitres suivants, les exemples et les analyses, avec la même sûreté et la même délicatesse, puis aborde, au chapitre VII, les *Remèdes aux grandes tentations*.

Si tost que vous sentes en vous quelques tentations, faites comme les petitz enfants quand ils voyent le loup ou l'ours en la campaigne ; car tout aussi tost ilz courent entre les bras de leur pere et de leur mere, ou pour le moins les appellent a leur ayde et secours. Recoures de mesme a Dieu, reclamant sa misericorde et son secours ; c'est le remede que Nostre Seigneur enseigne : « Pries affin que vous n'entries point en tentation » [24]. Si vous voyes que neanmoins la tentation persevere ou qu'elle accroisse, coures en esprit embrasser la sainte Croix, comme si vous voyies Jesus Christ crucifié devant vous ; protestes que vous ne consentirés point a la tentation et demandes luy secours contre icelle, et continues tous-jours a protester de ne vouloir point consentir tandis que la tentation durera. Mais en faysant ces protestations et ces refus de consentement, ne regardes point au visage de la tentation, ains seulement regardes Nostre Seigneur ; car si vous regardes la tentation, principalement quand elle est forte, elle pourroit esbranler vostre courage.
Ne disputés point avec vostre ennemi et ne luy respondés jamais une seule parolle, sinon celle que Nostre Seigneur luy respondit, avec laquelle il le confondit : « Arriere, o Satan, tu adoreras le Seigneur ton Dieu et

23. *Œuvres*, III, pp. 296 s.
24. Matt., XXVI, 41.

a luy seul serviras » [25]. Et comme la chaste femme ne
doit respondre un seul mot ni regarder en face le vilain
poursuivant qui luy propose quelque deshonnesteté,
mays le quittant tout court, doit a mesme instant retourner son cœur du costé de son espoux et rejurer la
fidelité qu'elle luy a promise, sans s'amuser a bargui-
gner, ainsy la devote ame, se voyant assaillie de quelque
tentation, ne doit nullement s'amuser a disputer ni respondre, mais tout simplement se retourner du costé de
Jesus Christ son Espoux, et luy protester derechef de sa
fidelité et de vouloir estre a jamais uniquement toute
sienne [26].

Et voilà les deux points essentiels de la tactique salésienne en face de la tentation : ne pas lutter en face, divertir son esprit par une autre occupation, le tout en gardant
le calme et la tranquillité de l'âme et en méprisant le ten-
tateur, que notre seule faiblesse peut rendre fort contre
nous.

C'est la tactique que nous verrons conseillée chaque fois
qu'il aura l'occasion - et l'occasion viendra souvent - d'en
traiter dans sa correspondance. Quand il s'agit surtout des
tentations de sensualité, la lutte directe est dangereuse :
l'attention qu'on leur donne les fortifie et l'on risque d'être
dominé par elles, à vouloir les combattre de front. Mais
cela est vrai de toute tentation où le meilleur sera toujours, comme écrivait le saint à Mme de Chantal de « ne
point disputer ni marchander » [27]. Mais écoutons-le développer les principes de sa tactique un peu plus en détail :

... mosqués-vous de ces assautz de nostre ennemy : je
dis de ces assautz desquelz vous m'aves fait les mons-
tres pendant vostre sejour en ce païs. Tenes-vous bien
a couvert sous nos grandes et inviolables resolutions,
sous nos vœux et consecrations. Ne nous effrayons point
de ses fanfares : il ne nous sçauroit faire nul mal, c'est
pourquoy il nous veut au moins faire peur, et par cette
peur nous inquieter, et par l'inquietude nous lasser, et
par la lassitude nous faire quitter ; mais contentons-nous
que, comme petitz poussins, nous nous sommes jettés
sous les aisles de nostre chere Mere. N'ayons point de
crainte que de Dieu, et encor, une crainte amoureuse ;

25. Matt., IV, 10.
26. Œuvres, III, pp. 304 s.
27. Ibid., XIII, p. 152.

tenons nos portes bien fermees ; prenons garde a ne
point laisser ruiner les murailles de nos resolutions et
vivons en paix. Laissons roder et virevolter l'ennemy :
qu'il enrage de mal talent, mais il ne peut rien. Croyés
moy, ma chere Fille, ne vous tourmentes point pour toutes les suggestions que cet adversaire vous fera. Il faut
avoir un peu de patience a souffrir son bruit et son
tintamarre aux oreilles de nostre cœur ; au bout de
la, il ne nous sçauroit nuire [28].

Du reste, peu importe la secousse intérieure de la tentation. Une seule chose importe, c'est l'adhésion de la
volonté. Il ne faut donc jamais se troubler devant la tentation elle-même, ne pas s'y montrer trop sensible, comme
faisait Mme de Chantal.

... que l'ennemy a tout gaigné en nostre forteresse,
hormis le donjon imprenable, indomptable et qui ne
peut se perdre que par soy mesme C'est en fin ceste
volonté libre, laquelle, toute nuë devant Dieu, reside en
la supreme et plus spirituelle partie de l'ame, ne depend
d'autre que de son Dieu et de soy mesme ; et quand
toutes les autres facultés de l'ame sont perdues et assu-
jetties a l'ennemy, elle seule demeure maistresse de soy
mesme pour ne consentir point [29].
Sus, sus, ma Fille, courage ; que ce cœur soit tous-
jours a son Jesus, et laissés clabauder ce mastin a la porte
tant qu'il voudra [30].

Et puis, enfin, la tentation nous est nécessaire, ne serait-
ce que pour nous donner le spectacle de notre faiblesse
et nous exercer à l'humilité. C'est pour cela que Dieu la
permet.

Vostre cœur sera pur, ma chere petite Fille, puisque
vostre intention est pure, et les pensees vaines qui vous
surprennent ne le sçauroyent souiller en sorte quelcomque. Demeures en paix et supportes doucement vos
petites miseres. Vous estes a Dieu sans reserve, il vous
conduira bien. Que s'il ne vous le delivre pas si tost
de vos imperfections, c'est pour vous en delivrer plus
utilement et vous exercer plus longuement en l'humi-

28. *Ibid.*, XIII, pp. 300 s.
29. *Ibid.*, XIII, p. 10.
30. *Ibid.*, XIII, p. 89.

lité, affin que vous soyes bien enracinee en cette chere vertu [31].

Une tentation plus subtile est peut-être celle qui, sans attaquer de front aucune vertu, s'en prend seulement à ce minimum de confiance nécessaire à toute âme dans l'action. Il s'agit de l'appréhension, sans cause précise, de se trouver inférieur à son devoir en face de certaines situations possibles et dont l'imagination grossit par avance le danger. Saint François la rencontre plusieurs fois dans les confidences de ses dirigées et c'est toujours par un appel à la confiance en Dieu qu'il la combat.

> ... Dieu qui nous appelle a soy regarde comme nous y allons, et ne permettra jamais que rien nous advienne que pour nostre plus grand bien. Il sçait qui nous sommes, et nous tendra sa main paternelle es mauvais pas, affin que rien ne nous arreste. Mais pour bien jouir de cette grace, il faut avoir une entiere confiance en luy. Ne prevenes point les accidens de cette vie par apprehension, ains prevenes les par une parfaite esperance qu'a mesure qu'ilz arriveront, Dieu, a qui vous estes, vous en delivrera. Il vous a gardee jusques a present ; tenes vous seulement bien a la main de sa Providence, et il vous assistera en toutes occasions, et ou vous ne pourres pas marcher, il vous portera. Que deves vous craindre, ma tres chere Fille, estant a Dieu, qui nous a si fortement asseurés qu'« a ceux qui l'ayment tout revient a bonheur ?... » [32].
>
> Demeures en paix, ma tres chere Fille ; ostés de vostre imagination ce qui vous peut troubler, et dites souvent a Nostre Seigneur : « O Dieu, vous estes mon Dieu », et « je me confieray en vous » [33] vous m'assisteres et seres mon refuge » [34] et « je ne craindray rien, car non seulement vous estes avec moy, mais vous estes en moy, et moy en vous » [35]. Que peut craindre l'enfant entre les bras d'un tel pere ? Soyés bien un enfant, ma tres chere Fille ; et, comme vous sçaves, les enfans ne pensent pas a tant d'affaires, ilz ont qui y pense pour eux ; ilz sont seulement trop fortz s'ilz demeurent avec leur pere.

31. *Ibid.*, XVII, pp. 220 s.
32. Rom., VIII, 28.
33. Ps., XXIV, 2.
34. Ps., XC, 2.
35. Joan., XV, 4.

Faites donq bien ainsy, ma tres chere Fille, et vous seres en paix[36].

De toute manière, ce qui importe d'abord c'est de fermer la porte à l'imagination qui divague et déforme la réalité quand on la laisse aller. A une autre il écrit :

N'apprehendes point le mal a venir de ce monde, car peut estre ne vous arrivera-t-il jamais, et en tout evenement, s'il vous arrive, Dieu vous fortifiera... Si Dieu vous fait marcher sur les flotz de l'adversité, ne doutés point, ma Fille, n'apprehendes point. Dieu est avec vous ; ayes bon courage, et vous seres delivree...

... il est vostre Pere ; car autrement il ne vous commanderoit pas de dire : « Nostre Pere qui estes au ciel »[37]. Et qu'aves vous a craindre, qui estes fille d'un tel Pere, sans la providence duquel « pas un seul cheveu de vostre teste ne tombera »[38] jamais ? C'est merveille qu'estant filz d'un tel Pere, nous ayons ou puissions avoir autre soucy que de le bien aymer et servir[39].

A tous et à toutes, le sage directeur demande de ne pas s'inquiéter du lendemain qui continuera la grâce d'aujourd'hui.

Ne pensés point a ce qui arrivera demain, car le mesme Pere eternel qui a soin aujourd'huy de vous, en aura soin et demain et tous-jours : ou il ne vous donnera point de mal, ou s'il vous en donne, il vous donnera un courage invincible pour le supporter[40].

Ayons un ferme et general propos de vouloir servir Dieu de tout nostre cœur et toute nostre vie ; au bout de la, n'ayons « soin du lendemain »[41]. Pensons seulement a bien faire aujourd'huy ; et quand le jour de demain sera arrivé il s'appellera aussy aujourd'huy, et lhors nous y penserons. Il faut encores en cest endroit avoir une grande confiance et resignation en la providence de Dieu. Il faut faire provision de manne pour chasque jour, et non plus ; et ne doutons point, Dieu en pleuvra demain d'autre, et passé demain, et tous les jours de nostre pelerinage[42].

36. Œuvres, XVIII, 343 s.
37. Matt., VI, 9.
38. Luc, XXI, 18.
39. Œuvres, XVIII, pp. 211-10.
40. Ibid., XVIII, 344.
41. Matt., VI, 34.
42. Œuvres, XII, pp. 205 s.

S'il est, en effet, un point sur lequel nous devons faire
à Dieu confiance absolue, c'est bien en son aide pour la
sanctification de nos âmes. Or, l'expérience le prouve,
c'est dans ce domaine purement spirituel que les âmes,
même ferventes, rencontrent leurs plus grandes tentations
de découragement. Que dire alors des âmes moins généreuses ou moins constantes, qui, après un beau départ, se
lassent vite et oublient bientôt les meilleures résolutions.
Faut-il donc se décourager et ne plus en prendre désormais ? Non, affirme saint François :

> ... nous ne devons jamais cesser de faire des bonnes
> resolutions, encore que nous voyons bien que selon nostre
> ordinaire nous ne les pratiquons pas, voire, quand bien
> nous verrions qu'il est impossible de les pratiquer quand
> l'occasion s'en presentera ; et cela, il le faut faire avec
> plus de fermeté que si nous sentions en nous assez de
> courage pour reussir de nostre entreprise, disant à Nostre
> Seigneur : Il est vray que je n'auray pas la force de faire
> ou supporter telle chose de moy-mesme, mais je m'en
> resjouïs, d'autant que ce sera vostre force qui le fera
> en moy [43] ; et sur cest appui, allez à la bataille coura-
> geusement et ne doutez point que vous n'en rappor-
> tiez la victoire [44].

Mais la plupart du temps, et saint François le sait bien,
le fléchissement de la volonté vient d'une blessure de notre
amour-propre déçu de nos échecs et trop empressé d'ailleurs aux moyens purement humains de progrès spirituel.
La conséquence ne se fait pas attendre. Pour avoir eu trop
confiance en soi, l'âme se trouble de ses défaites, s'inquiète
de ses insuccès, et tout risque d'être perdu, sans un
recours décidé et confiant à la force de Dieu. Saint François analyse finement cet état d'âme dans l'*Introduction
à la Vie dévote* :

> Si l'ame cherche les moyens d'estre delivree de son mal
> pour l'amour de Dieu, elle les cherchera avec patience,
> douceur, humilité et tranquillité, attendant sa delivrance
> plus de la bonté et providence de Dieu que de sa peyne,
> industrie ou diligence ; si elle cherche sa delivrance
> pour l'amour propre, elle s'empressera et s'eschauffera
> a la queste des moyens, comme si ce bien dependoit

---

43. II Cor., XII, 9, 10.
44. Œuvres, VI, p. 155.

plus d'elle que de Dieu : je ne dis pas qu'elle pense cela, mays je dis qu'elle s'empresse comme si elle le pensoit. Que si elle ne rencontre pas soudain ce qu'elle desire, elle entre en des grandes inquietudes et impatiences, lesquelles n'ostans pas le mal precedent, ains au contraire l'empirans, l'ame entre en une angoisse et detresse desmesuree, avec une defaillance de courage et de force telle, qu'il luy semble que son mal n'ait plus de remede. Vous voyes donq que la tristesse, laquelle au commencement est juste, engendre l'inquietude ; et l'inquietude engendre par apres un surcroist de tristesse qui est extremement dangereux.

L'inquietude est le plus grand mal qui arrive en l'ame, excepté le peché ; car, comme les seditions et troubles interieurs d'une republique la ruinent entierement et l'empeschent qu'elle ne puisse resister a l'estranger, ainsy nostre cœur estant troublé et inquieté en soy mesme perd la force de maintenir les vertus qu'il avoit acquises, et quant le moyen de resister aux tentations de l'ennemi, lequel fait alhors toutes sortes d'effortz pour pescher, comme l'on dit, en eau trouble.

Mon ame est tous-jours en mes mains, o Seigneur, et je n'ay point oublié vostre loy, « disoit David [45]. Examines plus d'une fois le jour, mais au moins le soir et le matin, si vous aves vostre ame en vos mains, ou si quelque passion et inquietude vous l'a point ravie ; consideres si vous aves vostre cœur a vostre commandement, ou bien s'il est point eschappé de vos mains pour s'engager a quelque affection desreglee d'amour, de haine, d'envie, de convoitise, de crainte, d'ennui, de joye. Que s'il est egaré, avant toutes choses, cherches-le et le ramenes tout bellement en la presence de Dieu, remettant vos affections et desirs sous l'obeissance et conduite de sa divine volonté [46].

Cette inquiétude, on pense bien que saint François la pourchassera de toute manière quand il la verra rôder autour de ses dirigées. Sans cesse il leur recommande le repos dans la confiance à la providence divine et la lutte contre « le trop grand soin » que l'âme peut prendre d'elle-même lorsqu'elle le fait dans un esprit inquiet et tourmenté.

...il n'est pas seulement requis de nous reposer en la divine Providence pour ce qui regarde les choses tem-

45. Ps., CXVIII, 109.
46. Œuvres, III, pp. 311 s.

porelles, ains beaucoup plus pour ce qui appartient à nostre vie spirituelle et à nostre perfection. Il n'y a certes que le trop grand soin que nous avons de nous-mesmes qui nous fasse perdre la tranquillité de nostre esprit et qui nous porte à des humeurs bijarres et inegales, car dès que quelques contradictions nous arrivent, voire quand nous appercevons seulement un petit trait de nostre immortification, ou quand nous commettons quelque defaut, pour petit qu'il soit, il nous semble que tout est perdu. Est-ce si grande merveille de nous voir broncher quelquefois ? Mais je suis si miserable, si remplie d'imperfection ! Le cognoissez-vous bien ? benissez Dieu dequoy il vous a donné ceste cognoissance, et ne vous lamentez pas tant : vous estes bien-heureuse de cognoistre que vous n'estes que la misere mesme. Apres avoir beni Dieu de la cognoissance qu'il vous a donnée, retranchez ceste tendreté inutile qui vous fait plaindre de vostre infirmité [47].

... il faut avoir le soin que Dieu veut que nous ayons de nous perfectionner, et neant-moins luy laisser le soin de nostre perfection. Dieu veut que nous ayons un soin tranquille et paisible, qui nous fasse faire ce qui est jugé propre par ceux qui nous conduisent, et aller fidellement tous-jours avant dans le chemin qui nous est marqué par les Regles et Directoires qui nous sont donnés ; et quant au reste, que nous nous en reposions en son soin paternel, taschant tant qu'il nous sera possible de tenir nostre ame en paix, car « la demeure de Dieu a esté faite en paix » [48], et au cœur paisible et bien reposé [49].

Saint François rejoint ici la doctrine de saint Ignace qui affirme, dans ses règles pour le discernement des esprits, que chez une âme qui veut aller du bien au mieux, le trouble et l'inquiétude sont toujours l'œuvre du démon. Dans la direction salésienne des âmes ferventes, la mise en garde la plus fréquente s'attaque aux « empressements » par lesquels saint François désigne toute agitation inquiète, sans doute dans un bon motif, mais où l'amour-propre mêle son désir de succès et son dépit de l'échec. Il y voyait « la peste de la devotion » ainsi qu'il l'écrit à plusieurs de ses dirigées.

47. *Ibid.*, VI, pp. 48 s.
48. Ps., LXXV, 2.
49. *Œuvres*, VI, p. 51.

Il me semble que je vous voy empressee avec grande inquietude a la queste de la perfection ; car c'est cela qui vous a fait craindre ces petites consolations et ces sentimens. Or, je vous dis en verité, comme il est escrit au (Premier) Livre des Rois [50] : Dieu « n'est ni au vent fort, ni en l'agitation, ni en ces feux, mais en ceste douce et tranquille portee d'un vent » presque imperceptible. Laissés vous gouverner a Dieu, ne pensés pas tant a vous mesme..., je.... vous commenderay premierement, qu'ayant une generale et universelle resolution de servir Dieu en la meilleure façon que vous pourres, vous ne vous amusies pas a examiner et esplucher subtilement quelle est la meilleure façon. C'est une impertinence propre a la condition de vostre esprit deslié et pointu, qui veut tyranniser vostre volonté et la controller avec supercherie et subtilité.

Vous sçaves que Dieu veut en general qu'on le serve, en l'aymant sur tout, et nostre prochain comme nous mesme [51] ; en particulier, il veut que vous gardies une Regle : cela suffit, il le faut faire a la bonne foy, sans finesse et subtilité, le tout a la façon de ce monde, ou la perfection ne reside pas ; a l'humaine et selon le tems, en attendant un jour de le faire a la divine et angelique et selon l'eternité. L'empressement, l'agitation du dessein n'y sert de rien ; le desir y est bon, mays qu'il soit sans agitation. C'est cest empressement que je vous defens expressement, comme la mere imperfection de toutes les imperfections [52].

Comment s'en guérir ? Une seule méthode : ne mettre sa confiance qu'en Dieu, une confiance calme et douce.

Tenes vos yeux haut eslevés, ma tres chere Fille, par une parfaite confiance en la bonté de Dieu. Ne vous empresses point pour luy, car il a dit a Marthe quil ne le vouloit pas [53], ou du moins quil treuvoyt meilleur qu'on n'eut point d'empressement, non pas mesme a bien faire. N'examines pas tant vostre ame de ses progres... mays, a la bonne foy, faites vostre vie dans vos exercices et dans les actions qui occurrent de tems en tems... Quant a vostre chemin, Dieu qui vous a conduit jusques a present vous conduira jusques a la fin [54].

50. I Rois, XIX, 11, 12. (Lib. III dans l'édition complète des Œuvres.)
51. Matt., XXII, 37-40.
52. Œuvres, XII, pp. 166 s.
53. Luc, X, 41-42.
54. Œuvres, XIX, p. 255.

Et quand il rencontrera des âmes endolories par les aridités et sécheresses des épreuves mystiques, il ne leur tiendra pas un autre langage :

> Ma tres chere Seur, ces brouillardz ne sont pas si espais que le soleil ne les dissipe. En fin, Dieu qui vous a conduite jusques a present, vous tiendra de sa très sainte main [55] ; mais il faut que vous vous jetties, avec un total abandonnement de vous mesme, entre les bras de sa providence, ... Se confier en Dieu emmi la douceur et la paix des prospérités, chacun presque le sçait faire ; mais de se remettre a luy entre les orages et tempestes, c'est le propre de ses enfans ; je dis, se remettre a luy avec un entier abandonnement. Si vous le faites, croyes moy, ma chere Seur, vous seres toute estonnee de merveille, qu'un jour vous verres esvanouis devant vos yeux tous ces espouvantailz qui maintenant vous troublent. Sa divine Majeste attend cela de vous... [56].

L'abandon

Mais depuis le début, la confiance reste recommandée à l'activité de Philothée, en « tous les affaires », et l'idéal auquel il faut tendre dès les premiers pas n'est autre que l'esprit d'enfance dans l'abandon confiant à la conduite paternelle de Dieu.

> Soyes donq soigneuse et diligente en tous les affaires que vous aurés en charge, ma Philothee, car Dieu vous les ayant confiés veut que vous en ayes un grand soin ; mais s'il est possible n'en soyes pas en sollicitude et souci, c'est a dire, ne les entreprenes pas avec inquietude, anxiété et ardeur...
> Et en tous vos affaires appuyes-vous totalement sur la providence de Dieu, par laquelle seule tous vos desseins doivent reussir ; travailles neanmoins de vostre costé tout doucement pour cooperer avec icelle... Faites comme les petitz enfans qui de l'une des mains se tiennent a leur pere, et de l'autre cueillent des fraises ou des meures le long des haies ; ... [57].

55. Cf., Ps., CXXXVIII, 10.
56. Œuvres, XVI, pp. 133 s.
57. Ibid., III, pp. 169 s.

C'est une comparaison que saint François affectionne spécialement que celle de l'abandon du petit enfant à la conduite de son père. Il écrira que : « Toute nostre perfection gist en la pratique de ce poinct » [58]. Il n'est pas douteux que pour lui le but suprême de l'âme en quête de perfection doit être la recherche et la pratique habituelles du saint abandon. C'est pourquoi nous y avons insisté longuement déjà.

Pour saint François l'abandon à Dieu, loin d'être un état passif de l'âme et comme une démission de toute activité, découle au contraire d'une décision énergique et souvent douloureuse, de rupture avec sa propre volonté et d'engagement total à suivre les appels de Dieu. C'est un don lucide et volontaire, actif et crucifiant. Ecoutons-le s'en expliquer clairement à ses filles de la Visitation d'Annecy :

... En fin l'abandonnement est la vertu des vertus : c'est la cresme de la charité, l'odeur de l'humilité, le merite, ce semble, de la patience et le fruict de la perseverance ; grande est ceste vertu, et seule digne d'estre pratiquée des plus chers enfans de Dieu. « Mon Pere, dit nostre doux Sauveur sur la croix [59], je remets mon esprit entre vos mains ». Il est vray, vouloit-il dire, que « tout est consommé » et que « jay tout accompli ce que vous m'avez commandé » [60] ; mais pourtant, si telle est vostre volonté que je demeure encore sur ceste croix pour souffrir davantage, j'en suis content ; « je remets mon esprit entre vos mains », vous en pouvez faire tout ainsi qu'il vous plaira. Nous en devons faire de mesme, mes trescheres filles, en toute occasion...

Nostre Seigneur ayme d'un amour extremement tendre ceux qui sont si heureux que de s'abandonner ainsi totalement à son soin paternel, se laissant gouverner par sa divine providence, sans s'amuser à considerer si les effets de ceste providence leur seront utiles, profitables, ou dommageables ; estant tout asseurés que rien ne leur sçauroit estre envoyé de ce cœur paternel et tresaymable, ni qu'il ne permettra que rien leur arrive de quoy il ne leur fasse tirer du bien et de l'utilité, pourveu que nous ayons mis toute nostre confiance en luy et que de bon cœur nous disions : Je remets mon esprit,

---

58. *Ibid.*, VI, p. 384.
59. Luc, XXIII, 46.
60. Jean, XIX, 30.

mon ame, mon corps et tout ce que j'ay entre vos benites mains, pour en faire selon qu'il vous plaira [61].

Ce texte magnifique dit tout, et saint François ne fera guère autre chose qu'en commenter, suivant le besoin, telle ou telle consigne. Auprès des âmes sujettes aux troubles et inquiétudes scrupuleuses, il insistera sur la nécessité de rester pleinement confiantes en Dieu en toute occasion et reprendra le conseil de sainte Thérèse : « Que rien ne te trouble, que rien ne t'épouvante, Dieu seul suffit ».

Nous pouvons résumer sa doctrine de l'abandon dans le conseil bien connu : « Ne demander rien et ne refuser rien » [62]. « La tres sainte indifference », située dans la partie supérieure de l'âme et s'exerçant malgré les dégoûts et appréhensions de la partie inférieure, reste pour lui l'aboutissement et le couronnement de notre confiance en Dieu. Elle est demandée à tous au moins par moment, quand le service de Dieu oblige à un choix douloureux et nécessaire, mais l'idéal serait d'y vivre habituellement. Dans les dernières années de sa vie, saint François y avait établi son âme et invitait les filles de la Visitation à s'y fixer à sa suite :

J'ay un extreme desir de graver en vos esprits une maxime qui est d'une utilité nompareille : Ne demander rien et ne refuser rien... en ceste pratique vous trouverez la paix pour vos ames. Ouy, mes cheres Sœurs, tenes vos cœurs en ceste sainte indifference de recevoir tout ce que l'on vous donnera, et de ne point desirer ce que l'on ne vous donnera pas. Je veux dire, en un mot, ne desirez rien, ains laissez-vous vous-mesmes et tous vos affaires pleinement et parfaitement au soin de la divine Providence ; laissez-luy faire de vous tout de mesme que les enfans se laissent gouverner à leurs nourrices : qu'elle vous porte sur le bras droit ou sur le gauche tout ainsi qu'il luy plaira, laissez-luy faire, car un enfant ne s'en formaliseroit point ; qu'elle vous couche ou qu'elle vous leve, laissez-luy faire, · car c'est une bonne mere, qui sçait mieux ce qu'il vous faut que vous-mesme. Je veux dire, si la divine Providence permet qu'il vous arrive des afflictions ou mortifications, ne les refusez point, ains acceptez-les de bon cœur, amoureuse-

61. Œuvres, VI, pp. 26 s.
62. Ibid., VI, p. 92.

ment et tranquillement ; que si elle ne vous en envoye
point, ou qu'elle ne permette pas qu'il vous en arrive,
ne les desirez point ni ne les demandez point [63].

Il n'est sans doute aucun appel plus direct et plus précis
à l'esprit de foi que celui qui se dégage de semblables
conseils. La perfection chrétienne ici-bas ne trouve, en
effet, son épanouissement que dans la pratique habituelle
des grandes vertus théologales, couronnement de l'édifice
spirituel. Quand l'âme, dépouillée de tout retour égoïste
sur elle-même, en arrive à vivre dans un abandon total à
la volonté divine, on ne saurait dire ce qui domine en elle,
de la foi, de l'espérance ou de la charité. Ces trois vertus
se compénètrent d'ineffable façon et se prêtent un mutuel
élan, portant l'âme et la gardant entre les mains du Père.
Tout ce que nous avons dit et cité jusqu'à maintenant
des pages sublimes de l'abandon, relève directement de la
confiance en Dieu et donc de la vertu d'espérance. En ce
sens, on pourrait, nous semble-t-il, appeler saint François
de Sales, le docteur de l'espérance, mais il a toujours
soutenu cette espérance d'une foi très pure et l'a alimentée
d'une entière charité.

C'est à l'esprit de foi qu'il fait toujours appel pour assurer la confiance de ses dirigées et calmer leurs inquiétudes :

> Ne vous tourmentes point a prattiquer ce commande-
> ment ; car c'est cela que je veux, que vous ne vous
> tourmenties point, ni par ces desirs, ni par autres quel-
> conques. Mon Dieu, ma Fille, vous aves trop avant ces
> desirs dans le cœur. Pourveu que l'esprit de la foy vive
> en nous, nous sommes trop heureux [64].

C'est par Jésus-Christ que l'amour pour Dieu, éclairé par
la foi et auréolé d'espérance, simplifiera l'âme et accom-
plira en elle l'union de toutes les vertus. Le dernier mot
appartiendra toujours à la charité, mais à une charité inséparable de ses deux sœurs théologales et constamment
nourrie par l'exercice des vertus morales à partir de l'humilité. Et, à son tour, la charité parachèvera l'humilité.
Le détachement prépare et commence l'amour, mais seul

63. *Ibid.*
64. *Ibid.*, XIII, p. 305

le parfait amour pourra réaliser le parfait détachement. C'est pourquoi il est faux de considérer le détachement comme un point de départ destiné à être dépassé ; il doit, au contraire, grandir avec l'amour et il est comme lui le but de l'effort vers la perfection. « Toute la doctrine de notre bienheureux Père, disait sainte Chantal, tendait au parfait dénuement de soi-même » [65].

L'esprit d'enfance

Elle y tendait toujours, sans estimer qu'on y parviendrait jamais totalement ; mais pour saint François, il est bien évident que l'abandon seul, volontairement décidé, de tout le soin de nous-mêmes entre les mains de Dieu peut réaliser le parfait détachement qu'il suppose. Cet état d'âme qu'il appelle l'esprit d'enfance et qu'il analyse devant les premières visitandines est important dans la notion de l'optimisme.

Si vous n'estes faits simples comme un petit enfant, vous n'entrerez point au Royaume de mon Pere [66]. Un enfant, pendant qu'il est bien petit, est reduit en une grande simplicité qui fait qu'il n'a autre cognoissance que de sa mere ; il n'a qu'un seul amour, qui est pour sa mere, et en cest amour, qui est pour sa mere, et en cest amour une seule pretention, qui est le sein de sa mere : estant couché dessus ce sein bien-aymé, il ne veut autre chose. L'ame qui a la parfaite simplicité n'a qu'un amour, qui est pour Dieu ; et en cest amour elle n'a qu'une seule pretention, qui est celle de reposer sur la poitrine du Pere celeste, et là, comme un enfant d'amour, faire sa demeure, laissant entierement tout le soin de soy-mesme à son bon Pere, sans que jamais plus elle se mette en peine de rien, sinon de se tenir en ceste sainte confiance ; non pas mesme les desirs des vertus et des graces qui luy sembloyent estre necessaires ne l'inquietent point. Elle ne neglige voirement rien de ce qu'elle rencontre en son chemin, mais aussi elle ne s'empresse point à rechercher d'autres moyens de se perfectionner que ceux qui luy sont prescrits... Les enfans, certes, que Nostre Seigneur nous marque devoir estre le modelle

65. CHANTAL J., *Sa vie et ses œuvres*, Paris, Plon, I, 1876-90, p. 352.
66. Matt., XVIII, 3.

de nostre perfection, n'ont ordinairement aucun soin, sur
tout en la presence de leurs peres et meres ; ils se
tiennent attachés à eux, sans se retourner à regarder
ni leurs satisfactions ni leurs consolations, qu'ils prennent à la bonne foy et en jouissent en simplicité, sans
curiosité quelconque d'en considerer les causes ni les
effets, l'amour les occupant assez sans qu'ils puissent
faire autre chose. Qui est bien attentif à plaire amoureusement à l'Amant celeste n'a ni le cœur ni le loisir
de retourner sur soy-mesme, son esprit tendant conti-
nuellement du costé où l'amour le porte.

Cest exercice d'abandonnement continuel de soy-mesme
és mains de Dieu comprend excellemment toute la perfection des autres exercices en sa tres-parfaite simplicité
et pureté... [67].

Saint François prêche la confiance à ses disciples et à ses
dirigées avec une chaleur qui répond à la plus solide conviction : conviction fondamentale de l'amour de Dieu pour
nous. Conviction qui illumine des centaines de pages dans
ses lettres et dans ses traités, et dont nous avons déjà pu
lire bien des témoignages. Nous ne voulons citer ici, que
les belles pages de la cinquième partie de l'*Introduction à
la vie dévote,* où le saint directeur rassemble pour Philothée les « examens et considerations » propres à la maintenir et à l'affermir dans ses résolutions de vivre désormais toute donnée à Dieu. Après avoir passé en revue
l'excellence des vertus et l'exemple des saints, saint François arrive à l'essentiel : « l'amour que Jesus Christ nous
porte », et il écrit :

Voyes-vous, ma Philothee, il est certain que le cœur de
nostre cher Jesus voyoit le vostre des l'arbre de la Croix
et l'aymoit, et par cet amour luy obtenoit tous les biens
que vous aurés jamais, et entre autres nos resolutions ;
ouy, chere Philothee, nous pouvons tous dire comme
Hieremie [68] : O Seigneur, avant que je fusse, vous me
regardies et m'appellies par mon nom, d'autant que
vrayement sa divine Bonté prepara en son amour et
misericorde tous les moyens generaux et particuliers de
nostre salut, et par consequent nos resolutions. Ouy sans
doute ; comme une femme enceinte prepare le berceau,
les linges et bandelettes, et mesme une nourrice pour

67. *Œuvres*, VI, pp. 216 s.
68. Cap., I, 5.

l'enfant qu'elle espere faire, encor qu'il ne soit pas au monde, ainsy Nostre Seigneur ayant sa bonté grosse et enceinte de vous, pretendant de vous enfanter au salut et vous rendre sa fille, prepara sur l'arbre de la Croix tout ce qu'il falloit pour vous : vostre berceau spirituel, vos linges et bandelettes, vostre nourrice et tout ce qui estoit convenable pour vostre bonheur. Ce sont tous les moyens, tous les attraitz, toutes les graces avec lesquelles il conduit vostre ame et la veut tirer a sa perfection.

« Il m'a aymé, dit saint Paul [69], et s'est donné pour moy » ; comme s'il disoit : pour moy seul, tout autant comme s'il n'eust rien fait pour le reste. Ceci, Philothee, doit estre gravé en vostre ame, pour bien cherir et nourrir vostre resolution qui a esté si pretieuse au cœur du Sauveur [70].

Et avant même l'apparition temporelle de Jésus sur terre, c'est de toute éternité que la Trinité Sainte nous a aimés et prédestinés aux grâces de choix qu'elle devait nous accorder pendant notre vie :

Consideres l'amour eternel que Dieu vous a porté, car des-ja avant que Nostre Seigneur Christ entant qu'homme souffrit en Croix pour vous, sa divine Majesté vous projettoit en sa souveraine bonté et vous aymoit extremement. Mais quand commença-il a vous aymer ? Il commença quand il commença a estre Dieu. Et quand commença-il a estre Dieu ? Jamais, car il l'a tous-jours esté sans commencement et sans fin, et aussi il vous a tous-jours aymee des l'eternité, c'est pourquoy il vous preparoit les graces et faveurs qu'il vous a faittes. Il le dit par le Prophete : « Je t'ay aymé (il parle a vous aussi bien qu'a nul autre) d'une charité perpetuelle ; et partant je t'ay attiré, ayant pitié de toy [71].

Comment dès lors douter de Dieu et perdre confiance ? Surtout quand, dans l'histoire, la providence divine continue à se manifester par l'abondante rédemption du Verbe incarné, offerte à chaque âme et à tout moment de son existence ? Dieu ne méprisera jamais l'homme, malgré ses faiblesses, et saint François, à l'image de Dieu, ne veut pas que l'homme se méprise lui-même, ni les autres. Il demandera à Philothée, « Tenes-vous bon ordre en l'amour

69. Galat., II, 20.
70. *Ibid.*, III, pp. 358 s.
71. *Œuvres*, III, p. 359.

de vous mesme ? car il n'y a que l'amour desordonné de nous mesmes qui nous ruine » [72] et il s'ingéniera à chercher partout et à mettre en valeur toute parcelle de bonté. « ... d'ou que le bon vienne, il le faut aymer » [73].

Il ne rabaisse pas les facultés naturelles de l'homme, encore qu'il en connaisse parfaitement les limites. Ce n'est pas lui qui écrase la raison au profit de la foi, comme Luther, et on le voit au contraire réclamer le respect pour ces « deux filles d'un mesme Pere ».

> Dieu est autheur en nous de la rayson naturelle, et ne hait rien de ce quil a faict, si que, ayant marqué nostre entendement de ceste sienne lumiere, il ne faut pas penser que l'autre lumiere surnaturelle quil départ aux fidelles, combatte et soit contraire a la naturelle ; elles sont filles d'un mesme Pere, l'une par l'entremise de nature, l'autre par l'entremise de moyens plus hautz et eslevés, elles donques peuvent et doivent demeurer ensemble comme seurs tres affectionnëes [74].

La liberté de l'homme

Et comme il écrit au XVIIe siècle, en pleine hérésie protestante, il lui arrive souvent de réhabiliter le pouvoir de la volonté humaine et d'affirmer la puissance de la liberté.

> Les enfants ne sont ni bons ni mauvais, car ils ne sont non plus capables de choisir le bien que le mal. Ils marchent pendant leur enfance comme ceux qui sortans d'une ville vont tout droit quelque temps ; mais au bout de ce peu de temps, ils trouvent que le chemin se fourche et partage en deux ; il est à leur pouvoir de prendre à droite ou à gauche, selon que bon leur semble, pour aller où ils desirent [75].

Le péché originel n'a donc point vicié la nature au point de la corrompre totalement : il l'a seulement affaiblie dangereusement, mais elle peut se relever avec l'aide de Dieu secondant ses propres efforts.

72. *Ibid.*, III, p. 348.
73. *Ibid.*, XX, p. 348.
74. *Ibid.*, I, p. 330.
75. *Ibid.*, IX, p. 132.

Il n'y a point de si bon naturel qui ne puisse estre rendu mauvais par les habitudes vicieuses ; il n'y a point aussi de naturel si revesche qui, par la grace de Dieu premierement, puis par l'industrie et diligence, ne puisse estre dompté et surmonté [76].

Il ne faut donc jamais se laisser abattre, fût-ce même par des chutes dans le péché mortel. Elles ne feront que suspendre pour un temps le progrès dans la dévotion, dans lequel on repartira avec un nouvel élan, dès que la volonté aura repris son ancien dessein. Nous sommes ici à un point culminant dans la spiritualité de saint François.

... quelques cheutes es pechés mortelz, pourveu que ce ne soit pas par dessein d'y croupir, ni avec un endormissement au mal, n'empeschent pas que l'on n'ayt fait progres en la devotion, laquelle, bien que l'on perde pechant mortellement, on recouvre neanmoins au premier veritable repentir que l'on a de son péché [77].

Il y faudra assurément un « veritable repentir » et même une satisfaction donnée pour la faute. Mais saint François laisse habituellement ce redressement nécessaire au jugement des pécheurs eux-mêmes, et préfère aux mesures coercitives, l'appel à la générosité naturelle des âmes. Il ne blâmera pas les directeurs plus sévères que lui, mais restera personnellement fidèle à une méthode de confiance, sans âpreté. Il s'en explique devant les religieuses d'un monastère de Paris, dont la réforme avait été entreprise de façon, semble-t-il, un peu brutale. La page est très intéressante et significative de l'esprit salésien.

Je me doute encor qu'il y ayt un autre empeschement a vostre reformation : c'est qu'a l'adventure, ceux qui vous l'ont proposee ont manié la playe un peu asprement. Mays voudries vous bien pour cela rejetter vostre guerison ? Les chirurgiens sont quelquefois contrains d'aggrandir la playe pour amoindrir le mal, lhors que sous une petite playe il y a beaucoup de meurtrisseures et concasseures ; ç'a esté peut estre cela qui leur a fait porter le rasoir un petit bien avant dans le vif. Je loüe leur methode, bien que ce ne soit pas la mienne, sur

76. *Ibid.*, III, p. 68.
77. *Ibid.*, XVI, p. 98.

tout a l'endroit des espritz nobles et bien nourris comme
sont les vostres ; je croy qu'il est mieux de leur mons-
trer simplement le mal, et leur mettre le fer en main
affin qu'ilz fassent eux mesmes l'incision [78].

On sent transparaître à travers ces lignes, et bien d'autres, la confiance délibérée de François dans la bonté foncière d'une nature que le péché n'a point gâtée au point
de lui faire perdre le goût du bien, mais qui, au contraire,
par suite de « la naturelle et premiere inclination d'aymer
Dieu » [79], se porte comme naturellement vers le mieux, en
réagissant contre les influences pernicieuses qui l'entourent.
C'est l'affirmation d'un passage célèbre de la préface de
l'*Introduction* :

> ... comme les meres perles vivent emmi la mer sans
> prendre aucune goutte d'eau marine, et que vers les isles
> Chelidoines il y a des fontaines d'eau bien douce au
> milieu de la mer, et que les piraustes volent dedans les
> flammes sans brusler leurs aisles, ainsy peut une ame
> vigoureuse et constante vivre au monde sans recevoir
> aucune humeur mondaine [80]...

Mais il y faut des âmes généreuses et constantes. Il est
nécessaire que la nature serve d'appui à la grâce, et l'on
ne peut guère espérer d'un tempérament apathique et douil-
let ! L'optimisme salésien est fondé sur l'effort courageux
de l'âme que Dieu soutient, mais que rien ne remplacera.
Il est demandé à chacun de se mettre en marche d'abord.

> ... si vous me demandez : Comment pourray-je faire pour
> acquerir l'amour de Dieu ? je vous diray : En le voulant
> aymer ; et au lieu de vous appliquer à penser et deman-
> der comment vous pourrez faire pour unir vostre esprit
> à Dieu, que vous vous mettiez en la pratique par une
> continuelle application de vostre esprit à Dieu, et je vous
> asseure que vous parviendrez bien plus tost à vostre
> pretention par ce moyen-là que non pas par aucune autre
> voye... Il me semble que ceux auxquels on demande le
> chemin du Ciel ont grande raison de dire comme ceux
> qui disent que pour aller à un tel lieu il faut tousjours
> aller, mettant l'un des pieds devant l'autre, et que par

78. *Ibid.*, XII, p. 148 (Aux religieuses du monastère des Filles-Dieu).
79. *Ibid.*, IV, p. 79.
80 *Ibid.*, III, p. 6.

ce moyen on parviendra où l'on desire. Allez tous-jours...
en la voye de vostre vocation en simplicité, vous amu-
sant plus à faire qu'à desirer : c'est le plus court chemin [81].

A cet appel à la générosité s'ajoute un appel à la confiance. Il en est ordinairement ainsi chez saint François et
c'est par là qu'il répond à une grave objection, celle qui
lui est faite par les âmes qui, sans vouloir douter de Dieu,
savent cependant que son aide est accordée à nos efforts,
mais risque de nous manquer par suite de nos propres
manquements. Ces manquements seront inévitables et dès
lors voilà notre confiance à l'épreuve. Pour y répondre, le
directeur expérimenté qu'est saint François, fait appel à
la conscience de la générosité et appuie sur elle la confiance de l'âme.

> Apres cest acte de confiance se devroit immediatement
> faire celuy de generosité, disant : Puisque je suis tres
> asseuré que la grace de Dieu ne me manquera point, je
> veux encore croire qu'il ne permettra pas que je manque
> à correspondre à sa grace. Mais vous me direz : Si je
> manque à la grace, elle me manquera aussi. Il est vray.
> Si donc il est ainsi, qui m'asseurera que je ne man-
> queray point à la grace desormais, puisque je luy ay
> manqué tant de fois par le passé ? Je responds que la
> generosité fait que l'ame dit hardiment et sans rien
> craindre : Non, je ne seray plus infidelle à Dieu ; et
> parce qu'elle sent en son cœur ceste resolution de ne
> l'estre jamais, elle entreprend sans rien craindre tout
> ce qu'elle sçait la pouvoir rendre agreable à Dieu, sans
> exception d'aucune chose ; et entreprenant tout, elle
> croid de pouvoir tout, non d'elle-mesme, ains en Dieu
> auquel elle jette toute sa confiance [82]...

Il est sans doute peu d'exemples plus frappants de confiance accordée à la générosité humaine qu'une telle réponse. Mais n'ayons garde d'oublier que le zèle de l'âme,
pour François comme pour tous les théologiens de la
grâce, n'est jamais purement naturel et que Dieu nous
aide en tout et toujours. Le docteur de l'amour de Dieu
avait déjà écrit :

81. *Ibid.*, VI, pp. 150 s.
82. *Ibid.*, VI, pp. 78 s.

... bien que ce soit un don de Dieu d'estre a Dieu, c'est toutefois un don que Dieu ne refuse jamais a personne, ains l'offre a tous, pour le donner a ceux qui de bon cœur consentiront de le recevoir [83].

Il reste donc qu'une âme généreuse n'a rien à craindre. A cœur vaillant rien d'impossible, dans le domaine surnaturel plus encore que dans l'activité temporelle. Nous avons vu, en parlant de la prière, saint François affirmer que Dieu réserve à presque tous, même aux « plus grossiers », le don d'oraison. Ecoutons-le nous dire encore une fois que les tentations ne sont pas à craindre, dès lors qu'on veut résister, puisqu'elles sont « un tres bon signe », pour une âme bien avertie, des conditions de la vie spirituelle.

Il ne faut nullement respondre ni faire semblant d'entendre ce que l'ennemy dit ; qu'il clabaude tant qu'il voudra a la porte, il ne faut pas seulement dire : Qui va la ? Il est vray, ce me dires-vous, mais il m'importune, et son bruit fait que ceux de dedans ne s'entendent pas les uns les autres a deviser. C'est tout un ; patience, il se faut parler par signes : il se faut prosterner devant Dieu et demeurer la devant ses pieds ; il entendra bien, par cette humble contenance, que vous estes sienne et que vous voules son secours encores que vous ne puissies pas parler. Mays sur tout tenes vous bien fermee dedans, et n'ouvres nullement la porte, ni pour voir qui c'est ni pour chasser cet importun ; en fin il se lassera de crier et vous laissera en paix... C'est cependant un tres bon signe que l'ennemy batte et tempeste a la porte, car c'est signe qu'il n'a pas ce qu'il veut. S'il l'avoit eu, il ne crieroit plus ; il entreroit et s'arresteroit. Notés cela pour ne point entrer en scrupule [84].

Et ne vous laissez pas plus épouvanter par l'enfer que par Satan. Saint François semble bien croire, en effet, sans jamais l'affirmer, que la grande majorité des chrétiens sera sauvée. « Il faut donques craindre la mort sans la craindre, c'est-à-dire la craindre d'une crainte tranquille et pleine d'esperance, puisque Dieu nous a laissé tant de moyens pour bien mourir... » [85].

83. *Ibid.*, IV, p. 186.
84. *Ibid.*, XII, pp. 355 s.
85. *Ibid.*, X, p. 325.

Quant au résultat final de nos efforts, il faut s'en remettre uniquement à Dieu, mais dans un esprit de confiance. C'est toujours le meilleur qui arrivera, dans nos échecs mêmes, si nos échecs lui plaisent et concourent à l'exécution de ses desseins mystérieux. Pour une âme généreuse, tout est grâce, hormis le péché, et la plus grande des grâces est sans doute la « sainte indifference » devant les événements.

> Hé, je vous supplie, ma tres chere Fille, tenés-vous bien a Jesus Christ et a Nostre Dame et a vostre bon Ange en toutes vos affaires... Faites l'un apres l'autre au mieux que vous pourres, et employés pour cela fidelement vostre esprit, mais doucement et suavement. Si Dieu vous en donne l'issue, nous l'en benirons ; s'il ne luy plaist pas, nous l'en benirons aussi. Et il vous suffira que, tout a la bonne foy, vous vous soyés essayee de reüscir, puisque Nostre Seigneur et la rayson ne requirent pas de nous les effectz et evenemens, mais nostre fidelle et franche application, employte et diligence ; car ceci depend de nous, mays non pas les succes [86].

La foi en la providence doit écarter tout trouble et toute inquiétude, et le simple regard sur le passé suffit d'ailleurs à donner l'assurance de la conduite paternelle de Dieu, qui écrit droit avec des lignes courbes, comme dit le proverbe, et assure notre bien par des moyens souvent déroutants.

> Pour ne vous point troubler de ce qui arrive en cette vie temporelle, penses souvent a sa briefveté et a l'eternité de la future ; penses aussi a la Providence de Dieu, laquelle, par des ressortz inconneus aux hommes, conduit toutes sortes d'evenemens au prouffit de ceux qui le craignent. Consideres tout ce qui vous est arrivé de fascheux jusques a present, et comme tout cela est esvanouy et dissipé, car il sera de mesme en ce qui vous arrivera des-ormais : si qu'il faut avoir une douce patience en tous evenemens [87].

86. Ibid. XV, pp. 98 s.
87. Ibid., XXI, p. 146.

La paix

C'est à la paix, en définitive, que saint François conduit les âmes qui se sont placées sous sa direction, la paix fille de l'amour et de la confiance en Dieu, surnageant dès lors au-dessus de toute souffrance et de toute contrariété, comme un vaisseau sans fissures contre lequel les pires tempêtes ne peuvent rien.

> C'est le grand bien de nos ames d'estre a Dieu, et le tres grand bien de n'estre qu'a Dieu. Qui n'est qu'a Dieu ne se contriste jamais, sinon d'avoir offencé Dieu ; et sa tristesse pour cela se passe en une profonde, mays tranquille et paysible humilité et sousmission, apres laquelle on se releve en la Bonté divine par une douce et parfaite confiance, sans chagrin ni despit. Qui n'est qu'a Dieu ne cherche que luy ; et parce qu'il n'est pas moins en la tribulation qu'en la prosperité, on demeure en paix parmi les adversités [88].

Il faut viser à cette paix dès ici-bas, comme au seul bonheur qui nous soit proposé sur la terre par la providence divine. Les peines, inévitables et nécessaires, n'en seront pas supprimées mais adoucies ; les ardeurs d'une joie parfois exubérante en seront retenues et modérées : la paix de l'âme s'épanouira comme la fleur de l'équilibre surnaturel. A la suite de saint Ignace, dans les règles du discernement des esprits, saint François affirme à son tour que tout ce qui s'oppose à cette paix, dans une âme donnée à Dieu, vient du malin.

> Toutes les pensees qui nous rendent de l'inquietude et agitation d'esprit ne sont nullement de Dieu, qui est Prince de paix ; ce sont donq des tentations de l'ennemy, et partant il les faut rejetter et n'en tenir conte.
> Il faut en tout et par tout vivre paysiblement. Nous arrive il de la peyne ou interieure ou exterieure, il la faut recevoir paysiblement. Nous arrive il de la joye, il la faut recevoir paysiblement, sans pour cela tressaillir. Faut-il fuir le mal, il faut que ce soit paysiblement, sans nous troubler ; car autrement, en fuyant nous pourrions tomber et donner loysir a l'ennemy de nous tuer.

88. *Ibid.*, XIX, p. 11.

> Faut-il faire du bien, il le faut faire paysiblement ; autrement nous ferions beaucoup de fautes en nous empressant [89].

Paisiblement, doucement, tranquillement, suavement, bellement, sont autant d'adverbes qui caractérisent son style comme sa personne, et si nous ne craignions pas de lasser, combien de traits pourrions-nous citer de cette paix intérieure qui rayonnait en douceur, affabilité, « debonnaireté ». Les témoins de sa vie n'ont su comment exprimer cette rare qualité de son âme. « Son visage, ses yeux, ses paroles et toutes ses actions, ne respiraient que douceur et mansuétude, écrit sainte Chantal ; il la répandait même dans les cœurs de ceux qui le voyaient ; aussi disait-il que l'esprit de douceur était le vrai esprit des chrétiens ». Monsieur de Bérulle, au dire de la même sainte, estimait que le saint « possédait une paix imperturbable ; et comme il avait en lui ce trésor c'est la vérité qu'il le communiquait aux personnes qui s'approchaient de lui ». Et saint Vincent de Paul « admirait extrêmement son excessive débonneraeté », au point qu'il se plaisait à « considérer l'infinie bonté de Dieu au sujet de celle de Monseigneur de Genève ; car si un homme peut être si bon, disait-il, combien à plus forte raison devez-vous être bon, suave et gracieux, o mon doux Createur » [90].

Mais quel était le secret d'une telle paix ? « Je sais qu'il avait un soin particulier de se tenir recueilli en Dieu parmi les susdites occupations (différends à apaiser, procès à arbitrer, etc.) ; aussi disait-il qu'il fallait traiter les affaires de la terre avec les yeux fichés au ciel, que tout ce qui se fait par amour est amour, le travail ni même la mort n'est qu'amour quand c'est pour l'amour de Dieu que nous les recevons ». Parole admirable qui illumine la vie entière de saint François de Sales et nous ramène vers cet unique foyer de toutes ses vertus : l'amour de Dieu. Traiter les affaires de la terre avec les yeux fichés au ciel, les y tenir fichés par pur amour de Dieu, voilà bien le secret des

---

90. *Déposition de Ste Chantal, Op. cit.*, Cf., pp. 140 s.
90. *Déposition de Ste Chantal, Op. cit.*, cf., pp. 140 s.

saints. C'est dans l'amour divin que l'évêque de Genève a puisé la force de cette inaltérable douceur [91].

...et la joie

Avec la paix, la joie. Dans un cœur qui aime Dieu, elles ne vont jamais l'une sans l'autre, car elles sont l'une et l'autre le fruit de cet amour pur. Certes, il ne s'agit pas plus ici d'une joie sensible, recherchée pour elle-même, qu'il n'était question précédemment d'une jouissance égoïste de la paix ; et saint François de Sales nous invite trop fréquemment à la joie pour que nous n'ayons pas le souci de prévenir dès l'abord toute équivoque à ce sujet. En effet, ce bonheur éprouvé par l'âme amoureuse qui se complaît dans l'accomplissement de la seule volonté de Dieu, ce bonheur que verse normalement en nos cœurs le plein abandon à Dieu, l'auteur du *Traité*, on s'en souvient, exige que l'âme ne s'y arrête jamais, prête au contraire à y renoncer de plein gré, s'il plaît à Dieu de l'éprouver, par des angoisses spirituelles [92].

Pourtant, il est dans l'ordre de la providence, qu'une certaine joie inaliénable subsiste « en la fine pointe de l'âme », au milieu des épreuves extérieures et même intérieures, et que, dans le cours ordinaire de la vie, la joie très pure de servir Dieu soit le partage de l'âme amoureuse [93]. C'est pourquoi saint François de Sales presse vivement ses Philothées d'être toujours joyeuses, c'est-à-dire de l'être même volontairement, par pur motif surnaturel, et en dépit des résistances de la nature. Il sait très bien que ce sourire volontaire est psychologiquement le meilleur moyen de ramener en nos cœurs l'apaisement et la vraie joie profonde du sacrifice ; il sait bien qu'en exigeant cette attitude, il aide ces âmes de bonne volonté à progresser dans cette sainte vertu d'abandon qu'il leur veut voir pratiquer : « Vous ne voudries pour rien du monde offencer Dieu, c'est bien asses pour vivre joyeuse » [94].

91. *Ibid.*, p. 114.
92. *Œuvres*, V, pp. 139 s.
93. *Ibid.*, V, p. 136.
94. *Ibid.*, XII, p. 288.

« Tenes vous donques joyeusement humble devant Dieu ;
mais tenes vous esgalement joyeuse et humble devant le
monde » [95]. Lui-même d'ailleurs pratiquait ce qu'il enseignait :

> Il faut non seulement vouloir faire la volonté de Dieu,
> mais pour estre devot, il la faut faire gayement. Si je
> n'estois pas Evesque, peut estre que, sachant ce que je
> sçay, je ne le voudrois pas estre ; mais l'estant, non seu-
> lement je suis obligé de faire ce que cette penible voca-
> tion requiert, mais je doy le faire joyeusement, et doy me
> plaire en cela et m'y aggreer [96].

La vie comme l'œuvre de saint François de Sales, où la
joie manifestée par son sourire, sa douceur et sa paix,
se rencontrent à chaque pas, s'expliquent - nous l'avons vu -
précédemment - par l'amour qui emplissait son cœur. Cet
amour avait double visage : amour confiant envers Dieu
qui l'a conduit au pur abandon entre les mains de son
créateur et de son sauveur ; amour miséricordieux envers
les hommes qui l'a toujours poussé à faire confiance à ce
qui reste de bon en chacun de nous malgré le péché originel.

Dans l'*Introduction* et le *Traité* surtout, nous découvrons
que la joie est un fruit de l'amour, comme la tristesse en
est un obstacle. L'évêque de Genève n'a jamais défini la
joie d'une façon très personnelle. Il se contente d'en rappeler la nature en citant un passage de l'épître aux Galates [97],
au moment où il développe dans le *Traité*, *Comme l'amour
sacré comprend les douze fruitz du Saint Esprit avec les
huit beatitudes de l'Evangile* :

> Le glorieux saint Paul dit ainsy : « Or le fruit de l'Esprit
> est la charité, la joye, la paix, la patience, la bénignité,
> la bonté, la longanimité, la mansuetude, la foy, la modes-
> tie, la continence, la chasteté ». Mays voyes, Theotime,
> que ce divin Apostre contant ces douze fruitz du Saint
> Esprit, il ne les met que pour un seul fruit ; car il ne
> dit pas : « les fruitz de l'Esprit sont la charité, la joye »,
> mais seulement : « le fruit de l'Esprit est la charité, la
> joye ». Or voyci le mystere de cette façon de parler.
> « La charité de Dieu est respandue en nos cœurs par le

95. *Ibid.*, XIII, p. 392d.
96. *Ibid.*, XII, p. 349.
97. Gal. V, 22 s.

Saint Esprit qui nous est donné [98]. » Certes, la charité est l'unique fruit du Saint Esprit, mais parce que ce fruit a une infinité d'excellentes proprietés, l'Apostre, qui en veut representer quelques unes par maniere de monstre, parle de cet unique fruit comme de plusieurs, a cause de la multitude des proprietés qu'il contient en son unité... L'Apostre donq ne veut dire autre chose sinon que « le fruit du Saint Esprit est la charité », laquelle est joyeuse, paisible, patiente, benigne, bonteuse, longanime, douce, fidele, modeste, continente, chaste ; c'est a dire, que le divin amour nous donne une joye et consolation interieure, avec une grande paix de cœur... qui nous rend gracieux et benins a secourir le prochain par une bonté cordiale envers iceluy [99]....

Dans le *Traité de l'Amour de Dieu,* Monsieur de Genève ne fait pas autre chose que de nous exposer la genèse de l'amour de Dieu envers nous et ce à quoi il nous conduit, c'est-à-dire le bonheur. Mais il est en même temps un « traité de la joie ». Dès les premiers chapitres, François de Sales nous introduit dans la voie royale de l'amour et, par là même, nous ouvre toutes grandes les portes de la joie. Car enfin, qu'est-ce que l'amour ? « A parler distinctement et precisement, (il) n'est autre chose que le mouvement, escoulement et avancement du cœur envers le bien » [100].

Quand on sait que, chez saint François de Sales, ce bien s'appelle Jésus-Christ, on n'est pas étonné de le voir insister sur la place centrale que le Fils de Dieu tient dans l'histoire des hommes. « Ainsy le grand Sauveur fut le premier en l'intention divine » [101]. Tout a été créé pour lui, l'homme, à cause de lui ; et à cause de l'homme, le reste du monde. Voici l'ordre établi : « Tout est a vous, vous estes au Christ, et le Christ est a Dieu » [102]. Le péché, à cause du Christ-Jesus le « Verbe fait chair », devient : « O coulpe bien heureuse, qui a merité d'avoir un tel et si grand Redempteur ! » [103]. Il n'est que de relire tout le Chapitre V du Livre II du *Traité* pour nous convaincre que

98. Rom. V, 5.
99. *Ibid.,* V, pp. 305 s.
100. *Ibid.,* IV, p. 43.
101. *Ibid.,* IV, p. 103.
102. *Ibid.* (I Cor. III, 22).
103. *Ibid.,* IV, p. 104.

« ... la nature humaine a receu plus de graces par la redemption de son Sauveur, qu'elle n'en eust jamais receu par l'innocence d'Adam, s'il eust perseveré en icelle » [104]. Et puis « l'estat de la redemption vaut cent fois mieux que celuy de l'innocence » [105]. Le voilà donc le bien incarné, cause de notre joie et une des causes principales de l'optimisme de saint François : Notre Seigneur, dont les attraits amoureux « nous aydent et accompagnent jusques a la foi et la charité » [106].

C'est par amour que Dieu nous a créés ; c'est par amour qu'il nous sauve ; c'est par amour que nous nous unirons à lui. C'est par l'amour que nous serons dans la joie aujourd'hui et demain : « Dieu, ayant creé l'homme a son image et semblance, veut que, comme en luy, tout y soit ordonné par l'amour et pour l'amour » [107]. C'est lui qui nous donne d'aimer : « Theotime, ce n'est pas un amour que les forces de la nature ni humaine ni angelique puissent produire, ains le Saint Esprit le donne et le respand en nos cœurs » [108]. « ... ainsy la charité, qui donne la vie a nos cœurs, n'est pas extraitte de nos cœurs, mays elle y est versee comme une celeste liqueur, par la providence surnaturelle... » [109].

Ceci nous montre donc que la première cause de notre joie est celle-ci : Dieu nous aime. François ne cessera de le rappeler sous toutes les formes à ses multiples correspondants : « Dieu est le Dieu de joye » [110]. « De quoy se doit attrister une fille, servante de Celuy qui sera a jamais nostre joye ? » [111]. « Il nous ayme, il nous cherit, il est tout nostre, ce doux Jesus » [112]. « Souvenés vous que nostre Dieu n'est pas comme le reste des choses : il est bon a tous, et en tous tems » [113]. Il nous a sauvés aussi : « ... l'Espouse parle du « jour de la joye » de son Bien-Aymé, ... le

---

104. *Ibid.*
105. *Ibid.*, IV, p. 105.
106. *Ibid.*, IV, p. 159.
107. *Ibid.*, IV, p. 40.
108. *Ibid.*, IV, p. 164 (Rom. V, 5).
109. *Œuvres*, IV, p. 165.
110. *Ibid.*, XIII, p. 16.
111. *Ibid.*, XIII, p. 193.
112. *Ibid.*, XX, p. 31.
113. *Ibid.*, XIII, p. 90.

jour de la Passion » [114]. Dieu nous aime, Il nous conduit vers lui, nous tourne vers lui. « Il nous a laissés et laschés a la merci de nostre franc arbitre, neanmoins nous luy appartenons » [115].

> Certes, l'honorable inclination que Dieu a mise en nos ames... le grand Prophete royal l'appelle non seulement lumiere... mais aussi joye et allegresse, parce qu'elle nous console en nostre egarement, nous donnant esperance que Celuy qui nous a empreinte et laissee cette belle marque de nostre origine, pretend encor et desire de nous y ramener et reduire, si nous sommes si heureux que de nous laisser reprendre a sa divine Bonté [116].

« Dieu nous a aimés le premier, disait déjà saint Jean, et nous voulons l'aimer » [117]. Par cette affirmation, voici énoncée une autre cause de la joie. Saint François y insiste beaucoup. « Rien que le peché ne nous doit desplaire et fascher, et au bout du desplaysir du peché, encor faut il que la joye et consolation sainte soit attachee » [118].

La joie n'est donc pas une recherche et un but en elle-même. Elle est l'harmonie que soutient « l'esprit d'enfance » triolet ou rythme plus calme qui accorde ses deux composants : un grand amour filial de Dieu et une humilité fondamentale qui s'ignore mais se réjouit de sa petitesse et de son impuissance.

Dans son chapitre sur *L'optimisme et la joie*, Michael Muller écrit :

> La conception optimiste que François a de Dieu et de l'homme fait rayonner en son âme une joyeuse sérénité. Sa religiosité resplendit toute baignée d'une joie surnaturelle dont le reflet pénètre même les choses de la terre. Un fin humour jaillit souvent de ses paroles. « Le vigoureux ressort de la nature éternelle a nom la joie », écrit Schiller. C'est aussi l'avis de François, mais c'est chez lui conséquence de sa conception théocentrique de l'univers. Il sait assez de psychologie et de pédagogie pour souhaiter que l'âme chrétienne garde constamment sa gaieté... Il insiste vigoureusement sur le devoir que nous

114. *Ibid.*, IX, p. 211.
115. *Ibid.*, IV, p. 85.
116. *Ibid.*
117. I Jean IV, 19.
118. *Œuvres*, XX, pp. 31 s.

avons de maintenir notre cœur en joie. Par contre, il stigmatise la tristesse comme un état « extraordinairement dangereux » et consacre plusieurs dissertations à l'examen des moyens de le combattre,... Même en présence d'imperfections, de médiocres progrès, voire de régression dans la vie spirituelle, saint François de Sales exige une réaction énergique contre tout état de déplaisir, d'abattement ou de tristesse. Si l'âme est vraiment « un enfant en humilité... elle ne s'estonnera point d'estre tombee, car elle ne tombera pas aussi d'en haut »[119]. Dieu même ne s'étonne ni ne se courrouce gravement de notre infortune, car il connaît notre misère.

Nostre Seigneur qui, du haut du Ciel, la regarde (notre âme) comme un pere fait son enfant qui, encor tout foible, a peyne d'asseurer ses pas, et luy dit : Tout bellement, mon enfant ; et s'il tombe, l'encourage, disant : Il a sauté, il est bien sage, ne pleures point ; puis s'approche et luy tend la main[120].

La tristesse ne se justifie donc jamais, si nombreux que soient les motifs qu'elle prétend invoquer. « Le fruit de l'Esprit Saint est joie et paix », écrit Saint Paul[121]. Psychologiquement solidaires, ce sont les meilleurs soutiens d'une piété authentique, capable de dominer la vie, et saint François de Sales attribuera une valeur suprême à la joie intérieure et à la paix de l'âme[122].

Muller renvoie à une anecdote dont la tradition fait honneur à saint François de Sales. Comme on lui parlait d'un homme qui menait une sainte vie, mais avait toujours l'air maussade : « Si un saint était triste, aurait-il répondu, ce serait un triste saint ».

L'étude de ces différents textes sur la confiance, la paix et la joie nous ont fait connaître un François de Sales, écrivain de talent. Son originalité foncière ne réside pas essentiellement dans l'accord réalisé entre sa pensée, l'expression de celle-ci et sa vie ; un critique connu nous en présente une autre cause quand il affirme :

François de Sales est la porte du XVIIe siècle religieux, dont il a ouvert toutes les avenues, même celles qui semblent échapper le plus à sa lumière. C'est lui qui a réconcilié la Renaissance et l'esprit chrétien en péné-

119. *Ibid.*, XIX, p. 196.
120. *Ibid.*
121. Gal. V, 22.
122. MULLER M., *La Joie dans l'amour de Dieu*, Aubier, Paris, 1935, pp. 67-77.

trant la Renaissance d'esprit chrétien ; c'est lui qui a rapproché la vie de la religion en insérant la religion dans la vie quotidienne ; c'est lui qui a ramené le christianisme à l'intérieur en l'appliquant à transformer, à transfigurer la conscience ; c'est lui, et ceci est l'œuvre essentielle qui explique et anime toutes les autres, c'est lui qui a rappelé que l'essence du christianisme est l'amour [123].

Ce faisant, il a suscité la réhabilitation de la joie, au lendemain des guerres de religion, à cette heure où le thème de la prédestination angoissait bien des esprits. Il l'a fait d'une façon que nous oserons qualifier d'empirique, poussé par son zèle pastoral, sans perdre ce contact direct avec les âmes en « plein monde » auquel l'obligeait sa mission. « Docteur de l'expérience » plus que théologien en chambre, s'accordant au rythme de l'église qui, à travers les siècles, met l'accent sur telle ou telle valeur, il a proclamé d'une voix sûre et par toute sa vie d'apôtre, sa confiance en Dieu et en l'homme racheté par Dieu.

123. CALVET J., *Op. cit.*, p. 21.

CONCLUSION

Une « philosophie de l'homme », voilà ce que M. Strowski cherchait avec raison dans le *Traité de l'Amour de Dieu* [1]. Nous-mêmes ne nous proposions pas d'autre dessein, lorsque, dans l'introduction de cette étude sur saint François de Sales, nous avons écrit que son optimisme « est le principe fondamental de sa vie, de son apostolat et de son influence à travers les siècles » [2]. Les pages qui précèdent apportent, croyons-nous, la preuve qui ne laisse place à aucune ambiguïté et le caractère fortement théocentrique de sa spiritualité n'est plus à discuter : c'est par l'emprise totale de l'amour de Dieu que doit se réaliser, selon François de Sales, l'unité de notre vie d'homme. Toutes les valeurs de la renaissance furent assumées par la sainteté de ce maître et par-delà la joyeuse ascèse d'un optimisme spirituel, il invite l'homme à s'épanouir dans le seul ordre qui lui convienne : l'ordre surnaturel.

Le lecteur d'ailleurs peut mieux comprendre maintenant l'intention qui a perpétuellement soutenu notre recherche et qui fait l'unité de notre travail à travers la multiplicité des points de vue considérés. C'est en pleine vie politique, littéraire et religieuse, que nous avons découvert un François de Sales étroitement solidaire de toutes les préoccupations et de toutes les espérances de son siècle. En cet homme, dont nous ne soupçonnions peut-être pas encore l'héroïque sainteté, mais qui déjà nous séduisait par son équilibre, nous avons reconnu la marque de la vraie culture humaine et entendu l'écho de la plus sûre tradition chrétienne ; nous admirions surtout la force, la plénitude

---

1. STROWSKI F., *Op. cit.*, pp. 308 s (C'est le titre du Livre V même).
2. Cf., ci-dessus, p. 22.

et l'originalité de sa pensée. C'est alors que la découverte de sa vraie personnalité et la fidélité à son enseignement authentique nous ont progressivement élevé jusqu'aux cimes de la perfection chrétienne ; peut-être même pensions-nous parfois qu'il nous attirait bien haut en regard de la bassesse de notre condition naturelle. Mais parvenus au terme, ne découvre-t-on pas que nous ne serons jamais plus hommes qu'à son école qui est celle du Christ.

L'optimisme de saint François de Sales est sa tendance à voir Dieu comme la bonté même. Cette bonté est créatrice de l'homme qui est donc foncièrement bon et fait pour la vérité et la vertu.

Si Dieu apparaît surtout, comme il apparaissait aux Juifs, dans sa troublante majesté de créateur et de souverain justicier des hommes, ne sera-t-on pas naturellement porté à s'abîmer devant lui et par suite à subordonner tous les autres devoirs religieux au devoir d'adoration et de louange ? L'homme, s'il conçoit Dieu à la façon judaïque, aura tendance à s'oublier lui-même, à se perdre de vue, pour n'apercevoir en quelque sorte que le maître tout-puissant auquel il doit son hommage. Son ascétisme fera tout plier devant cette fonction adorante et laudative, qui met dès ici-bas la créature dans le rôle des anges du ciel.

Si Dieu, au contraire, est considéré par nous comme un Père affectueux, comme un confident et un ami, anxieux des embellissements de notre âme, nous serons infailliblement conduits à fixer en nous-mêmes le centre de nos préoccupations. Dès lors que Dieu a son regard posé sur nous, qu'il est le tendre mentor dont la sollicitude épie nos progrès, tout notre effort d'ascèse se porte à lui procurer cette satisfaction suprême : nous améliorer. Cet ascétisme salésien subordonnera tout à la poursuite d'un idéal de perfection chrétienne.

Saint François de Sales est un classique de la spiritualité ; il l'est non pas pour avoir inventé quelque système nouveau, quelque « moyen court » et original de conquérir la perfection, mais pour avoir fait la mise au point des doctrines ascétiques antérieures. Il est l'homme de génie qui a fait la synthèse des doctrines en regroupant, filtrant, condensant ce que quinze siècles de littérature religieuse nous avaient transmis, parfois confusément. Son rôle est vraiment celui qu'il s'est attribué lui-même : il a fait l'œuvre de Glycera, l'œuvre des abeilles, il a transposé, « agencé, diversifié » des richesses encore mal coordonnées. Né au lendemain de la renaissance, placé par la providence au confluent de tous les grands courants d'idées qui traversent l'Europe chrétienne, il cueille la fleur de toutes les ascèses pour en faire un corps de spiritualité bien à lui, qui peut suffire à toute âme normale dans quelque condition qu'elle soit. On retrouve chez lui harmonieusement combinés dans une magnifique synthèse, des éléments empruntés à toutes les grandes écoles spirituelles du passé chrétien, aux bénédictins, aux franciscains, aux dominicains, aux augustins, aux chartreux, aux jésuites. Abeille, il a fait son miel de toutes ces richesses et nous a légué une doctrine et une méthode dont on peut dire avec assurance qu'ayant l'universalité, elle a pour elle l'éternité !

Nous avons cherché dans la vie de saint François les lignes de force de sa spiritualité. Ces trois influences sont de l'ordre familial, intellectuel et spirituel. Saint François a eu une jeunesse heureuse et douce, dans un milieu pieux et affectueux. Le premier mot que cite de lui la tradition c'est : « Dieu et ma mère m'aiment bien » [3]. Il avait un tempérament aimant et confiant qui le portait à l'amour de Dieu. Sa jeunesse n'a été qu'une suite de succès. Il a su utiliser tous ces dons de la nature et de la grâce pour aimer Dieu sans aucune déviation.

Mais saint François s'est montré optimiste, surtout à cause de l'enseignement qu'il reçut. Nous avons vu qu'il a été l'élève des jésuites à Paris de 1581 à 1588. C'est à Paris qu'il eut cette terrible crise d'angoisse au sujet de la prédestination. Présent à Padoue de 1588 à 1592 pour ses études de droit, il prend pour directeur spirituel un célèbre humaniste jésuite, le P. Possevin. C'est à Padoue que sa crise s'est résolue, théologiquement cette fois. Dans ses écrits le P. Possevin célèbre particulièrement la dignité de l'homme. Saint François admira aussi le P. Richeome. Ce jésuite lui aussi est optimiste, il s'adresse aux plus nobles instincts de notre nature et nous appelle à l'héroïsme. Il admire la

---

3. *Œuvres*, XIV, p. 261.

création, et la joie éclate dans toute son œuvre. Voici une de ses formules : « Le Créateur a uni l'âme divinement belle à un corps divinement beau » [4]. Pendant sa mission dans le Chablais, saint François ne disposera que de la bible et des *Controverses* du jésuite Bellarmin. Il y a entre saint François et Bellarmin une véritable parenté spirituelle. Le grand théologien jésuite Maldonat, historien, helléniste, exégète, en réaction surtout contre l'exégèse de saint Augustin, a eu indirectement sur la pensée de saint François une très grande influence. Deux jésuites célèbres, ses contemporains, les PP. Coton et Binet, sont aussi des optimistes. Le P. Binet, son ami, a même été attaqué dans les *Provinciales*. Ces différents exemples nous font assez bien connaître déjà en quel sens s'est exercée l'influence des jésuites qui, par leurs grands collèges, ont tant travaillé pour l'humanisme chrétien.

Saint François de Sales va très loin dans son humanisme. Une secrète sympathie, à la suite d'Erasme, le rapproche même, comme Possevin, des patriarches de la philosophie. Il loue Epictète et Sénèque. « J'admire, dit-il, le pauvre bon homme Epictete » [5]. Saint François fait prudemment confiance à l'homme et croit à son développement harmonieux. Mais il faut bien remarquer que si beaucoup d'autres alors sont envahis par le paganisme et le naturalisme, lui, il en est entièrement exempt. Il ne croit pas que l'homme puisse être achevé sans le surnaturel. Après avoir étudié de nombreux passages de saint François sur l'optimisme et aussi sur le détachement, il est possible de conclure d'une façon plus précise sur son humanisme pris dans ses deux sens : culture puisée chez les anciens (sens traditionnel) et perfectionnement confiant de l'homme. Ici il faut insister surtout sur ce dernier aspect. Nous avons vu que saint François, humaniste, s'est montré disciple fidèle de ses maîtres, les jésuites. « Nous voyons bien, dit-il, que nous ne pouvons pas estre vrays hommes sans avoir inclination d'aymer Dieu plus que nous mesmes, ni vrays Chrestiens, sans prattiquer cette inclination » [6]. Cet humanisme

---

4. *L'adieu de l'âme*, p. 236.
5. *Œuvres*, IV, p. 81.
6. *Ibid.*, V, p. 203.

ne va pas sans quelque optimisme et se trouve en partie lié à une certaine philosophie. Saint François est assurément en ce sens, un humaniste chrétien, et il en est même le modèle.

Saint François ne dédaigne aucune des ressources de l'homme. Il intègre largement les valeurs humaines légitimes, dans l'idéal chrétien. La nature tout entière, les gestes humains, les plus belles œuvres de l'homme, les légendes même païennes constituent pour lui, en quelque sorte, des paraboles dont il se sert pour un enseignement nettement chrétien. C'est exactement ce que faisaient ses maîtres, les jésuites humanistes [7]. Il veut que tout soit purifié, hiérarchisé, équilibré et orienté vers notre fin suprême, puisque nous sommes élevés à l'ordre surnaturel. Pour lui, l'homme est incomplet s'il n'est pas exemplaire dans sa fonction humaine avec un développement harmonieux de toutes ses ressources et en même temps chrétien parfait.

L'indifférence la plus exigeante peut seule lui permettre de ne pas se laisser arrêter par les créatures, mais de les utiliser, au contraire, pour l'achèvement de sa personnalité chrétienne. Chez saint François, l'indifférence ou l'abandon incline toujours l'âme vers l'adhésion à la volonté de Dieu. L'abandon et la conformité à la volonté de Dieu se rattachent évidemment à l'optimisme, c'est la preuve d'une confiance aveugle. « Grand contentement a nostre ame (...) de cheminer les yeux fermés, selon que la souveraine Providence la conduit » [8].

Il fut influencé aussi par Philippe Néri, fondateur de l'Oratoire. Il eut aussi des professeurs, mineurs conventuels, notamment Philippe Gesualdi. Nous avons signalé plusieurs fois chez saint François de Sales, des influences franciscaines. Il faut se garder de simplifier au point de ne voir que l'influence des jésuites, à cette époque de sa vie et plus encore dans la suite.

A la fin de ses études et dans le reste de sa vie, il a beaucoup étudié saint Augustin. Il a lu la pensée de saint

7. DE DAINVILLE V., *Naissance de l'humanisme moderne*, Paris, Beauchesne, 1940.
8. *Œuvres*, XXI, p. 180.

Augustin sur la prédestination, nous l'avons vu, mais aussi sur la question des facultés de l'âme. La distinction des deux parties de l'âme est encore un fondement de l'optimisme de saint François, après l'option de ce que l'on appellera le molinisme et sa conviction de la surabondance de la rédemption. Saint Augustin avait résumé sur ces points toutes les observations de l'antiquité et avait fait réaliser de grands progrès en cet ordre. Saint François sera avec Montaigne, à l'origine de l'essor de l'analyse psychologique au XVIIᵉ siècle. « Il est un des plus étonnants » [9]. Nous l'avons surtout compris dans notre étude sur le volontarisme dans la doctrine de saint François.

La doctrine salésienne est celle de la paix dans l'amour de Dieu. Parmi bien des textes que nous avons vus, un des plus probants se trouve dans le *Traité*, sur la persévérance finale par les grâces de la rédemption. « L'estat de la redemption vaut cent fois mieux que celuy de l'innocence [10]. » Saint François, en effet, ne croit pas que notre nature soit foncièrement viciée par le péché originel. La rédemption a réparé et au delà [11], elle est surabondante. C'est un des principaux fondements de son optimisme. Par cette confiance en la nature humaine, il s'éloigne de saint Augustin beaucoup plus que de saint Thomas. Il suffit de suivre notre vocation et de coopérer à la grâce, qui ne nous fera jamais défaut, pour arriver au ciel [12]. Il s'écrie en citant une oraison de la liturgie [13] : « O Dieu, qui usés de misericorde envers tous ceux que vous prevoyes devoir estre a l'advenir vostres par foy et par œuvre » [14]. Cet admirable enchaînement de grâces c'est l'échelle mystique, qui s'appuie d'un côté sur le « sein amoureux de ce Pere eternel » et de l'autre sur « le flanc percé du Sauveur » [15].

« La charité est le centre vital de toute la doctrine de

9. LECLERCQ J., *Op. cit.*, pp. 11 s.
10. *Ibid.*, IV, p. 105.
11. *Ibid.*, IV, p. 186.
12. *Ibid.*, IV, p. 185.
13. Oratio tertia in Dominicis Quadragesimae
14. *Œuvres*, IV, p. 186.
15. *Ibid.*, IV, p. 185.

saint Augustin [16]. » « *Totum exigit te qui fecit te.* Si tel est le caractère absolu de son exigence, la charité n'a pas de place particulière dans la vie morale de l'homme, elle est cette morale elle-même [17]. » Saint Augustin, engagé dans la voie de l'amour, est optimiste. Il se montre tel, mais seulement pour les vrais chrétiens. *Ora ut traharis* [18]. Chez saint François, ainsi que chez saint Augustin, la charité est considérée comme le fondement même de la doctrine et de la vie chrétienne. La dépendance de saint François sur cette question est certaine. Il a pu aussi s'inspirer de saint Augustin pour ses principes sur la confiance dans la providence et sur l'indifférence. Saint Augustin avait enseigné que ce qui nous vient des hommes est voulu ou permis par Dieu qui donne puissance aux volontés et tire même parti des mauvaises actions des hommes pour le bien.

Saint Bernard, malgré toute son austérité, est lui aussi un chantre de l'amour divin. Il a écrit : « La raison pour laquelle on aime Dieu, c'est Dieu Lui-même : et la mesure de cet amour c'est de l'aimer sans mesure » [19]. Saint Bernard a eu une grande influence sur la mystique, par ses sermons sur le *Cantique des Cantiques*. Au cours de ses études à Paris vers 1584, la découverte du *Cantique des Cantiques,* sous la direction de Genebrard a été pour saint François une révélation capitale de l'amour de Dieu pour sa créature, à travers toute l'histoire du monde. Ce fut alors et pour la suite la source essentielle de son optimisme. Beaucoup de psaumes et bien d'autres textes bibliques parlent de confiance et même d'abandon [20]. On y trouve surtout la dépendance filiale absolue du Christ. Sa nourriture était de faire la volonté de son Père [21]. L'étude des images de l'enfance spirituelle montre qu'il est le vrai modèle de cette enfance spirituelle. C'est un thème fondamental dans l'œuvre de saint François. Il a amené la comparaison, sans doute la plus fréquente et la plus caracté-

16. COMBÉS G., *La Charité d'après saint Augustin*, Paris, Desclée, 1934, p. XIII.
17. *Ibid.*
18. *In Joan.*, tract., 26, 2.
19. *Œuvres mystiques*, trad. A. Béguin, 1953, p. 29.
20. Ps. 3, 4, 22, 30, 32, 33, 35, 85, 90, 124, 130, 145.
21. Jean IV, 34.

ristique, celle de l'enfant dans les bras de sa mère. Cette
image tient, semble-t-il, chez saint François, la place de
celle qui était courante avant lui, l'image du juge ou du
maître avec son serviteur ou son esclave. Cette différence
est significative. Il y a là deux conceptions de nos rapports
avec Dieu. L'influence de saint Paul apparaît comme capitale. Il lui doit l'insistance sur la surabondance de la
rédemption. Les idées, si répétées par saint Paul : « Nous
sommes membres du Christ » [22] ou « Notre vie est cachée
dans le Christ » [23] lui servent à établir sa doctrine de la
conformité et son christocentrisme si caractéristique, christocentrisme qui comprend même la création sans raison.

L'influence des mystiques a sans doute été la dernière
en date. Saint François avait été préparé à l'accueillir par
la fréquentation du *Cantique des Cantiques,* du Pseudo-
Denys, et de saint Bernard. Harphius, mort en 1477, avait
parlé de cette conformité à la volonté de Dieu. La doctrine
de Canfeld devait être connue en copies dès avant la publication de la *Règle de perfection.* Canfeld « s'abandonne
pleinement, héroïquement à la volonté divine, tel est le
moyen par excellence de perfection » [24].

C'est seulement en 1604 que saint François commence à
citer dans sa correspondance le nom et les œuvres de
sainte Thérèse. Il connaît le Carmel de Dijon, principalement par Mme de Chantal. L'influence générale de sa doctrine est certaine, mais difficile à préciser dans les textes
et les dates. Nous avons vu l'importance de la doctrine
du pur amour telle qu'elle se présente chez Catherine de
Gênes et de Sienne. Il a recommandé d'une façon si
étonnante Louis de Grenade à partir de 1603, qu'on peut
supposer qu'il l'a connu, dans ses nombreuses traductions,
dès le temps de ses études.

Signalons enfin l'influence des relations de saint François avec la Visitation et surtout avec Mme de Chantal.
C'est d'abord pour les visitandines qu'il a mis au point,
puis exposé toute la doctrine de son ouvrage capital, le

---

22. Col. I, 18.
23. *Ibid.,* III, 3.
24. POURRAT P., *Op. cit.,* III, p. 485

Traité de l'Amour de Dieu qui a son point culminant dans le Livre IX.

C'est dans le *Traité* que l'admiration de François de Sales pour les vertus naturelles de l'homme est le plus manifeste. Nous pourrions appeler cela son « optimisme naturel ». C'est l'homme complet, corps et âme, qui est l'objet de son culte, ainsi que la culture de cet homme, ses bonnes manières, sa distinction de cœur et d'esprit. Bref, ses litanies à la gloire de l'homme sont aussi le panégyrique de l'honnête homme du XVII⁰ siècle.

Il appelle l'homme « une creature raysonnable composée d'ame et de corps » [25]. Il le juge honorable déjà dans son humanité, dans ses vertus naturelles, dans « sa nature et capacité naturelle ». Aussi, entreprend-il un « pourpris » de l'excellence humaine :

a) Au regard de Dieu, l'homme est loué par François comme un Dieu mortel, un échantillon de la divinité, celui qui représente l'univers devant Dieu [26].

b) Vis-à-vis des anges, il est leur ombre quant à l'intelligence. Mais il est plus favorisé que l'ange : « ... nous avons esté si cherement favorisés, et si je l'ose dire, au dessus des Anges mesmes » [27]. Saint François va jusqu'à dire que « ... la supreme Providence... fit choix de creer les hommes et les Anges, comme pour tenir compaignie a son Filz, participer a ses graces et a sa gloire, et l'adorer et loüer eternellement » [28].

c) Vis-à-vis du monde, de la création en général, l'homme sur le théâtre mondain, en est le miracle, la plus admirable chose. Saint François l'appelle « la perfection de l'univers » [29]. Il est « l'abregé des œuvres de la creation » [30], un portrait du monde où les choses sur-célestes, célestes et élémentaires sont représentées.

25. *Œuvres*, IX, p. 452.
26. *Ibid.*, VII, p. 197 ; VIII, p. 207.
27. *Ibid.*, IX, p. 270.
28. *Ibid.*, IV, p. 100.
29. *Ibid.*, IV, p. 275.
30. *Ibid.*, III, p. 316.

d) Vis-à-vis des créatures, il est le prélat de toutes créatures, le seigneur de tout, un patron et modèle de tout : « C'est un animal raysonnable » [31]. C'est un animal divin qui propose l'étonnement des bêtes [32]. Quant à son corps, il est, en prestance et beau maintien, l'unique animal dont la figure surmonte leur beauté. Quant à son esprit et à son âme, il est le plus sage et le plus sociable de tous les animaux. Tout est loué en lui : sa beauté corporelle, l'harmonie de son âme et de ses facultés, son intelligence, sa volonté, ses dons naturels parmi lesquels saint François compte d'abord, le bon usage de son libre-arbitre qui consiste à élire ou rejeter à son gré tout ce qui lui plaît ou déplaît [33]. Ce don, le plus grand de tous ses dons naturels, est frère de son bon-sens - louable également - de sa mesure et de sa notion de la vérité.

e) Cette excellence humaine est encore mise en relief par l'argument des causes finales. La finalité du monde et de l'homme est attestée par saint François de Sales.

1. La Création - La création est à admirer. Le monde se présente comme « l'extase de Dieu » [34], l'œuvre de la sainte Trinité [35]. L'œuvre témoigne, en effet, de l'ouvrier. Il convient pour l'âme qui veut monter à Dieu de méditer « sur la bonté de ses ouvrages, piece a piece, separement, a mesure qu'il les voyoit produitz... Il vid que la lumiere estoit bonne, que le ciel et la terre estoit une bonne chose ; puis les herbes et plantes, le soleil, la lune et les estoiles, les animaux et en somme toutes les creatures, ainsy qu'il les creoit l'une apres l'autre, jusques a ce qu'en fin tout l'univers estant accompli... elles furent treuvees tres bonnes » [36]. C'est que les œuvres créées par Dieu sont bonnes. Ainsi, le regard sensible sur le monde créé est-il permis. Il est même salutaire car Dieu « a donné l'entendement pour le connoistre... les yeux pour voir les merveilles

31. *Ibid.*, IX, p. 347.
32. *Ibid.*, IV, p. 57.
33. *Ibid.*, IV, pp. 23 s.
34. *Ibid.*, V, p. 230.
35. *Ibid.*, VII, pp. 5 s.
36. *Ibid.*, IV, pp. 320 s.

de ses ouvrages... » [37]. La création est visitée de la présence de Dieu : « Dieu est en tout et par tout en ce monde... » [38]. Cet univers qui conduit l'homme à Dieu lui révèle en même temps la providence divine qui a tout ordonné pour l'homme : « ... la providence souveraine n'est autre chose que l'acte par lequel Dieu veut fournir aux hommes et aux Anges les moyens necessaires ou utiles pour parvenir a leur fin » [39]. Il est la mesure de toutes choses. De tous les animaux il est le plus excellent [40]. Il est servi par toutes les créatures, « le maistre et seigneur » [41]. Ensuite, quant à l'univers tout entier, animé et inanimé, il en est le « maistre absolu » [42]. Il en est la fin. Tout est en sa dépendance. Cet univers conduit l'homme à Dieu puisqu'il y trouve un principe d'ordre et qu'il reconnaît Dieu comme le premier principe de tout. Il le conduit aussi à Dieu par la propre louange qu'il rend à son créateur. Les créatures louent Dieu - « ... sans ordre, sautant du ciel a la terre et de la terre au ciel, appellant pesle mesle les Anges, les poissons, les montz, les eaux, les dragons, les oyseaux, les serpens, le feu, la gresle, le brouillatz, assemblant par ses souhaitz toutes les créatures, affin que toutes ensemble s'accordent a magnifier pieusement leur Créateur... »[43]. Les créatures louent Dieu « par les merveilles de leurs differentes proprietés, lesquelles manifestent la grandeur de leur Facteur »[44].

L'homme a, par Dieu, le droit de faire à l'endroit de tout ce qui est inférieur ce que bon lui semble. Il en dispose. Cet univers est fait par Dieu pour lui. Il a le libre-arbitre de ses décisions concernant « le petit monde », ce microcosme sur lequel il règne, lui, et les autres créatures. Il a été dit à nos premiers parents, rapporte saint François, de commander à tous les animaux [45]. Le royaume de l'homme s'étend aux bêtes, aux plantes, aux éléments et

37. *Ibid.*, III, p. 36.
38. *Ibid.*, III, p. 74.
39. *Ibid.*, IV, pp. 96 s.
40. *Ibid.*, VI, p. 33.
41. *Ibid.*
42. *Ibid.*, VI, p. 34.
43. *Ibid.*, IV, p. 286.
44. *Ibid.*
45. *Ibid.*, VII, p. 3.

à soi-même puisqu'il possède le trésor du libre-arbitre,
ainsi qu'à la volonté de se dominer dans ses instincts et
passions. Cet univers de l'homme est donc à l'image de
son propre royaume qui doit soumission à Dieu. Il y a
exaltation de l'homme, de la royauté de l'homme pour
laquelle le monde a été fait. Par là saint François se rattache à l'humanisme de la renaissance. Marsile Ficin est
la source d'une telle tendance [46].

2. L'homme et son âme. - Nous retrouvons en l'homme
la même finalité divine. L'homme tout entier, corps et
âme est cette « perfection de l'univers » [47] et « que lors
que Dieu crea l'Ange et l'homme il le fit à fin qu'ils le
louassent eternellement... » [48]. En effet, par son âme raisonnable l'homme s'élève à la noblesse qui le conduira à
Dieu. Sa volonté tend vers « une inclination naturelle d'aymer Dieu sur toutes choses » [49]. S'il se porte à de faux
biens, le péché, seul, est à incriminer. C'est le péché qui
détourne l'homme du vrai bien pour le faire tendre vers
de faux biens [50]. La purification remettra les choses
d'aplomb. Dans son âme purifiée, en effet, l'homme trouve
Dieu... comme cœur de son cœur et âme de son âme [51].
C'est « le Saint Esprit (qui) habite en nous si nous sommes
membres vivants de Jesus Christ... » [52].

3. Dieu et ses attributs. - L'être en devenir nécessite
l'existence de l'être nécessaire. « ... en Dieu il n'y a ni
variété ni différence quelcomque de perfections, ains il
est luy mesme une tres seule, tres simple et tres uniquement unique perfection ; car tout ce qui est en luy n'est
que luy mesme, et toutes les excellences que nous disons
estre en luy en une si grande diversité, elles y sont en une
tres simple et tres pure unité » [53].

46. CHESNEAU C., *Op. cit.*, II, p. 69.
47. *Œuvres*, V, p. 165.
48. *Ibid.*, IX, p. 49.
49. *Ibid.*, IV, p. 77.
50. *Ibid.*, IV, p. 150.
51. *Ibid.*, XXVI, p. 175.
52. *Ibid.*, V, p. 255.
53. *Ibid.*, IV, p. 88.

L'optimisme théologique de saint François de Sales met l'accent sur la providence divine [54]. Il conçoit une large notion du secours céleste, et compare les hommes à de petits enfants qu'on « conduisoit par le desert avec autant de soin qu'une nourrice » [55]. C'est que Dieu « nostre Pere tres aymable » [56] sait mieux que nous ce qui nous est nécessaire [57]. La prédestination est pour lui un décret libéral par lequel Dieu détermine de donner à l'homme la grâce jusqu'à la fin de sa vie [58]. Et ceci, parce que Dieu prévoit que s'il donne cette grâce, l'homme ne la refusera pas. Ce dernier a pourtant la liberté de refuser la prédestination favorable. Cette prédestination, même salutaire, ne saurait être un fatal destin. Elle n'enlève pas à l'homme son libre-arbitre. On voit que saint François se rattache à Molina [59]. Saint François demande à la notion de grâce de comporter - comme argument principal - la bonté infinie de Dieu. C'est revenir à la conception optimiste de saint Paul. Saint Paul, « lorsqu'il parle de la prédestination », le fait toujours « en vue d'affirmer l'espérance et de stimuler l'action de la grâce » [60].

C'est éviter d'entrer dans la spéculation philosophique d'Augustin, que de vouloir en fait, au départ, le salut de l'homme, à l'insu de l'homme lui-même, ou du moins, en compensant la défaillance de son mérite par la providence extrême, surabondante de Dieu. Le « mystère » des « raisons du choix divin » (des grâces) n'est plus en question mais bien la plénitude de l'espérance. Telle est l'argumentation de saint François de Sales en faveur de Judas qui ne s'est perdu - après sa trahison elle-même - que par un refus obstiné de la grâce divine [61].

Au sujet du libre-arbitre et de la tentation, saint François s'attarde avec complaisance sur la psychologie de la volonté de l'homme. Cette question occupe un nombre important de pages dans son œuvre : à savoir les

54. *Ibid.*, IV, pp. 99 s.
55. *Ibid.*, X, p. 78.
56. *Ibid.*, X, p. 422.
57. *Ibid.*, IV, p. 101.
58. *Ibid.*, IV, pp. 99 s.
59. Cf., GARRIGOU-LAGRANGE R., *Prédestination* dans *D.T.C.*, XII/2, 2955.
60. LEMONNYER A., *Prédestination,* dans *D.T.C.*, XII/2, 2814.
61. *Œuvres,* IX, p. 255.

Livres VIII et XI du *Traité*. Il dit que la liberté d'arbitre et de volonté dans l'homme est complète : « ... car il faut par tout que la sainte liberté... regne » [62]. « Il faut tout faire par amour et rien par force » [63].

La psychologie de la tentation qui se rattache au thème du libre-arbitre est minutieusement décrite par l'évêque de Genève. L'homme est libre et seigneur de ses actions, écrit saint François qui dépeint la délectation qui semble engloutir le jugement raisonnable. La certitude qui consiste, explique-t-il, à savoir clairement si effectivement il n'y a pas eu consentement est parfois impossible à obtenir. Ce qui nous reste alors, et qui est essentiel, c'est la certitude morale, c'est-à-dire la disposition supérieure où se trouvait la volonté de dire non [64]. Saint François développe la différence qu'il y a entre « sentir la tentation » et y « consentir » [65]. Le remède est classique : ne pas raisonner avec les tentations, les fuir en esprit et se réfugier en Dieu [66].

L'admiration de saint François pour les vertus naturelles n'est que le thème préalable d'où il prend son essor pour nous conduire à l'excellence de l'homme uni à la divinité : l'homme considéré en l'état de grâce ordinaire, et l'homme visité par l'Esprit-Saint. Il devient alors le temple de Dieu, le reposoir et le sanctuaire de l'Esprit-Saint : « ... car le Saint Esprit semble estre le fourrier de nostre Sauveur Jesus Christ, et comme il procede de luy de toute eternité entant que Dieu, il semble qu'il luy rende son change, Nostre Seigneur procedant de luy entant qu'homme » [67]. Il est la vive et parlante image de Dieu. Il est le spectacle des anges et l'horreur des démons. L'homme fait les délices de Dieu. Il devient un autre lui-même. On le voit : ce sont les mystères de la transformation, de la déification. Non seulement saint François ne refuse pas à l'âme dévote cette connaissance et cet amour ressentis « en cette sacree presence » [68] par l'intervention de l'Esprit-Saint, mais

62. *Ibid.*, XIII, p. 184.
63. *Ibid.*, XII, p. 359.
64. *Ibid.*, X, p. 199.
65. *Ibid.*, III, pp. 109, 295, 300.
66. *Ibid.*, III, 304.
67. *Ibid.*, IX, pp. 264 s.
68. *Ibid.*, III, p. 75.

encore il la convie sur ce chemin [69] : Il ne doute pas qu'elle y parvienne un jour ou l'autre, avant la vision béatifique. Les vertus qu'il enseigne : l'amour, l'abandon, l'espérance, la confiance, et la paix ne sont pas spéculatives. C'est une pratique vécue par les âmes parfaites qui sont parvenues à la connaissance de la « souveraine bonté de la tressainte et eternelle Divinité » [70].

69. *Ibid.*, IV, p. 169.
70. *Ibid.*, IV, p. 37.

BIBLIOGRAPHIE

I. SOURCES

SAINT FRANÇOIS DE SALES

Œuvres. Edition complète... publiée par Dom Henry Bernard Mackey et par les soins des Religieuses de la Visitation du 1ᵉʳ Monastère d'Annecy, Annecy, Niérat, 1892-1964, 27 vol.

Mémoire de Trévoux ou *Mémoire pour l'histoire des sciences et des beaux arts*, février, 1737, in-folio.

II. ETUDES

1. Intruments de travail

ADAM Antoine

Histoire de la littérature française au xviiᵉ *siècle*. Paris, Domat, 1948, 5 vol.

BLANC Elie

Dictionnaire de philosophie. Paris, Le-thielleux, 1906, 1247 p., 23 cm 5.

BOUYER Louis

Dictionnaire théologique. Paris, Desclée, 1963, 668 p., 22 cm.

BRASIER (V.), MORGANTI (E.), St. DURICA (M.)

Bibliografia Salesiana, Opere et scritti riguardanti San Francesco di Sales (1623-1955). Torino, Società Editrice Internazionale, 1956, 104 p., 24 cm.

BREHIER Emile

Histoire de la Philosophie. Paris, Alcan, 1943, 5 vol.

BREMOND Henri

Histoire littéraire du sentiment religieux en France depuis la fin des guerres de religion jusqu'à nos jours. Paris, Bloud et Gay, 1929-1936, 12 vol.

DAGENS Jean

Bibliographie chronologique de la littérature de la spiritualité et de ses sources (1510-1610). Paris, Desclée, 1953, 209 p., in-8°.

D'ALÈS Adhémar

Dictionnaire apologétique de la foi catholique. Paris, Beauchesne, 1922, 4 vol.

DELARUELLE Etienne

Histoire du catholicisme en France. Paris, Spes, 1962, 2 vol.

Dictionnaire de l'Académie Française. Paris, Hachette, 1932, 2 vol.

FLICHE (A.) et MARTIN (V.) — *Histoire de l'église.* Paris, Bloud et Gay, 1955, 26 vol.

GOSCHLER Isidore — *Dictionnaire encyclopédique de la théologie catholique.* Paris, Gaume Frères et J. Duprey, éditeurs, 1864, 26 vol., in-8°.

GRENTE Georges — *Dictionnaire des lettres françaises.* Paris, Fayard, 1944, 4 vol.

Groupe des théologiens — *Initiation théologique.* Paris, Cerf, 1952, 4 vol.

JACQUEMET G. — *Catholicisme - hier, aujourd'hui - demain.* Paris, Letouzey et Ané, 1948, 6 vol. parus.

LALANDE André — *Vocabulaire technique et critique de la philosophie.* Paris, P.U.F., 1960, 1323 p., 24 cm.

LANSON Gustave — *Histoire illustrée de la littérature française.* Paris, Hachette, 1923, 2 vol.

MIGNE Jacques-Paul — *Patrologia Cursus Completus.* Parisiis, excudebat Migne, 1844-1864, 221 vol.

PETIT DE JULLEVILLE Louis — *Histoire de la langue et de la littérature françaises.* Paris, Colin, 1897, 8 vol.

RODRIGUEZ Alphonse — *Pratique de la perfection chrétienne.* Versailles, Lebel, 1821, 4 vol.

SERTILLANGES Antonin Gilbert — *Les vertus théologales.* Paris, Renouard, 1913, 3 vol., in-8°.

VACANT (A.), MANGNOT (S.), AMANN (E.) — *Dictionnaire de théologie catholique.* Paris, Letouzey et Ané, 1930, 16 vol. parus.

VILLER M. — *Dictionnaire de spiritualité, ascétique et mystique.* Paris, Beauchesne, 1937, 5 vol. parus.

2. Etudes générales

BADY René — *L'homme et son « institution » de Montaigne à Bérulle.* Paris, Les Belles Lettres, 1964, 585 p., 25 cm.

BATAILLON Marcel — *Erasme et l'Espagne, Recherches sur l'Histoire Spirituelle du xviᵉ siècle.* Paris, Droz, 1937, 904 p., in-8°.

BEUCHOT — *Œuvres complètes de Voltaire.* Paris, Garnier, 1879, 52 vol.

BOASE Alan — *The Fortunes of Montaigne (a history of the essays in France) 1580-1669.* London, Methuen, 1935, 464 p., in-8°.

BOSSUET Jacques-Bénigne — *Méditations sur l'évangile, Dernière semaine, LXIVᵉ journée.* Paris, Vivès, 1862, in-8°.

BREMOND Henri — *Autour de l'humanisme.* Paris, Grasset, 1927, 303 p., 18 cm.

BURCKHARDT Jacob — *La civilisation de la renaissance en Italie.* (Trad'n H. Schmitt), Paris, Plon, 1958, 358 p., 27 cm.

BUSSON Henri — *Les sources et le développement du rationalisme dans la littérature française de la Renaissance (1533-1601).* Paris, Vrin, 1957, 24 cm.

CAMUS Jean-Pierre — *Métanée ou la Pénitence. Homélies prêchées à Paris en l'église St-Séverin, l'avent de l'an 1617.* Paris, Chappelet, 1619, 18 cm 5.

CAMUS Jean-Pierre — *Le renoncement de soi-même, Eclaircissement spirituel.* Paris, Soubron, 1637, in-16°.

CHARMOT François — *La pédagogie des Jésuites.* Paris, Spes, 1943, 614 p., 22 cm.

CHAMPION Pierre — *Ronsard et son temps.* Paris, Champion, 1925, 508 p., in-8°.

CHASTEL André — *Art et humanisme à Florence au temps de Laurent le Magnifique. Etudes sur la Renaissance et l'humanisme platonicien.* Paris, P.U.F., 1959, 578 p., 24 cm.

CROUZET Maurice — *Histoire générale des civilisations.* Paris, P.U.F., 1957, 7 vol.

DAINVILLE François de — *Les Jésuites et l'éducation française. La naissance de l'humanisme moderne.* Paris, Beauchesne, 1940, 391 p., 25 cm.

DANIEL-ROPS Henri — *La Réforme catholique.* Paris, Fayard, 1955, 574 p., 18 cm 5.

DÉJOB Charles — *De l'influence du concile de Trente sur la littérature et les beaux arts.* Paris, Thorin, 1884, 415 p., in-8°.

DELACROIX Henri — *Essai sur le mysticisme spéculatif en Allemagne au XIV° siècle.* Paris, Alcan, 1900, 288 p., in-8°.

Les grands mystiques chrétiens. Paris, Alcan, 1908, 470 p., in-8°.

DE LUBAC Henri — *Le mystère du surnaturel.* Paris, Aubier, 1965, 304 p., 22 cm.

Catholicisme. Paris, Cerf, 418 p., 22 cm.

DEMOGEOT Jacques — *Histoire de la littérature française depuis ses origines jusqu'à nos jours.* Paris, Hachette, 1878, 716 p., in-16°.

DU BOULAY César Egasse — *Historia Universitatis Parisiensis.* Parisiis, apud, F. Noel et P. du Breche, 1665-73, 6 vol.

DUPONT-FERRIER Gustave — *Du Collège de Clermont au Lycée Louis-le-Grand (1563-1920).* Paris, Broccard, 1921, 3 vol.

FAGUET Emile — *Propos littéraires.* Paris, Sté fran. d'imp. et de lib. 1902 (1910), 5 vol., in-16°.

FÉRET P. — *La Faculté de théologie de Paris et ses docteurs les plus célèbres.* Paris, Picard, 1900-07, 5 vol.

FESTUGIÈRE Jean — *La doctrine de l'amour de Marsile Ficin et son influence sur la littérature française au XVI° siècle.* Paris, Vrin, 168 p., in-8°.

FEUGÈRE Anatole — *Le Mouvement religieux dans la littérature du XVII° siècle.* Paris, Boivin, 1938, 175 p., 19 cm.

FOUQUERAY Henri — *Histoire de la compagnie de Jésus en France des origines à la suppression (1528-1762).* Paris, Picard, 1910-22, 3 vol.

GARRIGOU-LAGRANGE Réginald — *Les trois âges de la vie intérieure.* Paris, Cerf, 1938, 643 p., 20 cm.

La providence et la confiance en Dieu. Paris, Desclée, 1932, 20 cm.

GILSON Etienne — *L'esprit de la philosophie médiévale.* Paris, Vrin, 1948, 447 p., 25 cm.

GODEFROY Frédéric — *Histoire de la littérature française depuis le XVIᵉ siècle jusqu'à nos jours.* Paris, Gaume, 1878-1881, 2ᵉ éd., 10 vol.

HERMANS Francis — *Histoire doctrinale de l'humanisme chrétien.* Tournai-Paris, Casterman, 1848, 4 vol.

HUMBERTCLAUDE Henri — *Erasme et Luther, leur polémique sur le libre arbitre.* Paris, Bloud, 1910, 297 p., in-16°.

IMBART DE LA TOUR Pierre — *Les origines de la réforme,* Paris, Hachette, 1905-1914, 3 vol.

JOPPIN Gabriel — *Une querelle autour de l'amour pur, Jean-Pierre Camus, Evêque de Belley.* Paris, Beauchesne, 1938.

LABAUCHE L. — *Leçons de théologie dogmatique.* Paris, Bloud, 1908, 1921, 4 vol.

LEBARQ Jean — *Œuvres oratoires de Bossuet.* Paris, Desclée, 1890, 7 vol.

LECLERQ (J.), VANDENBROUCKE (F.), BOUYER (L.) — *La spiritualité du moyen âge.* Paris, Aubier, 1961, 719 p., 22 cm.

LENOBLE Robert — *Mersenne ou la naissance du mécanisme.* Paris, Vrin, 1943, 633 p.

Les Pères Jésuites — *Dictionnaire universel français et latin vulgairement appelé Dictionnaire de Trévoux.* Paris, Cⁱᵉ des Librairies associées, 1771, 8 vol.

MANN Margaret — *Erasme et les débuts de la Réforme française (1517-1536).* Paris, Champion, 1933, 229 p., in-8°.

MARITAIN Jacques — *Humanisme intégral.* Paris, Aubier, 1936, 334 p., in-8°.

MASURE Eugène — *L'humanisme chrétien.* Paris, Beauchesne, 1937, 330 p., in-8°.

MERLANT Joachim — *De Montaigne à Vauvenargues. Essai sur la vie intérieure et la culture du moi.* Paris, Sté. fce, d'Impr. et de Librairie, 1914, 421 p., in-16°.

MOELLER Charles — *Littérature au XXᵉ siècle et Christianisme.* Tournai, Casterman, 1956, vol. IV, 517 p., 21 cm.

MOLAND M.-L. — *Œuvres choisies de P. de Ronsard avec notice, notes et commentaires par C.A. Sainte-Beuve.* Paris, Garnier, 1879, 434 p., 23 cm.

MOREAU Pierre — *Montaigne.* Paris, Hatier, 1966, 175 p., 25 cm.

PINTARD René — *Le libertinage érudit dans la 1ʳᵉ moitié du XVIIᵉ siècle.* Paris, Boivin, 1943, 2 vol.

PLATTARD Jean — *Montaigne et son temps.* Paris, Boivin, 1933, 301 p., in-8°.

PLATON — *Œuvres complètes.* Paris, Belles Lettres, 1933, 13 vol.

POSSEVIN Antonii — *Bibliotheca selecta.* Romae, Typographica Apostolia, Vaticana, 1593, 2 vol.

PRAT Ferdinand — *Maldonat et l'université de Paris, au XVIᵉ siècle.* Paris, Julien, Lavier et Cⁱᵉ, 1856, in-8°.

RÉGAMEY Pie Raymond — *Portrait spirituel du chrétien.* Paris, Cerf, 1963, 533 p., 22 cm.

RENAUDET Augustin — *Humanisme et renaissance.* Genève, Droz, 1958, 280 p., 26 cm.

RIVAUD Albert — *Platon, Timée.* Paris, Belles Lettres, 1963, 120 p., 20 cm.

RONSARD Pierre de — *Continuation du discours des misères de ce temps à la Reine Catherine de Médicis.* Envers, Strout, 1568, 25 p., in-8°.

SAGE Pierre — *Le Préclassicisme d'après Raoul Morcay.* Paris, Del Duca, 1962, 487 p., 23 cm.

SAINTE-BEUVE Charles Augustin — *Les grands écrivains français, XVIIᵉ siècle.* Paris, Garnier, 1928, in-16°.

Causeries du Lundi. Paris, Garnier, 7 vol. in-12°.

Port-Royal. Paris, Hachette, 1867, 6 vol. in-12°.

SCHEEBEN Matthias-Joseph — *Handbuch der Katholischen Dogmatik.* Fribourg, Herder, 1948, 2 vol.

SCUPOLI Laurent — *Combat Spirituel.* Paris, Lefort, 1893, 314 p., 16 cm.

STROWSKI Fortunat — *Montaigne.* Paris, Alcan, 1900, 2ᵉ éd., 1931, 356 p., in-8°.

La sagesse française. Paris, Plon, 1925, 287 p., in-16°.

THAMIRY Edouard — *Les deux aspects de l'Immanence et le problème religieux.* Paris, Bloud, 1908, 308 p., 18 cm.

TROUILLARD Jean — *La purification plotinienne.* Paris, P.U.F., 1955, 247 p., 22 cm.

VILLEY Pierre — *Les sources et l'évolution des Essais de Montaigne.* Paris, Hachette, 1933, 3 vol.

3. Etudes spéciales sur l'optimisme et le pessimisme

BLONDEL Maurice — *L'Action.* Paris, Alcan, 1893, 433 p., 22 cm.

BURY J.B. — *The Idea of Progress.* New York, Dover, 1932, 357 p., 20 cm.

CADÈNE Paul — *Le pessimisme légitime* (thèse de théologie protestante). Montauban, 1894, 143 p., in-8°.

CAZENEUVE Jean — *Psychologie de la joie.* Paris, Brient, 1962, 248 p., 16 cm 5.

CHAUCHARD Paul — *Teilhard et l'optimisme de la croix.* Paris, Ed. Universitaires, 1964, 73 p., 17 cm 5.

COLLIN D'HARLEVILLE · *L'optimisme ou l'homme toujours content.* Paris, Prault, 1788, 126 p., in-8°.

DE LUBAC Henri · *La Pensée religieuse du Père Teilhard de Chardin.* Mayenne, Montaigne, 1962, 374 p., 20 cm.

DUBARLE D. · *Optimisme devant ce monde.* Paris, Ed. de la Revue des jeunes, 1949, 165 p., 18 cm 5.

DUPRONT A. · *De l'optimisme chrétien* (autour de saint Filippo Neri). Paris, Boccard, 1932, in-8°.

GIRAUD Victor · *Taine et le pessimisme, d'après les autres et d'après lui-même.* Fribourg, Saint-Paul, 1898, 10 p., in-8°.

GUITTON Jean · *Pascal et Leibniz.* Paris, Aubier, 1951, 183 p., 23 cm.

GUTTMACHER Adolf · *Optimism and Pessimism in the Old and New Testaments.* Baltimore, Md., Lord Baltimore Press, 1903, 257 p., in-16°.

JAMES William · *L'expérience religieuse.* Paris, Alcan, 1906, 449 p., in-8°.

JOUVIN Léon · *Le Pessimisme.* Paris, Perrin, 1892, 512 p., in-8°.

LAHR Charles · *Cours de philosophie.* Paris, Beauchesne, 1921, 590 p., in-8°.

LAIN-ENTRALGO Pedro · *L'attente et l'espérance (Histoire et théorie de l'espérance humaine).* Paris, Desclée, 1966, 585 p., 21 cm 5.

LALLEMAND Paul · *Du pessimisme littéraire.* Lyon, Vitte, 1888, in-12°.

MARCEL Gabriel · *Homo Viator (Prolégomènes à une métaphysique de l'espérance).* Paris, Aubier, 1945, 360 p., in-16°.

MOISANT Xavier · *L'optimisme au XIXe siècle.* Paris, Beauchesne, 1911, 265 p., in-16°.

MORANDO Joseph · *Ottimismo et Pessimismo.* Milano, Tipografia Lodovico Felice Cogliati, 1890, in-8°.

OPPITZ René · *Optimisme clairvoyant.* Paris, Le Rouge et le Noir, 1930, 75 p., in-16°.

PELISSIER Georges · *Le pessimisme dans la littérature contemporaine.* Paris, Oudin, 1893, 216 p., in-8°.

SHEEN Fulton · *La vie vaut d'être vécue.* Tours, Mame, 1955, 259 p., in-16°.

SULLY James · *Le pessimisme.* Paris, Ballière, 1882, 450 p., 23 cm.

SYED M.-H. · *L'optimisme dans la pensée indienne.* Toulouse, Impr. Toulousaine, 1932, 196 p., in-8°.

VALLOTTON Benjamin · *Pessimisme ou optimisme.* Paris, Coueslant, 1925, 20 p., in-12°.

4. Etudes spéciales sur saint François de Sales

ADRIOZOLA Maria del Rosario
Thérèse d'Avila et François de Sales. La femme chrétienne, thèse Univ. Paris, Lettres, 1958, in-4°.

ALBERT Nestor
Somme Ascétique de Saint François de Sales. Poitiers, Oudin, 1878, 526 p., in-12°.

ALVIN Alexandre
Saint François de Sales, apôtre de la liberté religieuse et de la religion. Strasbourg, Typo d'Edouard Huder, 1870. (Thèse, lettres, Montpellier 1870) 198 p.

ARCHAMBAULT Paul
Saint François de Sales. Paris, Gabalda, 1930, 240 p., in-12°.

BADY René
Saint François de Sales. Fribourg, Suisse, Egloff, 1944, 201 p., in-16°.

BALCIUNAS Vytautas
La Vocation universelle à la perfection chrétienne selon saint François de Sales. Annecy, Gliry, 1952, 172 p., 23 cm.

BORDEAUX Henry
Saint François de Sales et notre cœur de chair. Paris, Ed. Familiales de France, 1924, 286 p., 18 cm.

BOULANGÉ T.
La perfection religieuse (recueillie des œuvres de saint François de Sales). Paris, Lanier, 1848, 2 vol.

CALVET Jean
La Littérature religieuse de François de Sales à Fénelon. Paris, Duca, 1956, 475 p., 23 cm.

CHAMBELLAND J.
Saint François de Sales et Dom Columba Marmion (leur parenté spirituelle). Thonon, Imp. du Chateau, 1940, 44 p., 23 cm.

CAMUS Jean-Pierre
L'esprit de saint François de Sales. Paris, Estienne, 1727, 3 vol.

CHANTAL sainte Jeanne Françoise de
L'Ame de saint François de Sales. Annecy, Abry, 1922, 228 p., 18 cm.

Déposition de sainte Chantal. Tours, Mame, 1873, 288 p., in-16°.

Sainte Jeanne-Françoise de Chantal. Sa vie et ses œuvres. Publié par les religieuses du premier Monastère de la Visitation d'Annecy, Paris, Plon, 1876-1890, 7 vol.

Tableau de l'Esprit et du cœur de saint François de Sales. Lyon, Sauvignet, 1838, 240 p., in-18°.

CHARMOT François
Deux Maîtres : une spiritualité : Ignace de Loyola, François de Sales. Paris, Centurion, 1963, 318 p., 19 cm.

CHAUMONT H.
Direction spirituelle de saint François de Sales. Paris, Palmé, 1878, in-8°.

COGNET Louis
La Mère Angélique et saint François de Sales (1618-1626). Paris, Sulliner, 1951, 277 p., 20 cm.

COUANNIER Maurice Henry
Saint François de Sales et ses amitiés. Paris, Garets, 1922, 392 p., 25 cm.

DANIELS Joseph — *Les rapports entre saint François de Sales et les Pays-Bas.* Nimègue, 1932, Centrale Drukkerij, in-8°.

DELPLANQUE Albert — *Saint François de Sales, humaniste et écrivain latin.* Lille, Giard, 1907, 174 p., in-8°.

DENIS Alphonse — *De la vie parfaite ou traité de la vie religieuse et spirituelle selon saint François de Sales.* Annecy, Gardet, 1961, 242 p., 19 cm.

DESJARDINS Gabriel — *Saint François de Sales - Docteur de l'Eglise.* Paris, Lecoffre, 1877, 92 p., in-8°.

DEVOS Roger — *Saint François de Sales.* Annecy, Gardet, 1967, 374 p., 19 cm.

DUFOURNET Antoine — *La Jeunesse de saint François de Sales.* Paris, Grasset, 1942, 262 p., 21 cm.

Filles de Saint François de Sales — *Probation sur la conformité à la volonté de Dieu.* Paris, 50, rue de Bourgogne, 1958, 158 p., in-16°.

GEORGES-THOMAS Marcelle — *Sainte Chantal et la spiritualité salésienne.* Paris, Ed. Saint-Paul, 1963, 191 p., 18 cm.

Les Femmes Mariées. Paris, Ed. du Cerf, 1967, 181 p., 18 cm 5.

GONTHIER Jean-François — *Journal de saint François de Sales (durant son épiscopat : 1602-1622).* Mémoires et documents publiés par l'Académie salésienne, tomes XVI, XVII, Annecy, Niérat, 1893.

HAMON André Jean-Marie — *Vie de saint François de Sales, évêque et prince de Genève, docteur de l'Eglise.* Paris, Gabalda, 1922, 2 vol.

HAUTEVILLE Nicolas de — *La Maison naturelle, historique et chronologique de saint François de Sales.* Paris, 1669, in-4°.

HENRION Fabius — *Un Guide dans la vie (saint François de Sales - Les plus belles pages).* Paris, Mame, 1928, 169 p., 19 cm 5.

HUGUET Marc-André — *Pensées consolantes de saint François de Sales.* Paris, Douniol, 1857, in-8°.

La Piété consolante de saint François de Sales. Paris, Douniol, 1858, 418 p., in-8°.

KLEINMAN Ruth — *Saint François de Sales and the protestants.* Genève, Droz, 1962, 157 p., in-4°.

LAJEUNIE Etienne-Marie — *Saint François de Sales et l'esprit salésien.* Paris, Seuil, 1962, 192 p., 18 cm.

Saint François de Sales. L'homme, la pensée, l'action. Paris, Victor, 1966, 2 vol.

LAVELLE Louis — *Quatre Saints.* Paris, Albin, 1951, 212 p., 19 cm.

LAVAUD Benoît — *Amour et perfection chrétienne.* Lyon, Ed. de l'Abeille, 1941, 206 p., 20 cm.

LECLERCQ Jacques — *Saint François de Sales, docteur de la perfection.* Paris, Casterman, 1948, 270 p., 20 cm.

Lecouturier Ernestine	*Françoise Madeleine de Chaugy et la tradition salésienne au XVIIe siècle.* Paris, 1933, 2 vol.
	A l'école de saint François de Sales. Paris, Bloud et Gay, 1936, 190 p., 16 cm 5.
Lemaire Henri	*Saint François de Sales, docteur de la confiance et de la paix.* Paris, Beauchesne, 1963, 366 p., 18 cm 5.
	Les images chez saint François de Sales. Paris, Nizet, 1962, 492 p., 24 cm.
Liuima Antanas	*Aux sources du Traité de l'Amour de Dieu de saint François de Sales.* Rome, Librairie éditrice de l'Université grégorienne, 1959, 2 vol.
Loyola Sr M. de	*L'évolution de la pensée de saint François de Sales sur l'amitié.* Thèse, Grenoble, 1959.
Margerie Amédée de	*Saint François de Sales.* Paris, Gabalda, 1927, 209 p., 19 cm.
Marceau William	*Le stoïcisme de saint François de Sales.* Thèse, Laval, 1964.
Million Ferdinand	*Paroles d'encouragement.* Paris, Téqui, 1914, 234 p., 12 cm.
Mugnier Francis	*Toute la vie sanctifiée : le devoir d'état à l'école de saint François de Sales.* Paris, Lethielleux, 1940, 259 p., 19 cm 5.
Muller Michael	*La joie dans l'amour de Dieu.* Paris, Aubier, 1936, 252 p., 19 cm.
Murphy Ruth	*Saint François de Sales et la civilité chrétienne.* Paris, Nizet, 1964, 234 p., 22 cm 5.
Pagis Mgr	*Panégyrique de saint François de Sales prononcé dans la cathédrale d'Annecy, 3-2-1884.* Moutiers, imp. Cane sœurs, 1884, in-8°.
Quinard Claude	*Message de saint François de Sales pour ce temps.* Tournai, Paris, Casterman, 1950, 250 p., 18 cm.
	Notes sur la pensée originale du « Traité de l'Amour de Dieu ». Sorbonne, thèse complémentaire, W, 1957.
Ravier André	*Saint François de Sales.* Lyon, Chalet, 1962, 254 p., 29 cm.
Rivet Mother Mary Majella	*The Influence of the Spanish Mystics on the works of Saint Francis de Sales.* Thèse, C.U.A. Press, Washington, 1941.
Roffat Claude	*A l'école de saint François de Sales.* Paris, Spes, 1948, 435 p., 20 cm.
	A l'écoute de saint François de Sales. Paris, Spes, 1948, 398 p., 20 cm.
Sales Charles-Auguste	*Histoire du Bien-Heureux François de Sales.* Paris, Vivès, 1857, 2 vol.
Serouet Pierre	*De la vie dévote à la vie mystique.* Paris, Desclée de Brouwer, 1958, 446 p., 21 cm 5.

STOPP Elisabeth

Saint François de Sales and the order of the Visitation. Waldron, Sussex, Stanford Abbey Press, 1963, 38 p., 18 cm 5.

STROWSKI Fortunat

Saint François de Sales. Paris, Bloud, 1908, 364 p., 19 cm.

Saint François de Sales - Introduction à l'histoire du sentiment religieux en France. Paris, Plon, 1898, 424 p., in-8°.

Saint François de Sales - Introduction à l'histoire du sentiment religieux en France. Paris, Plon, 1928, 309 p., 20 cm.

TAOC L.

La Perfection chrétienne selon saint François de Sales. Paris, Oudin, 1880, in-18°.

THAMIRY Edouard

La Méthode d'influence de saint François de Sales. Paris, Beauchesne, 1922, 147 p., 29 cm 5.

Le mysticisme de saint François de Sales. Arras, Sœur Charruey, 1906, 12 p., in-8°.

TROCHU Francis

Saint François de Sales, évêque et prince de Genève. Paris, Vitte, 1941, 2 vol.

VAN HOUTRYVE Idesbald

Saint François de Sales et l'équilibre surnaturel. Paris, Vitte, 1943, 268 p., 19 cm.

Saint François de Sales peint par lui-même. Centre liturgique, Mont César, Louvain, 1954, 243 p., 19 cm.

Le secret de saint François de Sales. Paris, Editions du Cèdre, 1954, 32 p., in-8°.

La vie intérieure. Centre liturgique, Mont César, Louvain, 1946, 254 p., 19 cm.

VEUILLOT Pierre

La spiritualité salésienne de « tressainte indifférence », thèse, Inst. Cath. de Paris, 1947.

VIDAL F.

Aux sources de la Joie avec saint François de Sales. Paris, Ed. Debresse, 1964, 284 p., 22 cm 5.

VINCENT Francis

Saint François de Sales directeur d'âmes. L'éducation de la volonté. Paris, Beauchesne, 1926, 581 p., 20 cm.

VUY Jules

La Philothée de saint François de Sales. Vie de Madame de Charmoisy. Paris, Palmé, 1878, in-12°.

5. Etudes spéciales des auteurs spirituels

ALFARIC Prosper

L'évolution intellectuelle de saint Augustin du manichéisme au néoplatonisme. Paris, Nourry, 1918, in-8°.

AUCLAIR Marcelle

La vie de sainte Thérèse d'Avila. Paris, Seuil, 1960, 501 p., 18 cm.

BASILICAPETRI Carolo

De vita et rebus gestis Caroli Borromei. Ingoldstadii, Davidis Sartorii, 1592, 371 p., in-4°.

BELLARMIN Robert

Cinq Opuscules. Avignon, Seguin Ainé, 1935.

BERNADOT M. Vincent   *Sainte Catherine de Sienne*. Saint-Maxi-
                             min, Ed. de la Vie Spirituelle, 1923,
                             146 p., 19 cm.

BERNARD Charles Albert   *Théologie de l'espérance selon saint Tho-
                             mas d'Aquin.* Paris, Vrin, 1960, 174 p.,
                             25 cm.

BERNARD (Saint)   *Œuvres mystiques.* Traduction A. Beguin,
                             Paris, Seuil, 1953, 1054 p., in-16°.

BERRUETA (J.-D.), CHEVALIER *Sainte Thérèse et la vie mystique.* Paris,
(J.)   Denoël et Steele, 1934, 270 p., 21 cm.

BONA Georges   *Voye abregée pour aller à Dieu, par des
                             mouvements affectifs et des oraisons
                             jaculatoires.* Bruxelles, Foppens, 1685,
                             396 p., 15 cm.

BONAVENTURE Saint   *Les trois voies de la vie spirituelle.* Pa-
                             ris, Lib. St-F. d'Assise, 1929, in-8°.

BROU Alexandre   *Les Exercices spirituels.* Paris, Tequi,
                             1922, 206 p., 18 cm 5.

CATHERINE DE SIENNE   *Le Dialogue.* Paris, Lethielleux, 1913,
                             2 vol.

CAYRÉ Fulbert   *Précis de Patrologie.* Paris, Desclée,
                             1930, 3 vol.

CHRISTOFLOUR Raymond   *Spirituels et mystiques du grand siècle.*
                             Paris, Fayard, 1961, 256 p., 18 cm 5.

COGNET Louis   *De la dévotion moderne à la spiritualité
                             française.* Paris, Fayard, 1958, 121 p.,
                             19 cm 5.

                             La spiritualité française au XVII⁰ siècle.
                             Paris, La Colombe, 1949, 128 p., 22 cm.

                             La spiritualité moderne. Paris, Aubier,
                             1966, 511 p., 22 cm.

COMBÈS Gustave   *La charité d'après saint Augustin.* Paris,
                             Desclée, 1934, 321 p., 19 cm 5.

COTON Pierre   *Intérieure occupation d'une âme dévote.*
                             Paris, Chappelet, 1609, 204 p., 14 cm.

DAVY M.-M.   *Saint Bernard.* Paris, Aubier, 1945, 2 vol.

FLICHE Paul   *Sainte Catherine de Gênes.* Paris, 1881,
                             455 p., 18 cm 5.

GABRIEL DE SAINTE MARIE-MA- *Sainte Thérèse de Jésus. Maîtresse de vie
DELEINE   spirituelle.* Paris, Desclée, 1939, 189 p.,
                             in-8°.

GARRIGOU-LAGRANGE Réginald   *Perfection chrétienne et contemplation
                             selon saint Thomas d'Aquin et saint Jean
                             de la Croix.* Ed. de la Vie spirituelle,
                             St-Maximin, 1923, 2 vol.

                             La synthèse thomiste. Paris, Desclée,
                             1946, 739 p., 20 cm.

GAUTIER Jean   *L'esprit de l'école française de spiritua-
                             lité.* Paris, Bloud, 1938, 191 p., 17 cm.

GENEBRARD Gilbert   *Canticum Canticorum Salomonis.* Pari-
                             siis, Corbinum, 1585, in-8°.

GILSON Etienne   *Introduction à l'étude de saint Augustin.*
                             Paris, Vrin, 1943, 352 p., in-8°.

                             La Philosophie de saint Bonaventure.
                             Paris, Vrin, 1924, 419 p., in-8°.

	La théologie mystique de saint Bernard. Paris, Vrin, 1934, 255 p., in-8°.
	Le Thomisme. Paris, Vrin, 1942, 552 p., in-8°.
GUIGEF L.-P.	*Sainte Catherine de Sienne: Le Sang, la Croix, la Vérité.* Treize lettres traduites, Paris, Gallimard, 1940, in-8°.
HERMANS Francis	*L'humanisme religieux de l'abbé Henri Bremond.* Paris, Alsatia, 1965, 286 p., 22 cm.
JULIEN-EYMARD D'ANGERS	*Le P. Yves de Paris et son temps.* Paris, Nouvelles éditions latines, 1946, 2 vol.
JUVENTIUS Joseph	*De ratione discendi et docendi ou de la manière d'apprendre et d'enseigner.* Paris, Hachette, 1892, 18 cm 5.
LA COLOMBIÈRE Claude	*Sermons.* Lyon, Ponthus, 1757, 6 vol.
Les Pères Jésuites	*Constitutiones societatis Jesu et examen cum declarationibus.* Anvers, Neursiu, 1636, 429 p., in-12°.
	Thesaurus spiritualis societatis Jesu. Avignon, Seguin, 1836, 694 p., in-32°.
LOYOLA Ignace de	*Exercices spirituels.* Paris, Desclée, 1963, 230 p., 17 cm.
MARROU Henri	*Saint Augustin et l'augustinisme.* Paris, Seuil, 1955, 191 p., 18 cm.
MAULDE LA CLAVIÈRE René de	*Saint Gaetan (1480-1547).* Paris, Lecoffre, 1902, 201 p., in-18°.
NICOLE Pierre	*Lettres de morale et de piété.* Tarn, Estienne, 1727, 3 vol.
ORCIBAL Jean	*Jean Duvergier de Hauranne, abbé de Saint-Cyran, et son temps.* Paris, Vrin, 3 vol.
	La spiritualité de Saint-Cyran. Paris, Vrin, 1962, 541 p., 25 cm.
PIE X	*Pascendi dominici gregis* (8 sept. 1907), dans *Actes de S. S. Pie X.* Paris, Maison de la Bonne Presse, 1911, III, pp. 84-177.
PINARD DE LA BOULLAYE Henri	*La spiritualité ignatienne.* Paris, Plon, 1949, 459 p., 21 cm.
POTTIER Aloys	*La Doctrine spirituelle du Père Louis Lallemant (1587-1635).* Paris, Téqui, 1936, 3 vol.
POSSEVIN Antoine	*De Cultura Ingeniorum.* Paris, Chappelet, 1605, 213 p., 12 cm.
	Le P. Louis Lallemant et les grands spirituels de son temps. Paris, Téqui, 1927, 3 vol.
	Le R.P. Pierre Coton, intérieure occupation d'une âme dévote. Paris, Téqui, 1933, in-16°.
POURRAT Pierre	*La spiritualité chrétienne.* Paris, Gabalda, 1921-1943, 4 vol.
DUBOIS-QUINARD Madeleine	*Le Palais de l'amour divin de Laurent de Paris (1602). Une doctrine du pur amour*

en France au début du XVIIe siècle. Rome, Institut historique des Capucins, 1959, 378 p., 25 cm.

REGNON Théodore de   *Banès et Molina.* Paris, Oudin, 1883, 367 p., in-8°.

RENAUDET Augustin   *L'Eglise catholique (des origines de la réforme à la clôture du concile de Trente).* Paris, Centre de documentation universitaire, 1941, 5 vol.

RICHEOME Louis   *L'adieu de l'âme dévote laissant le corps.* Rouen, Osmont, 1605, 213 p., in-12°.

SCHIMBERG André   *L'éducation morale dans les collèges de la Compagnie de Jésus en France sous l'ancien régime (XVIe, XVIIe, XVIIIe siècles).* Paris, Champion, 1913, 600 p., 25 cm.

LA SERVIÈRE Joseph de   *La théologie de Bellarmin.* Paris, Beauchesne, 1909, 765 p., in-8°.

SOMMERVOGEL Carlos   *Bibliothèque de la Compagnie de Jésus.* Paris, Picard, 1890-1900, 11 vol.

STOLZ Anselme   *Théologie de la mystique.* Chevotogne, Ed. des Bénédictins d'Amay, 1939, 253 p., 19 cm.

SURIN Jean-Joseph   *Catéchisme spirituel de la perfection chrétienne.* Clermont - Ferrand, 1838, 5 vol.

THOMAS D'AQUIN   *Summa Theologica.* Ottawa, Piana, 1953, 5 vol.

VERMEYLEN Alphonse   *Sainte Thérèse en France au XVIIe siècle (1600-1660).* Louvain, 1958, 298 p., 25 cm.

WATRIGANT Henri   *Collection de la bibliothèque des exercices de saint Ignace.* Enghien, Bib. des Exercices, in-4°.

6. Articles

AMANN E.   *Maldonat,* dans DTC, IX/2, col. 1772-1775.

ARCHAMBAULT Paul   *Saint François de Sales, l'humanisme et les humanités,* dans *Vie Catholique* (de Paris) 7 mai, 1932, p. 11.

AVEZOU Robert   *Annecy au début du XVIIe siècle : saint François de Sales et son temps,* dans *Revue de Savoie,* 1943, pp. 3-16 ; 71-86.

BARONI Victor   *François de Sales - les étapes d'une vie mystique,* art. dans *Revue de Théologie et de philosophie,* t. XVI, 1928, pp. 85-124.

François de Sales - analyse psychologique d'un mysticisme, art. dans *Revue de théologie et de philosophie,* t. XVI, 1928, pp. 165-204.

BREMOND Henri   *Philosophie de saint François de Sales,* art. dans *Revue de Paris,* 1923, vol. I, pp. 135-152.

BRICOUT J.   *Optimisme et pessimisme dans le Dic-*

	tionnaire pratique des connaissances religieuses, vol. IV, col. 105-106.
CARREYRE J.	*Jansénisme*, art. dans *DTC*, VIII, col. 318-529.
CAVALLERA F.	*Spiritualité en France au XVIIe siècle. Réforme de la nomenclature*, *RAM*, XXIX, 1953, pp. 65-69.
DANIÉLOU Jean	*Les sources bibliques de la mystique d'Origène*, *RAM*, n° 90, avril-juin, 1947, pp. 126-141.
DELPLANQUE Albert	*Saint François de Sales étudiant. Extrait de la Revue de Lille*. 1902-1903, pp. 365-374.
	Saint François de Sales et l'humanisme, art. dans *Revue mensuelle - Les Facultés catholiques de Lille*, janvier, 1923, pp. 116-122.
DESJARDINS G.	*Saint François de Sales, docteur de l'église.* 1877, pp. 305-320 ; 531-559 ; 670-690 ; 807-832.
DÉSORMAUX M.-J.	*Saint François de Sales*, dans la *Revue Savoisienne*, 1922.
DETTLOFF Werner	*La spiritualité de saint François et la théologie franciscaine*, art. dans *Etudes franciscaines*, t. XVI, n° 38, juin, 1966.
DONCŒUR Paul	*L'humanisme de saint François de Sales*, art. dans *Etudes*, 20 juin, 1923, pp. 695-709.
GARRIGOU-LAGRANGE Réginald	*La purification passive de l'espérance*, dans *Vie spirituelle*, t. XVII (1927-1928), pp. 411-427.
	Prédestination, dans DTC, XII/2, col. 2935-3022.
GAUTIER Jean	*La spiritualité de saint François de Sales*, dans *La spiritualité catholique*, 1953, pp. 187-218.
GOODIER Alban	*Saint François de Sales and Robert Bellarmin, a comparative study*, dans *The Month*, t. CLIII, 1929, pp. 193-203.
GOUTHIER M.	*Benoît de Canfeld et l'amour pur*, dans *Dieu Vivant*, n° 20, pp. 133-138.
	Notes sur l'anti-humanisme ; à propos de Bérulle, dans *Dieu Vivant*, n° 23, 1953, pp. 145-150.
GOYAU Georges	*Saint François d'Assise et saint François de Sales*, art. dans *Etudes franciscaines*, t. XXXVIII, 1926, pp. 464-478.
GUIBERT Joseph de	*Charité parfaite et désir de Dieu*, RAM, juillet, 1926, t. VII, pp. 225-250.
HALKIN Léon-E.	*D'Erasme à saint François de Sales*, art. dans *Etudes classiques*, t. X, 1940, pp. 3-13.
HERBAYE P.	*Saint François de Sales et Pascal*, art. dans *La Croix*, 31 décembre 1925.
HEREDIA Beltran de	*François de Victoria*, dans DTC, XV, col. 3117-3133.

JULIEN-EYMARD D'ANGERS	*Etudes sur les rapports du naturel et du surnaturel dans l'œuvre de saint François de Sales.* Extrait des *Ephémérides Theologicae Lovanienses.* T. XXXII, fasc. 3-4, 1956.
LANSON Gustave	*Etudes sur les rapports de la littérature française et de la littérature espagnole au XVIIᵉ siècle,* dans *Revue d'histoire littéraire de la France,* t. III, 1896, pp. 45-70 et 321-331.
LAVALLÉE Mgr	*Le réalisme de saint François de Sales* dans la *Documentation catholique,* 1923, 10 mars, pp. 579-592.
LEMONNYER A.	*Prédestination,* dans DTC, XII/2, col. 2809-2816.
Les Pères Jésuites	*Mémoires sur l'Histoire des Sciences et des Beaux Arts.* Paris, Chaubert, 1737.
LIUIMA Antoine	*Saint François de Sales et les mystiques,* dans *RAM,* n° 95, juillet-septembre, 1948, pp. 220-239.
	Saint François de Sales et les mystiques, dans *RAM,* n° 96, octobre-déc., 1948, pp. 376-385.
	Saint François de Sales et la tradition, les Pères de l'église, dans *RAM,* n° 103, juillet-septembre, 1950, pp. 202-228.
LONGPRÉ E.	*Bonaventure (saint),* dans *Dict. de Spir.,* I, col. 1768-1843.
LUX Otto	*Augustinian Influence in the Ethics of Francis de Sales,* dans *Salesian Studies,* summer, 1966, pp. 52-67.
MACKEY Henri Bernard	*Saint Francis de Sales : Doctor of the Church,* art. dans *The Dublin Review,* 3rd series : t. VII, n° 1, pp. 86-115 ; t. VIII, n° 1, pp. 74-104 ; t. IX, n° 1, pp. 127-153 ; t. X, n° 1, pp. 25-62, 1882-1883.
MANDONNET P.	*Cano, Melchior,* dans DTC, II/2, col. 1537-1540.
MOGENET Henri	*Un aspect de l'humanisme salésien. Vertus morales naturelles et charité,* dans *RAM,* t. XXI, 1940, pp. 3-25, 113-130.
MONIER-VINARD H.	*Le bienheureux cardinal Bellarmin et saint François de Sales,* dans *RAM,* t. IV, 1923, pp. 225-242.
NEYRON Gustave	*Saint Ignace de Loyola en présence des idées de son temps,* dans *Revue apologétique,* t. LIII, 1931, p. 149.
OLPHE-GALLIARD Michel	*Cassien,* dans *Dict. de Spir.,* t. II, col. 214-276.
PAUL VI Pape	*Sabaudiae Gemma,* dans la *Documentation Catholique,* n° 1489, 5 mars, 1967.
PERNIN R.	*Saint François de Sales,* dans DTC, t. VI, col. 736-762.
PLUS Raoul	*Angélique Arnauld et ses relations avec saint François de Sales,* dans *Etudes,* t. CXXII, 20 février, 1910.

PORTALIÉ E.

Augustin (saint), dans DTC, I/2, col. 2268-2472.

RENAUDIN Paul

Le dénuement et l'amour dans la vie de Richard Rolle, dans *Vie spirituelle*, t. 60-61, 1939, pp. 143-168.

RICARD Robert

Sainte Thérèse et le socratisme chrétien, dans *Bulletin de littérature ecclésiastique*, t. XLVI, 1945, pp. 139-158.

ROOSE J.

Introduction à la spiritualité de saint François de Sales, dans *Notes salésiennes*, 3e série, n° 5, novembre 1952.

ROZWADOWSKI Alexander

De optimismo universali secundum S. Thomam, dans *Gregorianum*, 1936, pp. 254-264.

SAGE Pierre

Humanisme chrétien dans *Catholicisme*, t. V, col. 1072-77.

SALTET Louis

Les leçons d'ouverture de Maldonat à Paris (1565-1576), dans *Bulletin de littérature ecclésiastique de Toulouse*, 1923, pp. 327-347.

SCHALCK F.-A.

Pessimisme et optimisme, dans DTC, t. XII/I, col. 1306-1313.

SECRET Bernard

François de Sales dans *Catholicisme*, t. IV, col. 1539-1540.

SEROUET Pierre

Saint François de Sales, dans le *Dict. de Spir.*, t. V, col. 1057-1097.

SIWEK Paul

Optimism in Philosophy, dans *New (The) Scholasticism*, US, t. XXII, octobre 1948, pp. 417-441.

Pessimism in Philosophy, dans *New (The) Scholasticism*, US, juillet 1948, pp. 249-297.

STOPP Elisabeth

Jean Goulu and his « Life » of saint François de Sales, dans *Modern (The) Language Review*, April 1967, vol. 62, n° 2, pp. 226-237.

TAVENAUX René

Jansénisme et politique, dans *La Croix*, 25 et 26 septembre 1966.

VINCENT Albert

Compte rendu du livre du R.P. Festugière, *Le revélation d'Hermès Trismégiste. II, Le Dieu cosmique* (coll. Et. bibliques), Paris, Gabalda, 1949, pp. XVII-610, dans *Revue des Sciences Religieuses*, t. XXV, 1951, pp. 380-382.

VOCHT Henri de

La Compagnie de Jésus et l'humanisme, dans *Etudes classiques*, juillet-octobre, 1945, t. XII, n°s 3-4, pp. 193-209.

INDEX

TABLE DES MATIÈRES

Chapitre I

APERÇU HISTORIQUE

Chapitre II

DES SOURCES
DE SAINT FRANÇOIS DE SALES

Chapitre III

L'AMOUR PUR
ET LES ECOLES DE SPIRITUALITE

Chapitre IV

LE VOLONTARISME SALESIEN

Chapitre V

DES VERTUS SALESIENNES
QUI DECOULENT DE L'OPTIMISME

Cette première édition de

L'optimisme dans l'œuvre
de Saint François de Sales

a été achevée d'imprimer
le 3 décembre 1973

Impression : Imprimerie Saint-Paul
55001 Bar-le-Duc

Dép. lég. : 4e trim. 1973
Nº IV-73-526
Nº édition : ISBN 2 249 60065 1

Imprimé en France